ALLA DE STILLSAMMA DÖDA

Anna Jansson

ALLA DE STILLSAMMA DÖDA

NORSTEDTS

Av Anna Jansson har tidigare utgivits:

Stum sitter guden, 2000

Alla de stillsamma döda, 2001

Må döden sova, 2002

I stormen skall du dö, 2002 LL-Förlaget

Dömd för mord, 2003 LL-Förlaget

Silverkronan, 2003

Drömmar ur snö, 2004

Etiska dilemma i vården. Hur skulle du ha gjort?
2005 Gothia förlag

Svart fjäril, 2005

Främmande fågel, 2005

Pojke försvunnen, 2007

Inte ens det förflutna, 2008

ISBN 978-91-7263-693-4
© Anna Jansson 2001
Bokförlaget Prisma, Stockholm
Pan, Stockholm 2005
Svensk utgåva enligt avtal med
Bengt Nordin Agency
Omslag: Norma Communication
Åttonde tryckningen
Tryck: ScandBook AB, Smedjebacken 2010

* * *

www.norstedts.se
Norstedts ingår i Norstedts Förlagsgrupp AB,
grundad 1823

Spörjer du, broder, om dem som dö,
de vilkas hyddor falla.
Runt omkring livets brännheta ö
svalkande vågor svalla.

Utanför fångens förpestade rum
klarögda stjärnor glöda.
– Ser jag dem färdas i glitterskum
alla de stillsamma döda ...

Frågar du sedan vart resan bär
Svarar jag så dina frågor:
där varest aldrig en fråga är
domna de dansande vågor.

Ur Nils Ferlins diktsamling
Med många kulörta lyktor

I

Hennes första förnimmelser är åskans dån och en kväljande stank av mänsklig träck. Smärtan har följt med från tillståndet av medvetslöshet upp till ytan. Skärande och svår har den tvingat henne till klarhet. Mörkret är nästan kompakt. En dimgrå strimma av ljus dansar ovanför hennes huvud. Om det är ovanför. Hon vet inte säkert. Det gör ont att fixera blicken. Kriminalinspektör Maria Wern gör en ansats att resa sig från det hårda cementgolvet och kräks. Hoststöten vid kräkningen känns som ett yxslag i bakhuvudet. Allt snurrar runt, faller och stiger i ett regn av ljusblixtar. Hon försöker kräkas mera varsamt, utan ansats. Munnen svider snart av bitter galla. Försiktigt lyfter Maria armen och känner på sitt bultande huvud. Handen blir våt. Hon sätter fingrarna under näsan. Känner lukten av blod. Magen drar ihop sig i en ny kramp. Huvudet exploderar och hon faller åter in i det skyddande mörkret.

Hur länge hon har varit borta vet hon inte. Ett par minuter? Kanske i timmar? Regnet piskar hårt, men bara något enstaka stänk faller på hennes ansikte. En rå fuktig kyla söker sig in på kroppen. Mörkret är totalt nu. Maria gnider sina ögon. Försöker ana någon skiftning i det svarta som omger henne. Stanken är olidlig. Hon anstränger sig att minnas. Få ordning i sitt inre kaos. Maria vet inte var hon befinner sig. Rädslan smyger sig på och slingrar som en hal orm utefter ryggraden. Bilder av Krister och barnen skymtar förbi men låter sig inte fångas i något sammanhang. De trängs undan av hotet. En rivande känsla av en kommande katastrof. Något hon kan fatta, kanske förhindra, men ännu är det ogripbart.

Maria låter handen glida utmed golvet. Det känns kallt och skrovligt, som betong. Krister och barnen, var finns de? Var befinner hon sig?

"Hallå! Hjälp, finns någon där?" Maria anstränger rösten till det yttersta. Ljudet, ett tunt kraxande läte, uppslukas av de omutliga väggarna. Hur har hon hamnat i detta stinkande fängelse?

"Hallå!" Försiktigt sträcker Maria ut sin högra hand i mörkret och slår emot en vägg av sten eller betong. Hon känner ett starkt behov av att tömma blåsan men orkar inte ta sig upp. Händerna trevar över kroppen i ett försök att känna om något är brutet. Såret i bakhuvudet är klibbigt. Håret känns stelt mellan fingrarna. Hon fryser.

"Hjälp! Hjälp mej någon!" Regnet dånar utanför. Vågor vräker mot land. Splittras som vedträn mot stenar eller en brygga. Outtröttligt. Åskans dova muller dränker hennes röst. Krister och barnen, är de i säkerhet? Maria kan inte rekonstruera något av det som hänt. En åskknall får luften att vibrera. En blixt lyser in genom en tredelad grå springa ovanför. Under någon sekund kan Maria se sitt fängelse. Hon får en känsla av att hon befinner sig i en bunker. På golvet till vänster om henne ligger ett stort svart bylte. En människa? Maria inväntar med återhållen andning nästa blixt. Åskans knallar fortsätter allt längre bort. En ny blixt glimmar till efter en evighet, alltför svag för att lysa upp det mörka utrymmet. Krister? Visst är det Krister? Maria sträcker ut sin vänstra hand. Känner kroppen genom tyget, trevar utefter armen.

"Krister!" Hon finner hans hand. Håller den hårt. "Krister, var är barnen? Var är Emil och Linda?" Handen är så kall. "Du måste vakna, Krister!" Maria gör en ansträngning att maka sig närmare. Försöker resa sig upp och känna med handen över hans ansikte, väcka honom. Han måste vakna! Måste vakna och berätta vad som hänt. Huvudvärken är olidlig, tar andan ur henne. Tvingar henne att lägga sig ner igen med kinden mot det kalla golvet. Kväljningen gungar i halsen. Det kryper i hårbotten. Maria får något mellan fingrarna. Det krasar när hon pressar pekfingret mot tummen, fortsätter att krypa i hårbotten och på halsen. Insekter av någon sort, kanske gråsuggor eller tvestjärtar? Det kliar på ryggen. Med en rysning av obehag inser Maria att hon inte orkar lyfta armen igen.

"Krister, du måste vakna! Jag älskar dej." Hans hand ligger slapp i hennes. Maria gör en sista ansträngning att resa sig upp och förlorar medvetandet igen.

Ett svagt ljus har letat sig in genom de förspikade gluggarna på bunkern. Regnet forsar fortfarande ner och fyller groparna i marken. Stormen våldför sig på blåklockor, prästkragar och knoppiga brudbröd, som ligger slagna till marken på strandängen utanför betongbunkern, en rest sedan krigstider. Av och an böljar vassen, oskyddad, utan möjlighet att undkomma, tvingas den följa med de vredgade vindarna. Enbuskarna kröker sina vindpinade ryggar, som oavlåtligen piskas av regnet. Stranden ligger öde framför den mörkgröna täta granskogen.

I jämmer vaknar Maria. Blåsan är fylld till bristningsgränsen. Huvudet bultar. Kristers hand är så kall och stel. Försiktigt öppnar hon ögonen mot ljuset. Stirrar på handen i sin hand och den döde mannen vid sin sida. Mitt i fasans skri är hon tvungen att slita ner trosorna och kissa. Instinktivt letar hon efter den lägsta punkten att sätta sig på, för att slippa se vattnets väg över golvet. Alldeles vid dörren finns en försänkning. Den har varit använd förut. Full av mänsklig träck och spyor sprider den sin stank av orenhet. Fortfarande på huk försöker Maria trycka upp plåtdörren. Den går inte att rubba. Hon är instängd med den döde. Väggarna kommer emot henne och pressar sig inåt från alla sidor. Luften fastnar i lungorna. Att mannen är död råder det inget tvivel om. Vaxblekt och avslappnat vilar huvudet mot golvet. De färglösa läpparna är spända över tänderna. Munnen vidöppen. Ögonen är inte helt slutna. Blicken vilar grumlig i det okända. Över den vita skjortan ligger en grön kvist. Maria gnuggar försiktigt de smala bladen mellan fingrarna. Rosmarin. "Här är rosmarin, det stärker minnet", säger Ofelia till Hamlet. Kvinnan i örtagården dyker upp ur töcknet, namnlös. Visst var det så hon sa? "Här är rosmarin, det stärker minnet."

Rosmarin för hågkomst av de döda, så var det. Maria tvingar sig att se på den döde. En skrattgråt tränger upp ur strupen. Både av skräck och lättnad över att det inte är Krister som ligger där. Hur länge har hon hållit den döde i handen? Maria ser på sin hand, som den vore ett främmande föremål. I ångest klamrar hon sig fast vid detaljerna för att slippa helheten. Mannens glesnade hår. Inte så olikt Kristers. De bruna sandalerna. Sidenslipsen, så slarvigt knuten. De svarta dammiga byxorna. Hon reser sig upp och försöker med all kraft sparka på brädorna som spikats för de tre gluggarna. Längst ner finns en glipa på nästan tio centimeter. Fick hon bara bort brädorna skulle det gå att pressa sig ut genom ett av hålen. Återigen ropar hon på hjälp. Huvudet spränger för varje ansträngning. Yrseln tilltar. Rösten mattas av. Det är lönlöst att skrika mot stormen. Munnen känns sträv och torr trots att luften är mättad av fukt. Hur länge sedan var det hon druckit något? Maria fryser trots fleecejackan. Hon försöker pressa upp dörren igen, men utan resultat. Utrymmet hon har att dela med den döde är högst fyra kvadratmeter. Hon tvingar sig att se på mannens ansikte igen, och tycker att hon känner igen honom. Vagt vet hon att hon har sett honom tidigare. Men hans namn är utom räckhåll.

Sakta kommer skymningen, suddar ut detaljerna i bunkern och anletsdragen på den döde. Rundar av hörnen med sina mörkgrå skuggor. Kriminalinspektör Maria Wern söker febrilt i sitt minne för att förstå sin vanvettiga belägenhet: instängd i en bunker med en död man. Vem har slagit henne i bakhuvudet? Varför är dörren låst? Varför lever hon själv och inte mannen? Kanske behöver mördaren inte döda henne aktivt. Hur länge kan en människa klara sig utan vatten? Tre dygn? Knappast mer. Mindre i värme. Kortare tid om man kräks. Hon sätter sig ner på golvet. Försöker samla sina krafter. "Här är rosmarin, det stärker minnet." Kvinnan i örtagården. Maria anstränger sitt minne till det yttersta, söker associationer och bilder. En torsdag sipprar upp ur glömskan. Den torsdag då hon träffade Rosmarie Haag.

2

De hade bott ett par månader i villan i Kronviken. Aldrig hade hon anat att det var så mycket som behövde rustas. I det första tjusade ögonblicket, när de bara såg skönheten i möjligheterna, fanns det ingen plats för realistiska bedömningar.

Badrummet hade ingen duschkabin, bara ett charmigt blått badkar på fyra ben, med en gummislang som nödtorftigt gick att ansluta till kranen vid behov av dusch. Vattenkranarna erbjöd skållhett och iskallt vatten, att blanda själv efter behag. Rent farligt med tanke på barnen. Samtliga kranar behövde ny packning. Alla de arton fönstren, inklusive verandans, hade innanfönster med vaddrulle emellan. Vid putsning måste fönstret lyftas ut på golvet för att sedan flyttas tillbaka och passas in med piggar och skruvar, och slutligen tejpas igen med långa pappersremsor som först måste blötas i vatten. Maria visste inte med sig att hon sett något liknande tidigare. I alla fall hade hon aldrig funderat över hur själva putsningen gick till.

I sin fantasi hade hon haft obegränsat med tid och obegränsat med pengar att satsa i drömhuset. Nya tapeter, nytt golv och nytt badrum. En tvättstuga. Det fanns inte ens tvättmaskin! Bara två tvättbaljor bakom ett draperi och en tvättlina ute i trädgården. I köpandets stund hade hon aldrig kunnat ana hur det skulle bli. Nej, hon hade blivit huvudlöst förälskad i huset, helt förblindad av kakelugnen och glasverandan, vedspisen i köket med den murade kåpan och det lilla drivhuset precis vid köksingången. Krister hade länge förtigit att han hittat en fuktskada i källaren. Han ville inte belasta sin hustru med sådana petitesser när hon äntligen var riktigt lycklig, sa han. Och inte tänkte han bråka om det heller när de fått huset så billigt. Vilket i slutänden resulterat i att de fått gräva upp och lägga om dräneringen och sedan var pengarna slut. Definitivt slut. Dessutom var värmepannan från 1800 kallt och kunde tänkas haverera när som helst.

Strax före midsommar hade svärmor kommit och presentat med en servis hon köpt till det nya hemmet. Servisen kostade 16 000 påpekade hon flera gånger, var allt igenom oanvändbar i en barnfamilj, men gick inte att byta. "Inte utan att få öronen nermalda till pulver", fastslog Krister. Och så var det med det. "Ni kommer väl hem till midsommar?" hade svärmor sagt när Maria öppnade paketet. Gåvan var uppenbarligen villkorad, en muta. "Nej, vi har bestämt att fara ner till Uppsala." Och det hade de gjort. På måndagen efter midsommarhelgen hade svärmor ringt och varit i upplösningstillstånd. "Här satt jag med all maten till ingen nytta, omeletter och suffléer, tårtor och småkakor. Men ni kom inte. Ni bara struntade i oss gamlingar." Maria hade då upplyst henne om att de mycket tydligt sagt att de inte skulle komma. "Sa och sa! Inte hade jag kunnat tänka mig att ni skulle vara så grymma och själviska att ni övergav oss på själva midsommarafton!" Känslomässig utpressning var ordet! Maria hade varit beredd på något i den vägen, men fick ändå dåligt samvete.

Hela onsdagskvällen, långt in på småtimmarna, hade de försökt återställa rabatterna runt huset efter dräneringsarbetet. Kriminalinspektör Maria Wern stirrade kritiskt på sina naglar. Det var svårt att få dem helt rena när man bökat i jorden som en mullvad kvällen innan. Hon tog en rejäl klunk av kaffet och skummade igenom en PM från ledningen angående problemorienterat arbete och schemaläggning. Klockan sex hade väckarklockan ringt efter knappa fyra timmars sömn. Sju hade hon lämnat hemmet för att skjutsa barnen till dagis. Linda hade blivit åksjuk och kräkts ner baksätet i bilen.

Maria tvinnade sin blonda hårfläta i handen och snurrade upp den till en knut. Ögonen sved när hon försökte fixera texten på papperet, hålla kvar bokstäverna och avkräva dem en meningsfull tankegång.

"Du har besök", knastrade rösten på snabben. "Rosmarie Haag. Hon har tydligen haft kontakt med Örjan Himberg tidigare, men önskar tala med någon annan den här gången." Maria var inte ett dugg förvånad. Det ville alla som talat med Örjan Himberg. På länskrim var han lika välkommen som restskatt. Men när Jesper Ek nu var långtidssjukskriven efter att ha blivit knivhuggen i buken, var man tvungen att låna in någon från NÄPO. Och vem lånar de ut? Örjan så klart! Örjan själv var inte glad att bli fråntagen sin favoritsysselsättning: att stoppa bilister och besiktiga deras bilar. Mästrande och härjande anklagade han sina medmänniskor för smutsig registreringsskylt, tänkbar rattonykterhet, förmodad fortkörning, solkiga strålkastare och otillåten extrautrustning. Grabbar i artonårsåldern tilläts aldrig passera utan granskning. Dem gick han åt med ett nit som fick hela rättsväsendet i övrigt att förblekna. Kristers brorson hade råkat ut för honom och imiterade gärna hur Örjan studerat hans körkort misstänksamt och utdraget som vid en passkontroll i krigstid. Bland buset gick Örjan Himberg under namnet Himmler.

Maria avbröts i sina funderingar av en försiktig knackning på dörren och Arvidsson blev synlig med Marias besök. Kvinnan som steg in i rummet presenterade sig som Rosmarie Haag. Hennes hållning var mycket rak. Det tjocka vågiga röda håret uppsatt i en lös knut med läderspänne. Ögonen var stora, grå och kattungerunda. Den välskurna klänningen i naturfärgat lin framhävde på ett diskret sätt den välformade figuren. Men den såg varm ut med sina långa ärmar och sin knäppning ända upp i halsen. Det omsorgsfullt målade ansiktet höll den brunröda skalans nyanser. Säkert skulle Örjan Himberg varit mera tillmötesgående om han träffat denna uppenbarelse öga mot öga, tänkte Maria cyniskt.

"Min man har varit försvunnen sedan igår natt. Polisinspektör Örjan Himberg vill få mej att tro att Clarence varit ute och festat och sedan hamnat i fel säng. Det tror inte jag. När jag ringde för tredje gången blev polisinspektör Himberg irriterad. Jag kontaktade honom i hemmet, eftersom han slutade sitt arbete klockan ett i natt. Jag vet att det inte är brukligt, men jag ville få klarhet i vad som hänt. Himberg sa att han skulle anteckna mej i strålpärmen." Maria knep ihop ögonen och drog efter andan. Måtte hon slippa förklara för kvinnan att de som antecknades i strålpärmen var människor som inte direkt var i behov av en polisiär insats, utan snarare behövde hjälp av annat slag: vilsna stackare som tyckte att elementen i hemmet avgav giftig strålning, en och annan som blivit påsatt av varelser från yttre rymden eller sådana medborgare som regelmässigt ringde och tipsade polisen om att den rullstolsburna nittioåriga damen mitt emot idkade bordellverksamhet. Måtte blixten slå ner i Örjan Himberg för hans okänslighet!

"Varsågod och sitt ner. Vi ska gå igenom det här noggrant. Vad heter din man mer än Clarence?"

"Clarence Haag. Han skulle på en affärsmiddag i går kväll. Tjugo minuter i sju tog han bilen in till stan. Sedan dess har jag inte sett honom." Rosmarie vek undan med blicken och bet sig i underläppen.

Det förvånade Maria att kvinnan hade en så mörk röst. Mogen och välartikulerad, som rösten hos en lyssnartestad tevereporter, fyllde den rummets minsta hörn utan att överstiga normal samtalston. Med en sådan röst kan man säga vad som helst och få det att låta vederhäftigt, tänkte Maria med ett stänk av avundsjuka. Om det inte varit för det fuktiga handslaget och det hastiga, nästan nervösa leendet hade kvinnan ytligt sett verkat så oberörd av sin makes försvinnande, att det lika gärna kunnat handla om en bortflugen kanariefågel. Ändå hade hon ringt Himberg tre gånger! Besynnerligt. Kvinnans ord och kroppsspråk stämde inte överens med hennes agerande. Under den lugna ytan skymtade en stor osäkerhet.

"Vad arbetar han med?"

"Clarence är fastighetsmäklare. Han har en egen firma: Haags fastighetsbyrå, om du hört talas om den? Han skulle träffa en kund på Gyllene Druvan. Det gällde någon viktig investering, sa han. Jag har tagit med ett foto." Rosmarie grävde i den matchande handväskan. Handen darrade lätt när hon visade kriminalinspektör Wern fotografiet. Maria hann lägga märke till kvinnans jordiga naglar och fann det sympatiskt med en spricka i den perfekta fasaden. Välkommen bland mullvadarna. Den rödhårige mannen på kortet log emot dem. I leendet gnistrade en guldtand. Det gav ett lite busigt utseende med en halv tand i guld. En trevlig kontrast till den strikta brunrandiga kostymen och de guldbågade glasögonen. "Han hade den kostymen på sig igår", konstaterade Rosmarie.

"Talade han om någon tid när han tänkte vara hemma?"

"Nej, men vid midnatt blev jag orolig och tog en taxi ner till Gyllene Druvan. De hade stängt redan två timmar tidigare. Allt var låst och släckt. Jag försökte kontrollera per telefon om något av de andra ställena hade öppet senare en söndagskväll. Men Parken stängde elva på kvällen och där hade han inte varit. Kanske följde han med kunden hem? Det var en MAN han skulle träffa! Det sa han", poängterade Rosmarie. "Jag har givetvis kontrollerat med almanackan. Det finns inget namn angivet. Bara Gyllene Druvan 19.00. Det är allt. Varken hans kompanjon eller hans sekreterare vet vem han skulle träffa. På Gyllene Druvan öppnar man inte förrän klockan elva i dag och jag har inte fått tag i ägaren på hans hemnummer. Det verkar som om han dragit ur jacket. Du måste hjälpa mej." De runda ögonen blev ännu rundare och svämmade över. Med tårarna blev bilden av kvinnan klarare.

"Vi provar att ringa en gång till. Får vi inget svar föreslår jag att vi far hem till honom. Vi får talas vid mera i bilen." Ett leende lyste upp Rosmaries ansikte. Och i ett slag hade hon ändrat skepnad. Med sina skrattgropar och fräknar såg hon ut som en liten skolflicka.

Gyllene Druvans ägare var bosatt i ett av de pampiga sekelskifteshusen vid ån, inte långt från Parken. När de svängde över bron kunde de skymta den enorma uteplatsen med egen brygga och segelbåt. Den stora välansade gräsmattan gnistrade grön i solljuset. Pergolan var inramad i ett överdåd av blomurnor och klängrosor och fortsatte i ett vitt staket som omgärdade poolen.

"Har din make något mera kännemärke; en leverfläck, födelsemärke eller något annat som är speciellt?"

"Nej han har inga födelsemärken. Det man först lägger märke till är väl guldtanden."

"Hur fick han den?"

"Det var i ett slagsmål, men det är länge sedan. Han valde guldtand, tyckte det var snyggt."

"Vad tror du själv kan ha hänt? Vart kan han ha tagit vägen? Har du någon gissning?"

"Visste jag det vore jag inte här", sa Rosmarie med lugn och saklig röst.

"Nej, så klart. Har din make varit borta någon natt tidigare utan att meddela sig?"

"Nej, jo när något flygplan varit försenat. Men då har jag fått bekräftelse via flygplatsen att det gällt en försening. Och nu i höstas, men det var bara ett dumt misstag. Jag hade tagit fel på dag. Annars har det faktiskt aldrig hänt under de fem år vi varit gifta. Jag har också ringt sjukhusets akutmottagning, men de har inte fått in någon man i fyrtiofemårsåldern. Vi måste få tag i honom. Det är tortyr att inte veta var han är!"

"Ja, det är det", sa Maria och kände att det blev tyngre att andas. Det var inte mera än ett halvår sedan dottern Linda varit försvunnen. Nog visste kriminalinspektör Maria Wern vad ovisshet ville säga.

Gyllene Druvans ägare och tillika hovmästare öppnade sin ytterdörr iklädd silvergrå sidenpyjamas. Tänkte man dit ett par antenner skulle bilden av en utomjordisk rymdkapten varit komplett: Welcome on board, mrs Wern. This world is a bit different from yours, but you'll get used to it. Hovmästarens håriga bringa, som skymtade i pyjamasjackans ringning, var dekorerad med en tjock guldkedja. Det lockiga bruna håret med de lätt silverfärgade tinningarna låg bakåtkammat. En air av Old spice slog emot dem. Inte nog med det. Innan Maria visste ordet av hade hon blivit kysst på handen. Det var på vippen att hon backat ut genom dörren i rena förskräckelsen. För Rosmarie var det tydligen vardagsmat. Hon sträckte artigt fram handen och fick den vederbörligen åtgärdad.

Med ett servilt leende visade hovmästaren in damerna i sitt utställningskök. Maria kom att tänka på en uråldrig James Bond-film hon sett tillsammans med Krister, sedan det krupit fram att han tröttnat på kärleksfilmer. Mr Bond hade kopparkastruller överallt i sitt kök, högt och lågt, nyputsade och blänkande rader av grytor, kastruller, traktörpannor, såsbyttor och serveringsfat. När de lämnat biografen var Maria uppfylld av en enda tanke: Vem putsar alla Bonds kastruller? Att tänka sig James själv med randigt förkläde, Häxans kopparputs och en mjuk ljusblå bomullstrasa, härstammande från ett par uttjänta pyjamasbyxor, skulle ge vilken Bondälskare som helst matsmältningsproblem. Samma fråga hängde i luften i hovmästarens bländande kökstempel. Vem putsar allt detta?

"Vad kan jag bjuda damerna på? Kaffe, espresso, cappuccino? Rostat bröd eller ägg kanske?" Hovmästaren sov tydligen med orderblocket i handen.

"Kaffe, hemskt gärna, tack." Rosmarie Haag svarade för dem båda.

Ryktesvis var Gyllene Druvans ägare en man med stor svaghet för vackra kvinnor, ju yppigare desto bättre. Så vitt man visste hade han alltid varit ungkarl. Det föresvävade Maria, när de alla tre satt och åt frukost, att hovmästaren nog aldrig släppte hem sina kvinnor utan att de fått ett anständigt morgonmål. Det skulle ha fläckat hans rykte. Han tycktes inte heller ett dugg besvärad av att uppträda i pyjamas, vilket måste tyda på en viss vana.

"Känner du igen honom?" Maria räckte fram fotot på Clarence Haag. Hovmästaren tog upp glasögonen ur sin monogramprydda pyjamasficka och studerade mannen med guldtand ett ögonblick.

"Självklart! En av mina stamkunder. Tar ofta affärsbekanta med till min restaurang. Jag kan nästan tänka mej varför ni är här. Men det måste jag ärligen säga att karlar är karlar och en olycka händer så lätt. Det händer i de bästa familjer. Så det är nog klokt att låta var dag ha nog av sin egen plåga."

"Vad menar ni", flämtade Rosmarie. "Har det hänt en olycka?"

"En olycka kommer sällan ensam och här sitter ju ni", skämtade hovmästaren i ett lamt försök att rå på den mättade stämningen. "Han beställde väl in lite i mesta laget den gode Clarence, det är sådant som händer. Absolut inget att göra väsen av. Det är fler än broder Clarence som stupat på sådana blandningar."

"Beställde in? Vad menar ni, drack Clarence alkohol så han blev berusad?"

"Ja, inte var det blomvatten", replikerade hovmästaren med ett höjt ögonbryn.

"Det tror jag inte på. Han måste ha varit sjuk, väldigt sjuk. Clarence är i det närmaste nykterist. På sin höjd att han tar ett glas vin och smuttar på när vi har gäster."

"Stackars man, slapp det ur hovmästaren som en suck." Det var oklart huruvida han fann Clarence hårt hållen av sin hustru, eller om han beklagade det ynkliga tillstånd mannen befunnit sig i under gårdagen.

"Vill du berätta för oss exakt vad som hände?" sa Maria. Hovmästaren sträckte upp sig när han insåg att den informella delen av samtalet var slut, och att han nu hade att redovisa sina iakttagelser för en rättsväsendets representant.

"Clarence hade beställt bord till klockan sju, sitt vanliga bord. Hans sällskap, någon sorts konstnärstyp i keps, mörka glasögon och skinnhandskar, kom en kvart över sju ungefär. Hovmästaren spottade ut ordet KEPS, så ingen skulle undgå att få veta vad han ansåg om en sådan huvudbonad vid bordet. – De beställde in sill och nubbe båda två. Åtskilligt fler nubbar än sillar, vill jag mena. Sedan lät de mej rekommendera biff på husets vis, givetvis svenskt kött, med gorgonzola och figurskurna champinjoner i rödvinssås. Till det beställde de in två flaskor rödvin: Chateau Olivier 1989, en fin årgång.

Efteråt kunde jag se att de knappt petat i maten. Jag kan ärligt säga att det gjorde mej besviken. Den rätten brukar alltid vara något av en succé. Till kaffet drack herrarna konjak. Sedan blev den gode Clarence opasslig. Mannen i keps följde honom ut på gatan. Han höll sin näsduk tryckt mot Clarences mun för att hindra honom från att kräkas på golvet innan de kom ut, antar jag. God sinnesnärvaro, ska jag säga. Det var nästan så jag kunde överse med kepsen. Notan betalades kontant. Pengarna låg på bordet. Exakt på öret – ingen dricks. Clarence brukar alltid ge rundligt med dricks, så det var nog den andre som betalade, exakt på öret. Jag följde efter dem till dörren för att se om jag kunde vara behjälplig med något. Men de satt redan i bilen. En blå BMW. De svängde av mot ringleden. Jag hann inte se vem av dem som körde. Fast det kan ju knappast ha varit Clarence, det förstår jag väl."

"Clarences bil är fortfarande borta. Det är en blå BMW, deklarerade Rosmarie med behärskad röst." Maria antecknade bilnumret, tog upp telefonen, slog numret till kriminalinspektör Hartman och förklarade läget.

"Vi lyser bilen omgående," sa hon efter samtalets slut.

"Var mannen som körde onykter kan de ju ligga i vilket dike som helst. Clarence kan ju inte ha kört. Han var så sjuk. Hur snabbt kan magsjuka visa sig?" sa Rosmarie och tog sig åt halsen.

"Nej, nu måste jag protestera! Vi använder bara förstklassiga råvaror på min restaurang, allt annat vore otänkbart. Att påstå något sådant, som att en av mina gäster skulle ha blivit matförgiftad, är en grov kränkning." Den pyjamasklädde antog en högröd ansiktsfärg.

"Förlåt, jag menade inte alls så. Jag kan bara inte tro att Clarence drack något. Jag vill inte tro det." Rosmarie drog fingrarna genom håret så knuten i nacken lossnade och ett svall av röda lockar föll fram över axlarna. "Vi har ett barskåp hemma som han har för att bjuda affärsbekanta och vänner ur. Men han rör sällan en droppe själv. Skulle jag ta ett glas vin när vi inte har främmande kan han tjura en hel kväll. Clarence avskyr berusade kvinnor."

"Någon av dem måste ha varit nykter nog att räkna och betala notan", tänkte Maria högt för sig själv och tackade ja till påtår, när hovmästaren lutade kopparkannan åt hennes håll.

Rosmarie Haag skjutsades hem för att därifrån ringa släkt och vänner. Maken hade enligt almanackan ett möte inbokat klockan 9.30 och en fastighetsvisning 11.00. På eftermiddagen skulle han ta tåget ner till Stockholm. Det var bestämt sedan en dryg vecka tillbaka. När de stannade på parkeringen utanför Rosmaries hem gick det upp för Maria att de stannat vid Rosmaries örtagård, en plantskola med örtagård och matservering halvvägs mellan Kronvikens camping och stan. Maria hade passerat dagligen sedan de flyttat till det gula huset och varit på väg att svänga in och handla flera gånger, men låtit det bero i väntan på vad som skulle växa upp när snödrivorna väl smält undan. Sedan hade de, som sagt, grävt för ny dränering.

"Jag visste inte att du var DEN Rosmarie", log Maria. "Jag tittar förbi efter arbetet om vi inte har fått klarhet i vad som hänt innan dess." Hon räckte över en lapp med sitt direktnummer.

"Ring mej om du får veta något nytt. Har du någon som kan vara hos dej, någon mer du kan ta hjälp av?"

"Pappa, han bor i den lilla röda stugan i backen. Men jag tror inte han skulle vara något större stöd. Han och Clarence drar inte jämnt. Ingen skulle bli gladare än han om Clarence höll sig undan för gott. Jag säger som det är fast han är min egen far."

"Vad har han emot Clarence?"

"Sammanfattningsvis allt. Nej, jag är inte ensam. Personalen här börjar klockan nio. Det är okey. Vi hörs." Rosmarie drog en djup suck och skyndade iväg. Lättad efter att ha utfört sitt uppdrag? Maria fick, ännu en gång, en känsla av motstridiga signaler.

3

"Så du har varit och ätit gourmetfrukost hela förmiddagen och sedan bevistat Rosmaries örtagård. I syfte att köpa blommor till den egna trädgården, kan tänkas. Hann du inte med fler ärenden på arbetstid? Du kanske skulle ha bokat in en tid hos frissan också eller beställt manikyr." Kommissarie Ragnarsson-Storms tättsittande ögon fokuserade Maria. Den otända cigarettfimpen under överläppen vippade i takt när han talade, som en mycket liten taktpinne, tänkte Maria och ströp sitt leende på halva vägen. "Här klagas det vitt och brett att vi har ont om folk, får för lite resurser, att vi är underbemannade och går på knäna, och sedan har kvinnan där", Storm pekade ondsint på Maria, "mage att hålla lekstuga hela förmiddagen. Hade du inte skrivarbete som låg efter, ärenden som ska upp i rätten i morgon? Var det inte så du sa?"

"De hinns nog med. Vi vet inte vad som har hänt Clarence Haag ännu", sa Maria utan att vika en millimeter med blicken.

"Nej, och det får vi väl vara tacksamma om vi slipper. Antagligen sitter han bakfull ute i skogen någonstans, och då får vi vara glada att han inte ställt till med någon trafikolycka. Eller också, vilket är ännu troligare, har han i fyllan och villan hamnat i fel säng med rätt dam och det är inte heller vår sak att utreda. Begrips! En äkta man måste ha rätt till sitt privatliv! Kan Wern förstå det?"

"Uppriktigt sagt, nej. Inte om han behöver ta polisens resurser i anspråk för att hitta hem. Jag undrar vem mannen i kepsen kan ha varit. Någon av dem var nykter nog att räkna ihop notan och betala den på öret."

"Någon av dem var nykter! Menar du att någon av dem var

nykter!? Ska man skratta eller gråta? Är det inte dags för stora sinnesundersökningen snart? Se på Himberg här och lär dej lite om prioritering. Kvinnan ringer honom och säger att hennes man är försvunnen. Himberg är en ERFAREN polisman. Han VET att försvunna äkta män dyker upp i 99 fall av 100 som marskatter i gryningen för att sova ut efter nattens ansträngningar." Örjan Himbergs leende bredde ut sig i all sin dryghet. Begärligt slickade han i sig det beröm han fick.

"Jag kan nog lära den här stumpan ett och annat", sa han med släpig röst och lät blicken otvetydigt vandra över Marias kropp.

"Då vill jag veta i vilket syfte en polisman bör hota med strålpärmen? Du kanske har en egen hemsida där, som du ville visa Rosmarie Haag? 'Örjans romantiska hörn?' "

Kriminalinspektör Arvidsson, som en längre stund försökt koncentrera sig på dagens tidning, reste sig upp i sin fulla längd. Såg sig omkring med en blick som sa allt och lämnade fikarummet. "Dårhus!" hörde de honom mumla innan han stängde dörren till sitt rum.

Måste livet vara så förtvivlat komplicerat? Arvidsson sjönk ner vid skrivbordet och lutade huvudet i sina kupade handflator. Han drog en djup suck. Han borde ha sagt något till Marias försvar, samtidigt som det var en omöjlighet för honom utan att rodna. Helvete, vad han hatade sin avslöjande kropp. Skjortan var blöt av svett i armhålorna. Hur skulle han kunna arbeta med Maria på ett naturligt sätt om dagen, när hon om natten var hans sömnlösa drömmars kvinna? Bara tanken på hennes höga vrister var upphetsande, liksom det långa ljusa håret, ibland uppsatt och blottande en oemotståndlig nacke. Hennes fantastiska minspel hotade att ödelägga hela hans försvar. Hur ska man kunna leva bredvid en sådan varelse utan att få röra vid henne?

Hon hade två små barn; Emil fem och Linda två år. Det gjorde honom chanslös gentemot datademagogen Krister Wern. Om det inte varit för barnen så kanske han skulle ha dristat sig att gå på offensiven någon gång. Nu gällde det bara att bromsa, även om det fick honom att verka stel och tråkig. Arvidsson bet sig i kindens insida. Blev det värre skulle han inte klara av att stanna. Då fick han söka sig en annan tjänst.

Fram till lunch ägnade sig Maria åt pappershögarna på sitt skrivbord, närmare fyrtiotalet utredningar varav statistiskt sett endast ett tiotal skulle gå till åklagare för bedömning. Cirka trefjärdedelar av de anmälningar som kom in avskrevs i brist på bevis. Nedslående och många gånger genant. Som utredare har man sällan möjlighet att kontakta anmälaren förrän efter en månad eller mer, om ingen kommit till fysisk skada. Spåren har kallnat. Vittnen minns inte längre. Det skulle spara många timmars arbete om en ordentlig brottsplatsundersökning kunde göras omgående vid anmälan. Orolig väntan och många otåliga samtal skulle kunna undvikas. En tidsbesparing både för anmälaren och polisen. Men för att klara det måste man vara ifatt. Tanken på att dessutom arbeta förebyggande när man inte ens hinner med det löpande arbetet var inte alldeles realistisk. Maria lyfte på de översta ärendena i högen: ett sommarstugeinbrott, fylla och misshandel på Videvägen, ett nytt inbrott i Bredströms guld och som grädde på moset ett försök att sälja böhmiska ökenråttor via Internet. Man kan tycka att köparen borde ha reagerat på ordet öken i samband med Böhmen, men så var inte fallet. Den godtrogne köparen hade fått sin leverans av råttor, blivit biten och svårt sjuk i sorkfeber, nephropathia epidemica, som läkarintyget från infektionskliniken sa. Där man också konstaterade att det rörde sig om bett av vanlig åkersork. Sjukdomen sorkfeber var å andra sidan inte så bagatellartad och vanlig. Den kunde förutom feber ge både koagulationsrubbningar och njursvikt, som krävde intensivvård. Den insjuknade krävde skadestånd. I den vevan hade den sorkbitnes mor tagit med sig odjuren till polisstationen i Kronköping som bevismateriel. Storm hade med glädje låtit Maria ta sig an kvinnan och pälsdjuren. Säkert i hopp om att hon var rädd för möss. Maria hade fascinerats av djurens långa gula tänder. De såg ut som storrökare allihop. Med en rysning tänkte hon på de hål som fanns hemma intill uthusväggen. Hon hade inte brytt sig om dem förut, men nu slog det henne att de kunde vara sorkhål. Tänk om Emil och Linda blev bitna.

Då och då vandrade tankarna till Clarence Haag. Men telefonen var tyst och inga meddelanden kom in via snabben. Även om hon fortfarande retade sig på Örjan Himberg så måste hon ändå medge att Storm kanske hade lite rätt. Hon hade handlat utifrån sin omedelbara känsla. Till grund för det låg de outhärdliga timmar när dottern Linda varit försvunnen. Timmar av ovisshet. Det normala förfarandet när en man försvunnit i samband med ett krogbesök är naturligtvis att vänta och se något dygn. Ändå kände sig Maria övertygad om att det här var något annat än ett snedsteg i fyllan och villan. Problemet var att motivera den ståndpunkten för Storm.

"Så säger dom alltid: Ja, Clarence han är så måttlig med spriten, han. Och sedan när maken dyker upp, visar det sig att han gjort allt han inte kunde tänkas göra", menade kommissarien. Nej, på den punkten litade hon mer på Rosmarie Haag än på sin chef. Rosmarie verkade på något vis mera upprörd över makens påstådda alkoholintag än över försvinnandet i sig.

När det var dags för lunch befann sig därför Maria Wern på stadens flottaste restaurang: Gyllene Druvan. Hon hade beställt in dagens rätt, den billigaste, pyttipanna för 85 kronor och det sved ordentligt i den tunna plånboken. Hovmästaren själv var på plats och visade henne till det bord där Clarence Haag och kepsmannen suttit föregående kväll. Clarence med ryggen mot entrén och mannen i keps mittemot. Bredvid bordet, för att ge lite grönska och avskildhet, stod en benjaminfikus i en stor kruka och en annan mindre palmväxt, i två exemplar, som Maria inte visste namnet på. Krukorna var placerade på jättelika terrakottafat strax bakom kepsmannens stol. Benjaminfikusens blomvatten såg mera rött än jordfärgat ut. Maria stoppade ner ett finger och luktade. Kände sig en aning konfunderad och smakade på vätskan. Rödvin utan tvivel! Det kan inte ha varit så lite heller om det lyckats ta sig genom all blomjord och ändå fyllt fatet. Varför hade herrarna beställt in dyrt vin och sedan hällt ut det i jorden? Det var något att fundera på för en fattig kriminalinspektör. Varför hade kepsmannen hållit en näsduk framför munnen på Clarence om han inte tänkte kräkas? Vad kunde få fastighetsmäklare Clarence Haag att acceptera en sådan behandling? Det var på något vis svensexmässigt. Vad kan döljas i en näsduk? En pistol? En liten Browning kan nog gömmas i handen under en näsduk. Att komma med en sådan teori till kommissarie Storm skulle givetvis vara dödsdömt. Det kan ju också tänkas att herrarna inte tyckte om hovmästarens årgångsvin och hällde ut det i smyg för att inte såra honom. Maria tog upp lite av blomjorden på tallriken med sin dessertsked och finfördelade den i små toppiga högar. Hackade sönder högarna och plattade till dem. Mannen vid bordet bredvid följde intresserad hennes arbete.

"De är inte så snabba med serveringen här, men jag kan garantera att det de bjuder på är värt att vänta på", log han uppmuntrande. Maria log tillbaka.

"Det är sånt som händer när man är gravid, man blir sugen på murbruk och allt möjligt." Egentligen visste hon inte var hon fick det ifrån. Fast hon hade inte ljugit. Hon hade inte sagt att hon var gravid, bara att det var sådant som hände.

"Jag vet hur det är. Själv fick jag gå ut och köpa salt lakrits mitt i natten när min sambo var gravid."

Pyttipannan anlände serverad på varm tallrik. För åttiofem kronor borde rödbetorna varit figurskurna eller åtminstone flamberade, tänkte Maria och la linneservetten i knät.

På kylskåpsdörren i fikarummet, den inofficiella anslagspelaren, fanns en inbjudan med anledning av kriminalinspektör Jesper Eks fyrtioårsdag. Grillfest i det gröna, stod det. Maria antecknade sig genast. Hon hade inte sett Ek på över en månad. Sist de var och hälsade på i hans tvåa på Grönsångargatan hade han sagt i förtroende att han övervägde att lämna in sin avskedsansökan. Han hade inte bestämt sig definitivt, men det lutade åt det hållet. "Som tjugoåring är man osårbar. Sen hinner livets betingelser upp en. Jag vill leva ett normalt liv, inte dö i förtid eller ligga som ett paket på långvården för att någon behagar sticka en kniv i mej. Inte för 18 000 i månaden."

"Det kan väl knappast ha varit för lönens skull som du blev polis", hade Hartman svarat honom. "Någon gång måste du ha tyckt att det var ett vettigt yrke att ägna livet åt, att det var meningsfullt." Då hade Ek skrattat som bara Jesper Ek kan, med hela kroppen utan skyddsnät. "Jag ska säga sanningen, hela sanningen och inget annat än sanningen. Jag blev polis för att jag hade spanat in en kvinna som just skulle skicka in en ansökan till polis-skolan. Vilken kvinna! Hon var visserligen förlovad men jag såg inte det som något stort problem. Problemet var att jag kom in men inte hon. På den vägen är det. Meningen kom sedan med arbetets gång. Men just nu är jag en rädd polis och en rädd polis är ingen bra polis och ingen bra människa att leva tillsammans med heller."

"Jag har också varit rädd ibland. Det har alla. Som du säger, det kommer med åren, när odödligheten sviktar och verkligheten gör sig påmind. Jag vill att du ska veta att du är en bra polis, Ek." Så hade han sagt, trygge gamle Hartman, och Ek hade bestämt sig för att ta sig en allvarlig funderare innan han lämnade in något pap-per. Maria höll tummarna. Måtte Ek komma tillbaka i tjänst och Örjan Himberg förpassas till NÄPO igen.

Solen gassade in genom fönstret i Marias redan vid tiotiden stek-heta rum. Ett rum som på grund av bristande isolering levde med i årstidernas skiftningar. På vintern var det iskallt och dragigt, på hösten såg man inte ut för blodlönnens alla vinröda blad som blås-te och slog mot rutan, och på sommaren fick man drivhuskänsla. Maria knäppte på datorn och drog ner persiennen för att kunna se något alls på skärmen. Clarence Haag hade genom åren funnits med i åtskilliga tvistemålsärenden, men aldrig blivit fälld för nå-got brott. I bilregistret fanns inget att hämta. Han ägde en BMW och allt var i sin ordning. I allmänna spaningsregistret fanns han inte med. Rosmarie Haag hade desto fler trafikförseelser, men ingenting i övrigt. Maria reste sig upp och öppnade fönstret. Luf-ten stod stilla. Efter ytterligare en stunds sökande fann hon en an-mälan gjord av Rosmarie Haag, för drygt två månader sedan. An-mälan gällde stöld och skadegörelse. Någon hade grävt upp plantor i örtagården. Ingen känd gärningsman, löd Örjan Him-bergs knappa redogörelse.

Maria ringde dagis och lät meddela att hon skulle bli sen. Egent-ligen hade hon planerat att ta ut kompledighet, sluta klockan tre och tillbringa eftermiddagen med barnen på stranden. Men nu låg pappersarbetet efter och så hade Krister ringt och bett henne köpa packningar till vattenkranarna, själv skulle han omöjligen hinna till VVS-affären före stängningsdags. Och förresten så var mjölken slut och osten, och toapapperet snurrade visst på sista rullen och sedan ville skaderegleraren på försäkringsbolaget bli kontaktad snarast. Och Emil behövde klippas eftersom fotografen skulle komma till dagis under morgondagen. Så badet fick nog vänta till en annan dag. Två medlemmar av familjen Wern skulle säkert bli på vrången för det. Förhoppningsvis skulle de kunna mutas med glass.

Clarence Haags kompanjon, Odd Molin, hade hört av sig från Stockholm på uppdrag av Himberg. Han lät väldigt aggressiv och forcerad. Maria fick hålla luren en bra bit från örat. Clarence hade inte kommit till något av de avtalade mötena under dagen.

"Det är väl Rosmarie som tagit kål på honom", konstaterade Odd med taggtråd i rösten.

"Hur menar du då?"

"Han har väl stupat på sin post med spaden i hand. Det finns väl inget han skulle neka sin lilla Rosmarie. Vinkar hon med lill-fingret så glömmer han allt annat. Ska Rosmarie bort någonstans så skjutsar han henne, fast hon har eget körkort, och är hon på fest så kan han vänta utanför i bilen till långt efter midnatt."

"Rosmarie vet inte heller var Clarence är. Hon är djupt oroad."

"Oroad, den! Hon bryr sig bara om sina grönsaker", fnös Odd i luren.

4

Volvon formligen ångade inuti. Ner med alla fönster. Lindas nödtorftigt borttorkade spya hade utvecklat sin fulla stank i värmen. Ratten brände i handen. Maria försökte styra med fingertopparna. Att handla i stan och låta mjölken stå och fulna i bilen medan hon besökte Rosmarie och sedan hämtade barnen på dagis var inte att tänka på, även om det skulle ha varit enklare att handla utan barn. Luften stockade sig i bröstet av hettan. Kläderna klibbade redan vid kroppen. Vad är väl en dag på stranden?

Volvon rev upp ett moln av damm när Maria parkerade vid Rosmaries örtagård. Marken ångade och luften vibrerade i solgasset. Som en nybastad smördeg rann hon ut i svalkan. Den lätta fränlandsvinden strök sig som en kelen katt mot de bara benen. Maria rättade till sin skrynkliga bomullskjol och strök håret ur pannan.

Både restaurangen och boningshusets träbyggnader var målade i rosa med inslag av klargrönt. Inspirerade av Monet, gissade Maria. Hon hade aldrig varit i Monets trädgård, annat än i fantasin, men utifrån de bilder hon sett var likheten påfallande. Runt serveringen och örtagården löpte en låg stenmur och över den hängde nyponrosor i stora fång, ljusrosa och svagt doftande. Vid murens fot växte lavendel, blå som kvällshimlen själv. Längre bort skymtade resten av handelsträdgården, lusthuset, näckrosdammen med sin hängbro och boningshuset med sin vackra gröna veranda. Maria gick upp mot serveringen och fröhandeln och möttes av Rosmarie, nu iklädd kakishorts och vit polo med lång ärm. Det röda hårsvallet var samlat i en hästsvans. Små lockar hade slitit sig och vispade runt ansiktet i landbrisen. Maria såg frågan i hennes stora grå ögon.

"Inget, inte ett dugg."

"Bilen?"

"Den är inte funnen."

"Kom så sätter vi oss i lusthuset, om du har tid? Där får vi vara ifred. Jag brukar sitta där när jag vill vara ensam. Vill du ha något att dricka?" Maria nickade tacksamt när hon lade märke till korgen på Rosmaries arm. En grå angorakatt smög på dem i rosenbuskarna, fick syn på en fjäril och lämnade sitt gömställe.

Lusthuset var åttkantigt, grönmålat och låg uppe på en liten kulle, i skuggan av en stor ek. Fönstren var höga och spetsiga som kyrkfönster. I sluttningen klättrade vintergröna, gentiana och murgröna mellan runda vita stenar. Katten följde dem in och hoppade spinnande upp i Rosmaries knä.

"Jag såg att du gjort en skadeanmälan för en tid sedan."

"Jag ringde inte främst för att växterna var borta, jag tog kontakt med polisen för att jag var rädd. Det var den där Himberg jag talade med då också. Jag berättade att jag känt mej iakttagen i ett par månaders tid. Jag fick en stark känsla av att någon stod utanför vardagsrumsfönstret och tittade på mej när jag satt vid teven. Ibland öppnade jag altandörren och försökte se ut i mörkret. En gång prasslade det till och jag såg hur jasminbusken rörde sig, fast det var vindstilla. En annan gång tyckte jag mej höra att någon viskade Rosmarie, som ett dämpat skrik, mycket tyst. Knappt hörbart."

"Såg du någon person? Var det en man eller en kvinna?"

"Nej, jag kan inte direkt säga att jag såg någon. Det hela är väldigt obehagligt. Det känns som om någon vill mej ont. Clarence blev arg för att jag ringt polisen. Han tyckte att jag var fånig. Polisinspektör Himberg verkade inte heller intresserad av det jag ville säga. Han blev väldigt irriterad, fast jag berättade för honom om växterna som grävts upp i trädgården, när han ville ha något mera konkret. Stormhatt och odört är väl konkret så det duger! Båda är dödligt giftiga. Inga andra plantor har försvunnit. Bara stormhatt och odört! De växte inte ens bredvid varann. Det ger mej en otäck känsla av att den som tog plantorna mycket väl visste vad det var som grävdes upp. Jag poängterade det flera gånger för Himberg, men han hade slutat lyssna."

"Det kan inte vara någon annan på plantskolan som flyttat dem?"

"Nej, varför skulle någon ha gjort det? Nej, det tror jag inte. Under grekiska antiken var det belagt med dödsstraff att odla stormhatt i sin trädgård. Visste du det? Stormhatt ger en långsam, plågsam död. Medan däremot odört användes av dåtidens rättsväsende för att verkställa dödsstraff. Det berättas att Sokrates tvingades tömma en giftbägare innehållande odört. Det lär smaka fruktansvärt illa, så det är inget man råkar få i sig av misstag. Att tömma en giftbägare ansågs vara ett värdigt och humant sätt att bli avrättad på. Nästan lika ärofullt som romarnas sätt att lägga sig i ett hett bad och skära upp ådrorna omgiven av nära och kära. Det är märkligt så normen svänger på det området. I dag är vi nästan fråntagna rätten till vår egen död." Maria hörde undertonen och väntade på en fortsättning som aldrig kom.

Rosmarie hällde mera fläderblomssaft i Marias glas. Skuggan av ett ögonblick tänkte Maria att det kunde vara en giftbägare hon just tömt. Men de små kumminskorporna på fatet såg så präktiga och beskedliga ut att hon genast slog det ur hågen.

"Vad har du för förhållande till din man? Hade ni grälat?" Maria lutade sig tillbaka. Kanske var frågan lite i djärvaste laget, men helt relevant i sitt sammanhang. En skugga föll över Rosmaries gräddvita hy, ett stråk av flykt.

"Vi hade inte grälat. Vi grälar aldrig. Var och en sköter sitt. Vi håller sams."

"Älskar du honom?" Maria såg att Rosmarie kämpade med frågan. Hon var på väg att säga något men ändrade sig. Frånvarande hällde hon upp mera fläderblomssaft. Handen skakade lätt men rösten var stadig.

"Är kärlek annat än en hormonstorm. Ett naturens eget sätt att se till artens fortbestånd. Vi lever tillsammans. Jag tror inte vi har det just bättre eller sämre än andra. Clarence sköter ekonomin. Jag behöver aldrig bekymra mej om den. Hushållsarbetet och örtagården är mina områden. Det är inte mycket att gräla om. Var och en sköter sitt."

"Har ni några barn?"

"Nej", svaret kom snabbt och hårt som om hon väntat sig frågan. Den smärtade. Maria väntade en stund utan att säga något, lämnade utrymme för Rosmarie att utveckla sitt svar om hon ville.

"En gång drabbades jag av den stora passionen, några månader av rosenrött vansinne. Det gav inte precis mersmak. Jag blev med barn. Han försvann och kom aldrig mer igen. Jag fick missfall i sjätte månaden. Clarence dök upp många år senare. Han räddade örtagården och handelsträdgården från konkurs. Vad hade jag haft kvar att leva för om örtagården tagits ifrån mej?"

Maria försjönk en stund i egna tankar. Lät blicken vandra ut över näckrosdammen med de stora vita blommorna, pilträden och hängbron. Här satt hon och talade med Rosmarie Haag, som om de känt varann hela livet. Vackra olyckliga Rosmarie Haag. Maria kunde inte låta bli att förvåna sig över kvinnans öppenhet. Kanske tydde Rosmaries frispråkighet på en stor ensamhet. Eller också var det oron som drev fram bekännelserna. Ibland kan det till och med vara lättare att anförtro sig åt en fullständig främling. Maria kunde inte låta bli att jämföra med sitt eget förhållande till Krister, där gräl och lycka flöt genom tiden som ebb och flod. Riktiga gräl kräver ett känslomässigt engagemang och nog älskade hon Krister. Väl var han överviktig, tunnhårig, definitivt otränad och hopplöst egensinnig, men åtråvärd. Absolut åtråvärd. Varför, kunde man väl fråga sig? Knappast för att han var den präktigaste hane hon kunde skaffa avkomma med, om man skulle fortsätta i biologiska tankebanor. Knappast. Det handlade om helt andra kvalitéer: om närhet och välvilja. Kanske också om humor. Att bli sedd, att se med öppna ögon och att älska ändå. Inte utan problem. Inte utan vrede. Det finns väl ingen som kan såra en som den man älskar mest. Inte ens Örjan Himberg eller kommissarie Ragnarsson-Storm kunde framkalla de känslor av vanmakt och raseri som Krister. Långt därifrån och ändå måste man säga att de gjorde sitt bästa.

"Du vill alltså anlägga ett kryddland?" Rosmaries röst, affärskvinnans, avbröt tystnaden. Maria svarade jakande och fick goda råd om jordmån, bevattning och soligt växtläge. Innan hon hann tänka igenom det hela ordentligt hade hon famnen full av timjan, citronmeliss och basilika.

"Oreganon är lättodlad. Den frösår sig själv som ogräs, basilikan är lite svårare. Den tål inte frost." Maria gnuggade bladen på en liten växt med långa barrliknande blad och drog in den kamferdoftande aromen.

"Vad är det här?"

"'Det här är rosmarin, det stärker minnet', så sa Ofelia till Hamlet. Den kan också vara lite svårodlad. Tål inte heller frost. Ett gammalt ordspråk säger att där kvinnan är dominant överlever rosmarin."

"Då är det nog ingen större idé."

"Säg inte det. Rosmarin har också använts i det gamla Egypten. Det var sed att låta en kvist av rosmarin följa med den döde i graven. 'Rosmarin för håkomst'", sa man. Det är en trevlig krydda. Själva namnet betyder havets dagg, Ros marinus. Den är väldigt god till lammkött och vilt. Rosmarin rekommenderar jag till ditt kryddland. Du kan få plantan på köpet om du tar de andra kryddväxterna."

Rosmarie följde henne bort till bilen och höll upp koffertluckan, så Maria kunde lasta in växterna utan att luckan dalade ner på fingrarna. Krister hade en längre tid lovat att laga den. Hans tillfälliga lösning på problemet var ett avbrutet metspö, som tidigare fungerat som tältpinne. Vart det hade tagit vägen visste hon inte. Kanske var det den pinnen som blivit nederkant till den tillfälliga rullgardinen.

Det fanns något dröjande över Rosmaries rörelser.

"Det var inget mer du ville berätta?" undrade Maria.

"Nej", sa Rosmarie hastigt och vände sig om.

5

En klok mor låter sina barn äta upp glassen utanför bilen. Maria hade bråttom och fick ta konsekvensen av det. Linda som tyckte att det var mera intressant att äta glassen från botten, men som sedan inte hann med när den började smälta i bilvärmen, kletade sidorutan och armstödet fulla med överskottet. Handla mjölk stod överst på komihåglistan. Med ett styng i hjärtat hade Maria lagt ifrån sig kravmorötterna, för att pengarna skulle räcka till glass. Dåligt samvete hade hon för den dyra pyttipannan. In till frisören med Emil, som inte alls ville bli klippt, men som lät sig övertalas när det fanns tecknad film att se på under tiden. Ringa försäkringsbolaget och så VVS-affären. Barnen, som äntligen blivit utsläppta ur den varma bilen, piggnade till i affärens luftkonditionerade svalka. Runt, runt sprang de bland toalettsitsar och duschdraperier. Maria såg med längtan på de vackra utställningsmiljöerna i körsbärsträ, teak och valnöt. Mässingsdetaljerna blänkte. Kön till expediten var lång. Bara en expedit i rusningstid. Fast det är klart, affärsanställda måste ju också ha semester. Själv skulle Maria ha fyra veckor i augusti tillsammans med Krister.

"Ni får inte gå ut ur affären, lova det." Barnen nickade lydigt och kastade sig skrattande in bland duschdraperierna igen. Det kändes som om hela stan samlats för att byta badrumsinredning just idag. Maria spanade efter barnen, men kunde inte se dem.

"Tyvärr, sådana kranar har vi inte haft på många, många år. Ni har inte funderat på att byta till engreppsblandare i stället?" Funderat och funderat, här gällde den krassa verkligheten: livets nödtorft å ena sidan och engreppsblandare å den andra. "Jag ska titta på lagret, du", sa den hygglige expediten när han såg Marias uppgivna min.

Och var fanns barnen? Maria stoppade ner de antika packningarna i väskan och såg sig omkring. Emil jagade en jämnårig flicka i gången, men Linda syntes inte till. Maria kände oron svida till i maggropen. Hon skyndade sig mot utgången och blev stående i gången med ett halvkvävt: NEJ! Låt det inte vara sant! Där i skyltfönstret, på en utställningstoalett i ljusblått porslin, satt Linda med nedhasade byxor och klämde utav bara den. Maria lyfte upp sitt barn och beskådade resultatet i toalettstolen. Ett äldre förbipasserande par pekade på barnet och modern och skrattade gott. Maria kände att spänningshuvudvärken var på ingång.

Efter att ha sanerat barn och utställningstoalett kunde de återta sin färd mot hemmet. En skarp melodi från mobiltelefonen fick Maria att hoppa högt i sitt stressade tillstånd. Krister hade tagit en hel kväll i anspråk för att lägga in glassbilens egen lilla melodi, som nu fungerade som signal. Ett irritationsmoment innan man kom på vad oljudet handlade om.

"Hej, det är Rosmarie Haag. Ursäkta att jag använder ditt privata nummer. Jag vet inte vad jag ska ta mej till. Jag törs inte vara i huset när inte Clarence är hemma. Var kan han vara?" snyftade Rosmarie. "Snart blir det kväll. Jag är rädd för att vara ensam i huset, rädd för att någon ska stirra på mej, gömd i trädgården."

"Men du har aldrig sett någon?"

"Nej, det är bara en känsla. En olustig närvaro. Samma känsla säger mej att Clarence är död. Det låg en kvist rosmarin på hans huvudkudde när jag kom in. Det är bara jag, pappa och Clarence som har nyckel till huset. Dörren var låst precis så som jag lämnat den när vi gick till lusthuset och fikade. Någon måste ha lagt dit kvisten när vi var där ute. Pappa har inte gjort det. Jag har frågat honom. Det mest logiska är väl att Clarence skulle ha gjort det. Men det tror jag inte på. Varför skulle han lägga en kvist rosmarin på sin egen huvudkudde? Han som inte kan skilja på en ros och en tulpan ens i dagsljus. Tänk om Clarence är död, om någon tagit hans nyckel och lagt en kvist rosmarin på hans säng. Jag kan inte vara ensam här. Kan du inte komma hit? Man har väl rätt till polisbeskydd om man utsätts för hot", snyftade Rosmarie.

"Jag är rädd att hotbilden måste vara tydligare än så." Maria kände sin kluvenhet. Rosmarie lät så övertygande även om det hon sa, logiskt sett, var att betrakta som lösa spekulationer. "Kvinnor som misshandlas av en känd gärningsman med besöksförbud kan få ett larm som går direkt till polisen. Men jag är rädd att vi har för lite att ta på i den här situationen. Jag förstår att du har det svårt, att Clarence försvinnande har skakat om din tillvaro. Vi kommer att göra allt för att ta reda på vad som hänt honom. Du kan inte bo hos din pappa eller be någon väninna sova över?" Maria försökte lugna så gott det gick och hänvisade till de poliser som var i tjänst samtidigt som hon hyssjade på barnen, som slogs i baksätet, för att höra vad Rosmarie sa i telefonen. Hartman hade kvällsjour, där var hon ändå i goda händer.

När Maria svängde upp sista kröken till den gula villan i Kronviken såg hon med sorg på sin trädgård, där Kristers dödspolare Majonnäsen stjälpt av sina skrotbilar precis på den fläck där hon drömt sin örtagård. När Maria kom hem på onsdagskvällen hade de bara stått där som en hög metallavfall efter ett skrotfirmornas krig. Fem rostiga Volvo 240 och en Saab. Det där med dödspolare var Majonnäsens egen uppfattning. Krister själv hade en svag aning om att mannen gått i en parallellklass någon gång på mellanstadiet. Sedan hade de hyrt ett garage ihop, några killar under tonåren. Krister ville minnas att Majonnäsen varit med på ett hörn där. Det var ett rivningskontrakt och nu var dessvärre garaget nedmonterat till förmån för en lagerlokal. En av bilarna var enligt utsago Kristers, vilket han inte hade kunnat dementera. Majonnäsen var helt övertygad om att bilarna på sikt skulle betinga ett högt samlarvärde om de inte rostade bort. Krister var lite mera tveksam. Anledningen till att bilarna inte kunde tippas av i Majonnäsens egen trädgård var ännu oklar. Lite vagt hade Maria hört glunkas att det rörde sig om Jonna och skilsmässa och det verkade ju rimligt. På sista tiden hade Maria kommit att tänka på Majonnäsen som söndagsförstöraren. Varenda söndag i ur och skur ringde han på dörrklockan. Alltid i något nytt ärende. Han saknade inte fantasi på den fronten. Med ett hurtigt: "Läget, Krister?! Du kan väl inte sova bort hela dagen", förväntade han sig ett Sesam öppna dig. Sen var han i det närmaste omöjlig att bli av med. Ofta hade han med sig sin son, Biffen. En Karlsson-på-taket-liknande varelse. Egoistisk och dominerande, som sin förlaga. Ett riktigt litet mögel, om man nu får tänka så om ett barn. Emil var lite rädd för honom och höll sig tätt intill Krister när Biffen dök upp. Inte nog med skrotbilarna. Idag stod det ytterligare två bilar på parkeringen. Svärmor Gudruns vita Saab och en okänd röd Renault. Ett ögonblick längtade Maria tillbaka till jobbet. Svärmor spanade ut mot vägen, men inte ensam. Bredvid sig hade hon en väninna. De satt på trappan som en trögflytande storblommig massa och väntade lystet på att bli insläppta och utfordrade med kaffe och kaka.

"Nu ska vi gå husesyn", hördes Gudrun Werns spruckna sopran från hallen. "Vi visste inte riktigt vad vi skulle hitta på idag och då tyckte Astrid att det skulle vara härligt att komma ut i naturen. Jag tog med en kardemummakaka, så du behöver inte ha besvär med att ta fram annat än bullar och några småkakor." Maria tänkte på det jordiga handfatet på toaletten, som ingen orkat skura ur efter nattens rabattgrävningar, och travarna med disk på diskbänken. Skyndsamt stängde hon dörren till sängkammaren, där Kristers kalsonger låg som de fallit.

"Det kanske inte passar så bra idag. Jag skulle vara glad om du ville ringa..." Hon talade för döva öron. Gudrun Wern hade redan påbörjat sin guidade tur och lät sig inte avfärdas i första taget.

"Och här har vi vardagsrummet. Om man river ut den där hemska kakelugnen skulle man kunna få plats med ett matsalsbord, så slipper man sitta ute på den dragiga verandan. Förstå vad det ska ryka in och skräpa ner med en så gammal pjäs. Och här har vi köket." Maria viskade fem sex fula ord i hibiskusen hon fått av svärmor, och gick sedan lydigt ut i köket och satte på kaffe samtidigt som hon kokade korv till barnen.

"Ja, nu för tiden tar man det lättvindigt med matlagningen. Bara snabbmat för hela slanten. Annat var det när mina pojkar växte upp. Då var det fläsk med löksås, stuvade morötter och skalpotatis." Den blommiga massan nickade samfällt.

"Det är så sant som det är sagt", instämde Astrid, den lilla magra kvinnan med snipansikte.

"Krister blev försenad i dag, så vi får ta det som det blir. Jag vet inte vad han hade planerat i matväg."

"Ja, han är då uppväxt med lagad mat. Riktig husmanskost! Det är det enda som duger åt en karl."

"Han är mycket duktig på att laga mat, din son. Det har han väl efter dej, Gudrun", suckade Maria för att få slut på tjafset och svärmor svalde betet med hull och hår. Plötsligt försvann det ogillande ansiktsdraget och svärmor lyste upp som en kräftmåne. Hon skruvade sig välmående i stolen.

"Nej, det tror jag väl ändå inte", skrattade hon smickrad. Den blommiga väninnan instämde:

"Jovisst, du som är så duktig, Gudrun. Din kardemummakaka, den slår det mesta." Detta påminde Gudrun om att hon hade vissa värdinneplikter och hon gick fram till kylskåpet för att hämta kaffegrädde.

"Var har du grädden, Maria?"

"Ledsen, ingen av oss använder grädde i kaffet så vi har inte köpt någon. Man kan ju inte veta när man kommer att få oväntat besök."

"Vad är det här?" Gudrun stod med en liten burk i handen och öppnade locket.

"Det ser ut som tapetklister." Maria blev högröd i ansiktet och tog burken ur svärmors hand.

"Det är nog tapetklister."

"Varför står det Kristers namn på burken?"

"Han har väl haft med den till matlådan, att ha senap eller ketchup i", ljög Maria.

"Jaha, han är så sparsam och ordentlig, Krister. Ingenting får förfaras", log Gudrun mot väninnan.

Maria försvann ut ur köket och låste in sig på toaletten. Bet i handduken för att inte skrika högt. Vad är hemfridsbrott? Vad är privatlivets helgd? löd Jeopardyfrågorna för kvällen. Det kändes som om kloakråttorna tagit över världen! Kröp in i varje skrymsle, vällde ur toalettstolen och gnagde sig in till bara benknotorna. På sätt och vis var hon ändå glad att Krister sluppit vara hemma och tvingats redovisa för sin mor med släpvagn varför han hade ett spermaprov i kylen. Han verkade på något vis beklämd och sorg-

37

sen ändå. Fast det var hans egen idé att han skulle sterilisera sig när Maria inte tålde p-pillren mera. Han hade inte ens velat öppna bandaget, som löpte över hela magen, för att visa stygnen efter operationen. De sista fjorton dagarna hade han sovit på sin egen sida med ansiktet mot väggen. Helt oemottaglig för alla inviter. Maria funderade nästan på att ringa sin bästa väninna i Uppsala, Karin, som arbetade på urologen, och fråga om det kunde bli så här efter en sterilisering. Någon sorts depression. Tänk om de skurit fel och skadat andra viktiga funktioner. Kandidaterna måste ju öva på någon innan de blir färdiga läkare.

"Hallå, Maria är du där?" Kristers glada röst kröp in genom nyckelhålet. "Hejsan tjejer, har ni tagit på er sommarklänningarna och gjort er vackra för min skull eller vem är den lycklige?" skämtade han och en allmän munterhet utbröt bland damerna. En lättköpt stämningshöjare, men effektiv.

"Han är så charmerande, din son", fnittrade Astrid.

En flyktväg från kloakråttorna hade öppnat sig. Krister hade fått en köpare till sin skrotbil. Sedan återstod bara Majonnäsens fem bilar att frakta bort. Maria skulle följa efter i Volvo 740:n för att sedan skjutsa hem Krister när han levererat 240:n. Svärmor lovade hålla ett öga på barnen under tiden. Ett tagande och ett givande alltså. Vid ett oväntat besök finns risken att man oförhappandes blir barnvakt.

6

"Min mamma är en ängel och min pappa är rörmokare. Han vet inte hur han skulle klara sig utan mej. Jag har en duva i den här buren. Han heter Arrak. Jag frågade han: vad heter du då? Och då sa han arrrrak. Därför heter han Arrak."

"Vad heter du själv då", frågade Maria mannen i blåställ som öppnade grinden åt dem så de kunde köra in på gårdsplanen. Hon kunde inte bestämma hans ålder men otvivelaktigt var han utvecklingsstörd, Downs syndrom.

"Gustav Arne Herbert Hägg. Jag bor här och hjälper min pappa så det blir någon ordning och reda. Jag är 34 år och jag kan spela munspel. Vill du höra?" sa Gustav och petade upp glasögonen på näsan.

"Kanske lite senare. Har du din pappa inne?"

"Japp. Han är i sängkammaren och plockar ut duvor. Det är tävling i morgon vid Trollets bro. Ivan är åsså här. Vi ska äta pannkaka och dricka kaffegök. Ivan kan rapa Mors lille Olle och prata som Kalle Anka. Han har inga naglar. En gång hade han klor, men dom blev utryckta med hovtång. Näbb har han aldrig haft." Maria undrade för sig själv om Ivan var en människa eller en fågel, men lät det bero och såg tiden an. Det var inte alldeles lätt för en otränad att höra vad Gustav sa, tungan låg liksom i vägen för orden.

De gick uppför den nykrattade grusgången, förbi rundeln med flaggstång, upp mot den lilla grå stugan som var klädd med eternitplattor.

"Din pappa skulle köpa en bil av mej", sa Krister.

"Han är uppe i sovrummet. Vi har duvorna i sovrummet. Det är så harmoniskt."

"Är det HARMONISKT?" log Maria mot den snedögde och stubbhårige Gustav.

"Ja, man kan se på duvorna när man ska somna, åsså se på dom när man vaknar. Och när det är alldeles mörkt på natten hör man när dom kuttrar."

Mycket riktigt. När de kryssat upp för trappan, som var full av smutskläder, duvburar och andra odefinierbara ting, kunde de se den glasvägg som delade sovloftet i två delar; en sovdel med två höggavlade sängar i mörk ek och ett duvslag med glasdörr in till sängkammaren. Båda sängarna var placerade så att det gav full insyn i duvornas förehavanden när man låg till sängs. Bakom glasväggen hördes ett våldsamt flaxande och kuttrande när duvorna flög upp ur sina reden. Två duvor slogs så fjädrar och duvlort rök. Flera fåglar lämnade sina sittpinnar och svävade ut genom fönstret, upp mot den grånande himlen. Herrarna vid det stora skrivbordet, som var placerat mitt på golvet, presenterade sig som Egil Hägg och Ivan Sirén.

"Vi brukar säga att ån här ute rinner mellan Hägg och Syren. Fast Ivan heter Sirén, Sirén med i." Den ena av stridsduvorna hade börjat picka sin fiende i huvudet. Egil bankade på rutan och fick dem att avbryta striden för en stund.

"Det är skrattretande att man valt duvan som fredssymbol", skrockade han. "Jag kan faktiskt inte komma på något djur som har mera aggression och översittarfasoner än den fågeln. Däremot är duvan en vacker symbol för trohet. De lever parvis och är mycket måna om varann livet ut." Noga studerade Ivan och Egil duvornas vingpennor för att se vilka duvor som skulle tas med till morgondagens tävling. Ännu stod två burar tomma. Hanar vars honor låg på ägg var de mest motiverade flygarna, kunde Egil berätta. Gustav tog fram sin Arrak ur transportburen, en smäcker brun duva med vita vingpennor och vitt huvud. Han imiterade Egils granskande rörelser på pricken. De var lika, far och son, där de stod i sina blåställ. Båda lika intensivt blåögda, uppnästa och runda. Ivan Sirén var raka motsatsen. Med sitt långa vita hår och sitt grånande skägg såg han ut som en profet kommen ur öknen efter fyrtio dagars fasta och vedermödor. Ett magert ämne till jultomte. På håll hade han givit intryck av att vara en bit över pensionsåldern, men när Maria kom närmare såg hon att ansiktet var helt ungt. Kanske var han i samma ålder som Krister. Det var svårt att avgöra.

"Hur går en brevduvetävling till?" undrade Krister, som av naturen var en mycket nyfiken man. Maria kastade en blick på klockan och tänkte på svärmor som satt barnvakt.

"I morgon bitti kör vi dem till Sandåstrand. Gustav brukar kalla platsen för Trollets bro. Det finns en mycket gammal och vacker stenbro där. Klockan sju i morgon bitti släpps duvorna. Alla som deltar i tävlingen har ett kontrollur. För att veta att alla ur går lika träffas man före tävlingen och synkroniserar dem. Ivan släpper brevduvorna och jag och Gustav är hemma och tar emot dem när de kommer flygande. I genomsnitt flyger de med en hastighet av 70 kilometer i timmen. Men hastighetsrekordet ligger på upp emot 120 kilometer. När sen Arrak kommer flygande...", Egil log stort mot Gustav som stolt klappade sin duva över ryggen. "När Arrak kommer flygande så landar han på taket under det öppna fönstret till duvslaget. Av och an spatserar han medan kontrolluret tickar vidare. Så äntligen kommer han på att han längtar rätt mycket efter sin hona och då kommer han in så vi kan nå honom och ta av gummiringen han har om foten. Ringen stoppas sedan i kontrolluret, som markerar en tid. Sedan när vi tillsammans öppnar uren efter tävlingens slut räknas duvornas enskilda flyghastighet och snittid ut."

"Hur hittar de hem?" Maria såg entusiasmen i sin makes ansikte och fick en känsla av att han redan hade ett eget duvslag i sin föreställningsvärld. Det enda hon kunde hoppas på var att han inte förlagt det till sovrummet. Men det kunde man inte veta säkert. Själv hade hon svårt att se det harmoniska i ett sådant arrangemang. Hela den där glasväggen måste väl putsas ibland, eller?

"En brevduva återvänder alltid till den plats där den är född. Duvorna navigerar med hjälp av magnetfält. Nära duvslaget kan de också ha användning av sitt luktsinne. Äldre erfarna duvor tar hjälp av landmärken. Jag vet att man gjort experiment med att fästa en liten järnbit vid duvans huvud. Då tappar de riktningen. I Uppsalatrakten finns det starka magnetfält. Där är det svårt för brevduvorna att hitta hem." Egil Hägg synade den sista duvan och släppte in den i buren.

"Jaha ja, ni hade en bil att sälja. Ska vi gå ut och titta på den eller ska vi ta kaffe först? Gustav tänker grädda pannkakor. Han är en hejare på att grädda pannkakor. Jag vet inte hur jag skulle klara mej utan honom." Gustav log och hans ögon vilade glittrande glada en lång stund i Egils skrattande blå. Ivan, som inte sagt ett ord, nästan försvunnit in i den vittonade glasrutan, harklade sig:

"Redan för tvåtusen år sedan användes brevduvor av egyptierna. Julius Caesar, romarrikets härskare, nyttjade brevduvor i strid för att få reda på hur det gick i slagen mot galler och andra fiender. Så det är en sport med gamla anor."

Krister lät orden smälta in. En sport med gamla anor, en sport som man slapp att bli svettig och ansträngd av – men ändå en sport. Inte illa, inte illa alls. Då och då hade Krister känt krav på sig, från nära håll, att vara just sportig. Ibland hade han gjort ett ryck och försökt att leva upp till förväntningarna men det var ju så förödande arbetsamt och svettigt. Rent av smärtsamt ibland om man fick håll.

"Vi använde dem också under andra världskriget, har jag hört. Jag har läst någonstans att de släpptes ner lådvis i fallskärmar till motståndsrörelsen, så de kunde underrätta britterna om vad som hände i de ockuperade områdena." Ivan nickade överraskad. Maria hade sina värsta aningar: "Vi använde dem under andra världskriget"! Krister hade aldrig deltagit i något andra världskrig så "vi" måste stå för "vi brevduveägare" och det var synnerligen oroväckande.

Medan de varit i familjen Häggs sov- och duvrum hade himlen mörknat. Gråa vresiga moln hade klumpat ihop sig som stålull och skymde kvällssolens rodnande avsked. Hettan dallrade under takpannorna i väntan på en urladdning. Men ännu härskade värmen. Maria kände sig smått upprymd, nästan lite lycklig. De hade blivit erbjudna 2000 kronor för bileländet. 2000 kronor skulle räcka till en tvättmaskin om man köpte en begagnad på annons. Samtidigt kunde hon inte låta bli att tänka på servisen de fått av svärmor, 16 000-kronors-servisen, de otäcka små guldkopparna och vad de pengarna skulle ha kunnat användas till i stället.

Kaffepannan kom på spisen sedan bordet röjts på gårdagens tallrikar, tidningar, reklam och ett par nästan färdigstoppade strumpor. Gustav vispade pannkakssmet till Beethovens symfoni i C-dur, som knastrade ur en dålig kassettbandspelare. Med vispen dirigerade han en osynlig orkester. Musiken levde i hans kropp ända från tårna till luggen som flög i takt med stråkarna.

"Allegretto", log han och nickade retsamt mot Egil.

"Ja fy fasen! Karln var visst döv, säger Ivan. Jag har misstänkt det länge. Sånt oljud skapar ingen med normal hörsel. Men Gustav tycker det är vackert med han, Beethoven."

Maria funderade på svärmor och Astrid, den storblommiga hemsökelsen. Kanske gick de fortfarande omkring och tittade på dammråttorna i hörnen och spindelväven i taket eller också hade de fått sitt lystmäte tillfredsställt på den fronten och farit hem. Krister stortrivdes i det Häggska köket och visade inga tecken på att förstå Maria när hon diskret pekade på sitt armbandsur. Skulle det serveras pannkaka och kaffegök var han inte den som tänkte backa ur. Kaffegökandet gick till så som traditionen bjöd: En sockerbit på koppens botten täcktes med kaffe så den inte syntes. Sedan hälldes spirituosan från en dunk, vars härkomst Maria ville leva i okunnighet om, rakt ner i koppen tills sockerbiten åter blev synlig.

"Vi har haft problem med en duvhök här ute", berättade Egil. "Fyra ungduvor tog den under vårvintern och en av mina bästa avelsduvor nu i maj. Men så försvann den. En duvhök kan så lätt komma bort", sa han med ett illmarigt leende.

"Du menar att den gjorde det hemma hos dej?" sa Krister. "Jag trodde att de var fridlysta, att man inte fick skjuta dem."

"Det har vi inte gjort heller." Egil började flabba, gapflabba. Med hela munnen full av pannkaka frustade han så alla vid bordet fick sin beskärda del. Ett gammalt ärr som löpte över vänstra kinden antog en rödare nyans. "Vi vet i alla fall att avgasreningen fungerar utmärkt på Ivans Audi", bullrade han. Ivan gjorde en avvärjande gest med handen. Men Egil vägrade att se. Han ville berätta:

"Jag knep den rackarn med en fiskhåv när han var i duvhuset och levde rövare. Sen tog jag höken i en plastsäck och knöt fast den i avgasröret på Ivans bil. Men han dog inte. Avgasreningen var alltför effektiv. Annat var det med min gamla Saab..."

"Nu räcker det", menade Ivan och tog Egil i armen. Men Egil lät sig inte hindras.

"Han dog när jag gjorde hjärtmassage på han. De har lite klent bröstben, duvhökar."

Som alltid i sammanhang där människor envisas med att i sin aningslöshet erkänna det ena brottet efter det andra, kände Maria att det inte var särskilt enkelt att vara polis. Att varan i dunken aldrig varit i närheten av systembolaget kunde hon satsa sin lever på och nu blev hon pådyvlad det här med duvhöken. Å andra sidan, om man på sin fritid nitiskt skulle anmäla allt brottsligt i sin omgivning skulle man snart vara socialt död och fullständigt slutkörd.

"Gustav berättade att du är rörmokare, Egil."

"Jag har två yrken. Egentligen är jag fiskare. Vi har en liten kutter nere i viken, Marion II. Ivan och Gustav brukar följa med mej ut. Fast fisket är inget man kan försörja sej på nu. Inte när torsken ska färdas över halva landet för att paketeras i fyrkantiga klossar för att sedan fraktas tillbaka hit till kunderna. De sista åren har det blivit så dåligt med fisk här ute. Tänk när Gustav var liten, då fick vi lax i mängder. Nu har jag inte sett en lax i Kronviken på över femton år. Torsken håller också på att ta slut och längre ner i söder har de problem med algblomning, en rosalila sörja som ligger an mot stränderna. Det är som om Östersjön kräks. Det är vi som har gjort henne sjuk. Nej, som tur är har jag rörmokeriet på sidan av, annars skulle det aldrig bära sig."

"Du då Ivan, vad gör du?" undrade Krister och som den kameleont han var hade han intagit samma bredbenta position som sin värd och samma sörplande läten.

"Jag är ofrivillig minkfarmare. När min farfar trillade av pinn fick jag ärva farmen. Jag har försökt sälja men det är svårt att få en köpare. Särskilt efter sprängattentatet mot slakteriet vid nyår. Jag har inte hört att de gripit någon för det ännu. Men man misstänkte djurrättsaktivister." Maria gav sin make en spark under bordet för att han inte omedelbart skulle öppna sin spritångande mun och berätta att hans hustru var polis. "Själva huset, mina farföräldrars hem, har jag svårt att göra mej av med. Men minkfarmen har kommit till på senare tid, så den gör detsamma. Det finns så mycket minnen i det huset."

Maria tittade förvånat på Ivan. Han hade verkligen kommit igång att prata, fast han till en början knappt svarat på tilltal.

"Dörren till bästfarstun har olikfärgat glas i rutorna: blått, rött, gult, lila, grönt och ofärgat glas. När jag var liten och solen lyste genom det fönstret föll färgerna på golvet. Det såg ut som en stor palett. Om man ställde sig i ljuset kunde man välja om man ville ha en röd hand eller ett grönt ansikte eller varför inte en blå fot. Man kunde också välja att se ut i trädgården. Påverka verkligheten genom att välja synsätt. Vi hade en vit höna. Hönan trodde säkert att hon var vit. Men det kunde hon ju inbilla sig. Det var jag som valde hur jag ville se henne. Blå eller lila, möjligen röd men aldrig vit. Sen blir man vuxen och inget blir som man tänkte. De flesta valmöjligheterna krymper ihop som russin. Efteråt, när det blir dags att sammanfatta, kan man fundera på om man egentligen valde alls."

Krister satt rörd till tårar. Han blev alltid tårögd om någon läste en dikt eller sa något vackert, särskilt när han var under rusets inverkan.

"Du Ivan, jag tycker det är någon ute vid minkhuset." Egil förde undan den blårandiga nylongardinen med sin breda näve och spanade ut i regnet. "Jo visst är det någon där ute."

7

Att Ivan fastnat i en rävsax kändes bara logiskt när man hört hans helvetesvrål från andra sidan ån. Ån som rann mellan Hägg och Syren. Krister kom först till undsättning. Med ett kraftigt tag bände han upp trampfällan. Taggarna hade gått rakt in i Ivans vrist. Blodet färgade strumpskaftet rött. Det röda späddes ut med regnvatten. Ett nästan ljummet sommarregn, som blev alltmer ihärdigt. En blixt sågade sig igenom himlen och blottade en färsk text på den röda minklängan. I vit sprayfärg kunde man läsa: MÖRDARE, DJURPLÅGARE! med stora kantiga bokstäver.

"Det var det jävligaste", pustade Egil andtrutet efter språngmarschen. "Hur är det, Ivan?" Gustav stirrade på blodet som sakta steg i strumpskaftet, vacklade till och svimmade raklång i det blöta gräset. En bil rev igång långt bortom sågbacken. Svagt kunde de skymta ljuset som hastigt försvann vid landsvägens första krök. Maria gjorde en ansats att kasta sig i Ivans Audi för att ta upp jakten. Men den var låst. Nyckeln fanns inne i huset någonstans. Var kunde Ivan inte förklara i sitt upprörda tillstånd. Sen var det för sent. Särskilt som de inte ens hade hunnit att se hur bilen såg ut. Stödd på Krister och Maria linkade Ivan, den ofrivillige minkfarmaren, in mot sitt hus. Egil hade fått liv i Gustav som snyftande krupit in under sin fars breda vinge. Han hade imma på glasögonen.

De slog sig ner i Ivans blänkande rena kök, där tidningarna hade en egen hylla och diskbänken låg som en vindstilla sjö i månljus. Inte en fläck, inte en repa. Ivan själv var mycket blek och tagen. Tårar eller kanske regnvatten färgade skägget i en gråare nyans. Axlarna skakade lätt. Maria hjälpte honom försiktigt av med strumpan och såg såren efter rävsaxens tänder, centimeter-djupa hudflikar. Med stor bestämdhet hackade Ivan fram att han varken tänkte fara till sjukhus eller tillkalla polis.

"Ett ord på den där polisradion och vi har pressen här. Aldrig i livet att jag gör mej till åtlöje på det viset. Det räcker mer än väl som det är. Svårsålt har det varit förut. Efter en halvsida i tidning-en skulle det bli helt omöjligt att få sälja till ett anständigt pris." Maria bekände färg och bad att få göra en diskret brottsplatsun-dersökning. Under morgondagen skulle hon kunna ta med en tek-niker, utan att det blev något ståhej. Ivan var ytterst tveksam, men Maria tyckte att det var viktigt att följa upp händelsen.

"SÄK är inblandade sedan branden på slakteriet, där hela kon-torsdelen försvann i lågorna. De är mycket angelägna om att få in all tänkbar information om närbesläktade händelser. Vi ska sköta det diskret. Jag lovar. Vad gör vi med ditt ben? Du måste få såret omskött på något vis."

"Det behöver du inte bekymra dej om. Det fixar Ivan själv. Han har inte varit på sjukhus sen han föddes. Egenvård kallas det. Han kan sånt. Han är vad vi kallar en klok gubbe. Det finns inte så många kvar av hans sort. Stämma blod och bota infektioner, det kan han. Det har han ärvt av sin farfar. Gustav och jag går inte till någon läkare i onödan. Inte när vi har Ivan." Gustav nickade och tittade upp från Ivans telefonblock som han suttit och skrivit på en stund. Stolt visade han Maria sina tecken. Inga bokstäver, men en sorts symboler.

"Gustav har hittat på dem själv för att kunna skriva brev till mej. Jag brukar säga att det är tråkigt att alltid få räkningar och då skriver Gustav ett brev och lägger i lådan, som omväxling till de bruna kuverten. Han är så klurig den, myste Egil stolt. Det här runda huvudet med två spetsiga öron betyder Trollets bro, stället där vi släpper duvorna från i morgon bitti. En rund boll med näbb betyder Arrak och ritar han bara en rund boll så är det mej han menar." Gustav sneglade en lång stund på Maria och ritade ett hjärta, sen for han upp och ut i hallen och kom tillbaka med en grå fleecejacka.

"Du fryser. Det är inte bra att frysa, då kan man bli förkyld och uschlig."

"Du är en gentleman, du Gustav."

"Ja ta den du", inflikade Ivan. "Krister kan ta med sig den i morgon när han och barnen kommer till brevduvetävlingen."

"Vad sa Ivan nu?" Maria försökte få ögonkontakt med sin make.

"Jag tar ledigt i morgon förmiddag. Barnen kommer att tycka att det är jättespännande att få vara med om en brevduvetävling. Den sista före sommaruppehållet. Sen är det inget förrän i september."

"Barnen? Jag tycker inte deras far verkar alldeles ointresserad."

"Så du är polis, du." Egil drog handen fundersamt över sin runda kind. "Den här fastighetsmäklaren det står om i tidningen. Har ni hittat honom ännu? Han är en riktig skitstövel!"

"Hur menar du då?"

"Han lurade gården av syster min. För noll och ingenting köpte han den. Han var där och gjorde sig trevlig och bekant. Svassade runt henne tills affären var klar, sen såg hon honom inte mer. Hon borde ha frågat mej till råds innan hon sålde. Säkert har han gjort ett riktigt klipp någonstans och sedan dragit med pengarna. Det var det första jag tänkte när jag läste om han i tidningen. Såna rötägg måste sättas åt."

"Nu är det bara Majonnäsens bilar kvar. När hämtar han dem, tror du?" undrade Maria när de svängde ut på landsvägen.

"Vet inte. Jonna har väl ställt vissa ultimatum."

"Än vi då? Varför ska vi betala för deras sämja med vår otrivsel? Vi måste ta tag i det här, Krister. Jag vill ha ett kryddland och skrothögarna står i vägen. De skräpar ner hela trädgården. Säger inte du till honom så gör jag det."

Krister såg ut som om han tyckte det var en strålande lösning på problemet och Maria fick en känsla av att han sluppit undan för lindrigt. Som vanligt alltså.

"Varför kallas han Majonnäsen? Han måste väl heta något vettigare i verkligheten." Krister funderade en stund. Sen skattade han.

"Jag tror att det var i sexan vi hade den berömda maskeraden. Majonnäsen kom dit utan att vara utklädd. Allt han hade gjort var att måla sina bulliga kinder röda. 'Vad är du för något, Manfred? Vad föreställer du?' undrade vi. Men Maffe bara teg och plutade med munnen. 'Säg som det är Maffe, du har glömt att klä ut dej, erkänn!' Men Manfred svarade inte och snart stod alla i en ring runt honom. 'Vad har du klätt ut dej till? Säg nu!' Då klämde han hårt med båda sina händer på de rödmålade kinderna så all majonnäs han lagrat i munnen kom ut i en jämn stråle:

'Finne', sa han. Sen sa han inget mera. Äckligt men imponerande! Efter den maskeraden fick han heta Majonnäsen. De flesta har nog glömt bort att han heter Manfred Magnusson."

Hemma i den gula villan såg det inte ett dugg bättre ut än Maria hade förväntat sig när svärmor lämnats utan bevakning i fyra timmar. Alla prydnadssaker var flyttade. Kristers kalsonger var strukna och åter nedlagda i lådan, posten sorterad och kommenterad. Maria ångrade i den stunden att hon inte skrev dagbok. Vilket idiotsäkert sätt att få sin röst hörd. En dagbok skulle Gudrun aldrig kunna motstå att läsa. Helst skulle den ligga lite halvgömd bland underkläderna eller i badrumsskåpet under handdukarna. Första sidan skulle kunna börja: Kära dagbok, kära svärmor. När du nu tagit dej friheten att läsa min dagbok tycker jag att det är en bra utgångspunkt för ett samtal om var gränsen går för mitt privatliv. Just nu har du gått för långt! Alldeles för långt! Hädanefter vill jag att du inte visar din nyfikna nuna här förrän du bli inbjuden. Meditera gärna över de orden: INBJUDEN och PRIVATLIV.

Krister hade omedelbart störtat i säng och sov som en död när Maria kröp ner mellan lakanen tre minuter senare. Med all erfarenhet av hans lust försökte hon förföra honom, men han bara stönade svårmodigt och vände sig mot väggen.

"Vad är det Krister?"

"Jag är trött, dödstrött", fräste han vresigt och borrade sig ännu djupare ner i madrassen. Hans kropp hade varit av en annan åsikt, det var Maria säker på.

"Säg vad det är Krister. Vi måste prata om det här."

"Jag vill sova!" väste han och kastade sig runt på mage som en vändstekt strömming. Sorgsen och oroad gick Maria upp och klädde på sig igen. Vad var det för fel? För bara en kvart sedan hade han talat entusiastiskt om brevduvor och sedan i ett slag hade han stupat i säng som en maratonlöpare över målsnöret.

Molnen hade drivit undan. Det blåste friskt i trädkronorna. I månljus bar Maria ut de båda tvättbaljorna till trädgårdsbordet och bearbetade successivt tvättberget som ansamlats bakom draperiet, i hopp om att något skulle vara torrt och användbart till morgondagen, för nu var det glest i garderoberna. Det kunde ha varit värre. Hon behövde inte värma vatten på spisen. Det kunde givetvis också varit bättre. Maria tänkte på Clarence Haag, som varit försvunnen över ett dygn. På Rosmarie som satt ensam i sitt stora hus. Säkert var hon vaken nu och funderade. Kanske gick hon rastlöst från rum till rum och spanade ut i mörkret. Säkert plockade hon bland Clarences saker för att hitta en förklaring till vad som hänt. I detsamma kom Maria att tänka på kryddväxterna i bilen. Hon öppnade skuffluckan och lyste in med ficklampa. Där i mörkret slokade timjan, citronmeliss, basilika och rosmarin. Rosmarin för hågkomst var det.

De hade vandrat utmed ån. Han hade hållit Rosmaries lilla hand inuti sin stora näve, omslutit den. Kylan hade bränt handens skinn, men han hade inte velat ta på sig handskarna. Hennes hud var så varm och len mot hans sträva handflata. Det var tiden innan det onda kom. En utmätt tid av lycka. I ett annat liv. Kanske var det aldrig hans eget. Bara till låns. Det kändes overkligt att tänka på den tiden, som en flimrande svartvit amatörfilm. Tiden innan det onda, medan han fortfarande var hel och kunde känna annat än bitterhet. Tiden innan de varma känslorna stelnat av köld i sina flöden.

Vattnet hade frusit till. Rimfrosten glittrade på trädens nakna grenar och nöp dem i kinderna. Han hade böjt sig ner och kysst den vita genomskinliga huden på hennes panna. Känt värmen mot sina köldstela läppar. Borrat in ansiktet i hennes hår. Då såg de råbocken. Först på håll. Orörlig med frambenen nere på isen. Huvudet med den ståtliga kronan lutad framåt till strid. Den flyttade sig inte skrämd när de kom. Lyssnade inte efter deras steg fast de klev genom skaren. Små silverflingor glittrade i vinterpälsen. Det var Rosmarie som såg det först: Att den var död, att benen trampat genom isen. I upprätt ställning hade den frusit till en staty. Så stolt med sin högburna krona. Bara den brustna blicken avslöjade att livet flytt.

Det var långt senare han kommit att tänka på den. Att avundas den sitt åtråvärda tillstånd utan smärta, utan förluster. Stolt och okränkbar till sista andetaget och i det sista andetaget; inget mer att förlora.

8

Kriminalinspektör Tomas Hartman sjönk ner i sin nötta fåtölj framför teven, efter en mödosam dag, för att se de sena lokalnyheterna på teve. Hustrun Marianne hade dukat upp med grönsaksdipp och apelsinjuice i ett tappert försök att viktväkta sin make. En av kvällens huvudrubriker var den försvunne fastighetsmäklaren Clarence Haag, vars bil man under kvällen funnit övergiven på en skogsväg tre mil utanför staden. Tomas Hartman såg sitt eget ansikte fladdra förbi på teverutan i en hastig kommentar om spaningsläget. Fräckt av kameramannen att använda vidvinkel. För det kunde väl inte vara så att han gått upp i vikt så synbart? Intervjun var hårt nedklippt och gav inte rättvisa åt det material Hartman redovisat för tevereportern. Ett blått sprakande sken lyste upp vardagsrumsgolvet. Bilden på teveskärmen försvann.

"Förbaskade marsvin!!" Stålråttan Peggy hade gjort det igen. Tevesladden var avgnagd. Det S-märkta djuret dog aldrig av de stötar hon tillfogade sig själv. De verkade bara pigga upp henne. Som en levande kanonkula for hon in under soffan och började knapra på möbeltassarna. Kriminalinspektör Tomas Hartman hade önskat det lilla djurets död fler gånger än han kunde minnas. Peggy dominerade hela hans familjeliv numera. Sedan dottern flyttat hemifrån och de fått ärva hennes mest älskade marsvin hade ingenting längre varit sig likt. Den utflyttade dottern ansåg att det enda rätta för Peggy var att gå lös i huset. Inga galler, inga burar skulle få hämma frihetsbehovet för hennes lilla sprättmarsvin. Och på något oförklarligt vis hade resten av familjen funnit sig i det. Peggy lät honom inte ens köpa sig en ny ordentlig fåtölj.

Det skulle bara vara bortkastade pengar så länge pestråttan Peggy behagade gnaga sönder möblerna.

Under dagen hade Hartman och Arvidsson jagat ursprunget till den vita hoprullade näsduk med lätt doft av eter man funnit på Gyllene Druvans parkering i den ruta där BMW:n stått. I Kronköpings stad fanns det två apotek: Liljan, nere vid hamnen, där Hartmans hustru Marianne arbetade som apotekare, och Anemonen, som låg inne på huvudgatan bredvid pressbyrån. Marianne visste säkert att hon någon gång under veckan sålt eter till en ung man och hans lille son. De skulle göra bränsle av ricinolja och eter till en modellmotor. Pojken hade varit så ivrig och velat bära påsen själv. En kollega till Marianne hade också sålt eter samma vecka till en man med skäggstubb, skrynkliga kläder och håret hängande i feta stripor. Mannen hade samtidigt lämnat in ett recept. Han hade ett så ovanligt efternamn. Ett gammalt soldatnamn, gissade Marianne. De hade pratat om det i fikarummet. Han hette Trägen, Per Trägen. Det hade inte varit särskilt svårt att hitta namnet i telefonkatalogen. Mannens adress var Videvägen 4. Det ökända bostadsområdet öster om stan. Hartman och kriminalinspektör Arvidsson hade omedelbart begivit sig dit. Arvidsson som styrketränade fyra gånger i veckan var i bästa fysiska trim, vilket fick Hartman att känna sig äldre och mer otränad än han annars skulle ha gjort. Att komma till insikt är inte alltid så behagligt. Ett träningspass i veckan skulle vara tänkbart, men de sena middagarna med hustrun tänkte han inte offra frivilligt. De firade varje kväll att döttrarna flyttat hemifrån efter en turbulent tid. Kanske skulle detta bli avstampet till en mera vuxen relation familjemedlemmarna emellan. Hartman ville tro det. Just nu njöt han bara av lugnet.

Videvägen hade en gång varit ett nybyggt och tjusigt bostadsområde, men hyrorna hade inte fallit befolkningen i smaken. När kommunen fick problem med uthyrningen sänktes kraven på hyresgästerna och hela bottensatsen av vräkta, bråkiga och störande element slussades dit. De mera ordningsamma, som betalade full hyra, sökte sig därifrån och så var segregationen ett faktum. Inte ens kommunen orkade hålla skenet uppe längre. De putsade fasadernas gula färg låg gömd under lager av smuts, tvättstugan var delvis ur funktion och lekplatsen hårt nedsliten. I trapphuset snubblade Arvidsson nästan över en vit mus som rusade ut i friheten. Ett ögonblick övervägde Hartman att ta hissen upp till tredje våningen där Per Trägen, enligt den blå tavlan i entrén, bodde men han ångrade sig när han öppnat hissdörren och känt stanken av urin som ångade i värmen. Alla hissknappar var svarta och avbrända till oläslighet med cigarettändare. Arvidsson tog trappan i ett par snabba språng. Hartman kom strax efter med tunga kliv.

Per Trägen gläntade försiktigt på dörren, sedan de bankat på en längre stund i misstanke om att ringklockan var ur funktion. Hans ovårdade yttre, stanken av vidbränd mat och sopor överensstämde tyvärr med tidigare erfarenheter i samma trappuppgång. Visst, han hade köpt ut eter. Var det olagligt eller? De lotsades genom en ostädad, rökig lägenhet, klev över högar med ölburkar och smutstvätt in i ett kalt rum med en fläckig skumgummimadrass på golvet och ut på balkongen.

"Min syster hade möss." Per Trägen drog sig eftertänksamt i det centimeterlånga skägget och stirrade på sina bara, lindrigt rena fötter. Ena ögat och mungipan hängde. Talet var något sluddrigt. "Mössen förökade sig hejdlöst och rymde ut i hennes lägenhet. Det var möss överallt, mängder. Det gick inte att hålla reda på dem. När någon öppnade ytterdörren rymde mössen ut i trapphuset och sedan in i andra lägenheter. Grannarna klagade. Syrran höll på att bli vräkt. Först hade hon bara två små möss från samma kull. Då var det ju gulligt. När jag påpekade att mushonan var gravid ville hon bara inte tro mej. Mössen var ju syskon. De håller inte på med sånt sa hon förnärmad. Se sen hur det blev!" Per Trägen öppnade locket till en hink som stod i ett hörn intill husväggen. Arvidsson vände bort huvudet och ulkade sedan han tagit sig en titt. Hinken var proppfull av döda möss och stinkande vatten. Förruttnelseprocessen hade tagit ordentlig fart i sommarvärmen.

"Vad skulle du med eter till?" undrade Hartman i ett försök att återknyta till det ursprungliga ärendet.

"Man är väl djurvän. Jag sövde dem med eter på en näsduk som jag stoppade ner i hinken. Sen dränkte jag dem när de sov."

"Den där näsduken, har du den kvar?"

"Jag lämnade tillbaka den där jag hittade den. Jag vek ihop den så fint. Hoppas att ägaren hittar den. Jag förstörde den inte, bara lånade den lite."

"Var någonstans var det?"

"På Gyllene Druvans parkering. Man är väl en rättskaffens medborgare, herr konstapeln."

"Får man fråga varför du gjorde dig besvär med att lämna tillbaka näsduken?" undrade Arvidsson förbryllad.

"Den var så fint broderad. Min lilla mor hon broderade så fint på kvällarna framför brasan. Jag vet hur lång tid det tar att göra ett sådant där engelskt vitbroderi med hål och små bullar", sa Per blödigt och drog sig med näven över ögonen.

Denna kväll när Hartman satt i sin knöliga fåtölj och stirrade på sin döda teve undrade han för sig själv om man inte kunde prova med en liten eterkur på Peggy. Skulle det kunna uppfattas som en naturlig död eller skulle hans hustru skäligen misstänka sin lagvigde? Det var frågan.

9

"Låt oss anta att Clarence Haag har förts bort mot sin vilja. Marias iakttagelser och vittnesmålen från Gyllene Druvan tyder på det. I så fall har mannen i keps åtminstone gjort sig skyldig till människorov eller olaga frihetsberövande. Å andra sidan har vi inget egentligt bevis för det. Som Maria säger, det hela verkar svensexemässigt, som någon sorts practical joke. Varför skulle en kund stämma träff med Clarence och hälla Gyllene Druvans blomkrukor fulla med dyrt vin? Varför skulle någon överhuvudtaget röva bort Clarence Haag? Ingen lösensumma har krävts. Så rik har han inte gett sken av att vara, att det skulle vara värt besväret, menar jag." Hartman lutade sig tillbaka och gungade tankfullt på stolen, rörde om i kaffekoppen och petade sig eftertänksamt med kaffeskeden i örat.

"Frågan är varför kepsmannen höll en näsduk framför Clarences ansikte, om den inte var preparerad med eter. Wern kan ha rätt i sin förmodan att den dolde ett vapen." Arvidsson sträckte ut benen under bordet och kom att snudda vid Marias fot. Generat ryckte han till och satte sig upp igen.

"Kanske är det så", återtog Hartman, "att Clarence ville få det att se ut som om han blivit bortförd. Fast det verkar ju ännu mindre logiskt. Varför skulle han vilja det?"

"Han kanske har tröttnat på sin tjatiga kärring", flinade Himberg.

"Har frun hört av sig?"

"Oavbrutet", sa Himberg med en utdragen suck och himlade med ögonen.

"Hade hon något nytt att komma med? Det är viktigt att hon

56

vet att vi är intresserade av alla detaljer som kan ha med försvinnandet att göra."

"Jo eller nja, hon sa nåt om att Clarence för en tid sedan fått ett märkligt telefonsamtal. Rosmarie hade lyft luren på övervåningen för att ringa och hört en del av samtalet." Örjan Himberg bläddrade frenetiskt i sitt block. "Här. Hon hade hört en främmande mansröst säga: 'Jag har inte mycket att förlora, men det har du Clarence.' Då hade Haag svarat: 'Ditt jävla svin. Jag ska sätta åt dej.' Rosmarie tror inte att det var en kund Clarence talade med."

"Tror det ja", sa Hartman och landade på fyra stolsben.

"Efter det samtalet uppges Haag ha blivit tyst och sammanbiten. Precis så sa hon: Tyst och sammanbiten."

"Vi bör naturligtvis kolla upp mannens ekonomi. Både den privata och firmans. Clarences kompanjon, Odd Molin, kommer hit nu på förmiddagen. Jag tänkte att Wern kunde ta sig an honom. Hör särskilt om firmans ekonomiska situation, be att få ta del av senaste revisionsberättelsen. Kanske har han erinrat sig namnet på den kund Clarence Haag dinerade med på Gyllene Druvan. Privatekonomin lämnar jag åt Arvidsson. Det som är av intresse är större utbetalningar eller insättningar. Stäm av med hustrun om hon vet vad transaktionerna gäller. Kontrollera om paret har gemensam ekonomi, om det finns äktenskapsförord, försäkringar etc. Lyssna diskret efter om Clarence haft någon annan vid sidan av tidigare eller om han varit utsatt för något hot." Hartman skickade runt påsen med wienerbröd han köpt på väg till jobbet. Efter en frukost med fullkornsbröd och blåmjölk behövde magen piggas upp lite och blodsockerhalten säkerställas.

"Wern, du ville tala med mej i enrum. Vi kanske kan ta det hos mej om en kvart." Maria nickade. Attacken mot minkfarmen ville hon sköta diskret. Det vill säga utan att Himberg la sina långa öron i blöt. Diskretion var inte hans starka sida.

Clarences kompanjon, Odd Molin, var försäljare ut i fingerspetsarna, för att inte säga en man med näsa för affärer, ända in i näsroten, roten till allt ont. Oklanderligt klädd i Armaniskjorta och sidenslips, med kavajen lagom uppknäppt för att märket skulle synas, intog han en offensiv ställning vid bordet. Han räckte fram handen i ett tryggt och hederligt handslag. Leendet sträckte sig ända bak till kindtänderna. Glipan mellan framtänderna gav honom ett ekorrliknande utseende. Det lite tunna håret låg prydligt bakåtkammat. Maria hann att lägga märke till Rolexklockan innan han stoppade ner handen i dokumentportföljen för att fiska upp den senaste revisionsberättelsen. På ett litet ögonblick hade han ringat in Maria i egenskap av presumtiv kund. Hon visste inte själv hur det gick till. Genast hade Odd erbjudit sig att sälja den gula villan i Kronviken för att i sin godhet befria kriminalinspektör Wern från hennes stora bekymmer. Maria blev motvilligt imponerad. Mannen var ett proffs.

"En lägenhet i stan är aldrig fel. Nära till allting. Lekkamrater till barnen. Och tänk så praktiskt. När något går sönder är det bara att lyfta luren, tala med värden och få det åtgärdat. Jag skulle kunna komma ut och göra en värdering av huset. En värdering är aldrig fel. Gratis, givetvis. Oss emellan. Banken tar en tusenlapp, vet du."

"Du har rest långt. Vill du ha kaffe och en smörgås innan vi går igenom pappren?" sa Maria för att bryta offensiven.

"En kopp kaffe är aldrig fel", svarade Odd med en röst mil från den vresighet han tidigare givit prov på i telefon när de talat om Rosmarie Haag. En kopp kaffe är aldrig fel! På väg till pentryt såg hon Odd framför sig som försäljare i herrekiperingsbranschen: En svart skjorta är aldrig fel. Jo, herr Molin, en svart skjorta är väldigt fel om man bär på ett barn med överskottskräkningar. Eller som bilförsäljare. En röd bil är aldrig fel. Jo, Odd, om man obemärkt ska ta sig igenom ett stridsområde kan en röd bil vara rena döden. Maria räckte över kaffemuggen med ett inåtvänt leende som brast i ett kvillrande fnitter när Odd Molin tanklöst deklarerade att lite mjölk i kaffet aldrig skulle vara fel.

Utan problem redovisade Odd Molin firmans finanser som goda. Clarence skötte ekonomin och själv hade han hand om de flesta av kunderna. Vilket föreföll vara en genomtänkt arbetsfördelning. Vem Clarence träffat på Gyllene Druvan hade han inte den blekaste aning om. Det var ju inte heller omöjligt att det handlade om en rent privat investering, menade han.

"Vad tror du kan ha hänt Clarence? Har du några funderingar?" undrade Maria.

"Hans största problem är utan tvekan Rosmarie. Jag tror inte hon är riktigt mentalt frisk."

"Hur menar du då?"

"Hon är helt besatt av sina växter. Hon talar om dem som om de var levande varelser."

"Men det är de väl." Maria såg den blomstrande trädgården med sin kraftfulla, sprudlande grönska. "Högst levande."

"Du fattar inte, hon är vegan! Sist vi hade en representations-middag förstörde hon alltihop genom att tala om ovärdiga djur-transporter med stressade djur, vars hormoner sedan hamnar på tallriken och vandrar i blodet. I detalj lät hon oss få veta hur slak-ten går till och hur transporterna av livsmedel ökar på växthusef-fekten och avslutade med ett långt tal om galnakosjukan och ka-davermjöl. Folk vill ha trevligt när de går på restaurang. Själv odlar hon all sin mat – giftfritt och utan konstgödning. Det luktar höns-skit så man blir tårögd när man ska hälsa på dem. Jag förstår att Clarence blir förbannad ibland. Han kunde ha bott hos mej bara han hade sagt till."

Maria log för sig själv. Nästa gång hon skulle handla grönsaker fick det bli hos Rosmarie. Det var dyrt med kravodlade produk-ter, men det var giftfri mat hon ville ge sina barn. I nuläget var Rosmaries handelsträdgård definitivt ett alternativ. Tänk om EUs jordbrukspolitik strävat till att befrämja giftfri odling av grönsaker i stället för att snöa in på petitesser som att alla gurkor ska vara raka. I rättvisans namn skulle tydligen alla EU-medborgare äta lika giftig mat och lika runda och jämnstora jordgubbar. Miljökrav får inte bli ett handelshinder, var andemeningen. Däremot tilläts böjda gurkor lägga krokben för varuutbytet.

"Så du vet inte var han är?"

"Nej, men han dyker väl upp när han bestämt sig för hur han ska ha det med frun."

"En sak till, har du något att säga om Clarences alkoholvanor?"

"Nej, vad skulle det vara. Det kan ju bli en del representation förstås, kanske ett och annat sjöslag, men han sköter sitt arbete. Det kan jag inte säga annat."

"Så han är inte absolutist?"

"Skojar du? Fast det har varit värre. Åren efter att vi kom hem från Cypern trodde jag att han skulle bli alkoholist. Men sen rättade det till sig när Rosmarie tog hand om honom."

"Gjorde ni FN-tjänst tillsammans?"

"Ja, men det är snart tjugo år sedan. Vi planerade faktiskt att fara ner till restaurang Engelen i Stockholm, Clarence och jag. De har träffar för gamla FN-soldater första måndagen i varje månad. Brukar vara väldigt trevligt."

Odd Molin reste sig och plockade ihop sina papper.

"Tänk på det där med besiktning av huset. Förresten, om du inte har något särskilt för dej i kväll kanske jag kunde få bjuda på en liten segeltur, gravad lax och jordgubbar, lite skumpa kanske? Viktoria ligger nere i småbåtshamnen. Hon är en vidunderligt vacker mahognybåt. En segeltur är aldrig fel, vet du."

"Tackar som bjuder, men jag tror att en segeltur är alldeles fel. Jag ska hämta två sömniga och genomlortiga barn på dagis och bada dem."

"Skyll dej själv då", sa Odd med en förförisk blinkning och dansade ut genom dörren.

10

Efter lunch var Erika Lund klar att följa med till den ofrivilliga minkfarmaren, Ivan Sirén, för att göra en teknisk undersökning av brottsplatsen. Erika hade läst boken "Kvinnor som slår följe med vargar". Maria undrade för sig själv när hon sist öppnat en bok. Öppnat hade hon kanske gjort, men läst var ett bra tag sedan, trots att vardagsrummets långvägg var täckt av böcker från golv till tak. Från att ha varit något av en bokoman, när hon träffade Krister, hade Maria glidit över i ett okoncentrerat tillstånd som småbarnsmor, där böcker ohjälpligt var till för att älskas på avstånd. När man om dagarna inte ens kan få sy i en knapp utan att bli avbruten tre gånger och aldrig får vara ifred på toaletten, säger det sig självt att inga böcker blir lästa. Men Erika Lund hade, som sagt, läst boken Kvinnor som slår följe med vargar och Maria lyssnade andäktigt, utsvulten på intellektuell stimulans.

"Den här terapeuten, som skrev boken, lät kvinnorna ta med sig fotografier på sina anmödrar, kvinnorna i släkten, och berätta om dem med inledningen: 'Från de här kvinnorna härstammar jag.'"

Maria tyckte att tanken var intressant. Var får man sin kvinnoroll ifrån? Arvet är tungt. Hur många gånger hade hon inte tänkt att hon aldrig skulle göra som sin mamma när hon fick egna barn och ändå gjorde hon precis så: Hjälpte dem att hälla mjölk ur fulla förpackningar, jagade dem med mössa och vantar och trugade dem med maten. En kycklingmamma var hon, och inte hade det blivit bättre sedan hon varit nära att mista Linda för ett halvår sedan. Det hände ofta att hon gick upp på natten bara för att se att allt var väl med barnen, att de andades.

"Sedan, när kvinnorna studerat sin ursprungsflock, är de redo att söka sig till den nya flocken av kvinnor. Kvinnor de själva väljer. Andra varghonor som hjälper dem att mogna och växa, som tillåter det vilda och kreativa. Vargen har fått oförtjänt dåligt rykte, menar författaren. Kanske för att männen skräms av det vilda. Varghonan har många goda egenskaper, som borde lyftas fram: Mod, uthållighet och lojalitet. Varghonorna frågar inte varann hur många levnadsår de har. De frågar: Hur många ärr har du i själen? En oerhört intressant bok", viftade Erika entusiastiskt och gjorde en icke polismässig vänstersväng utan att blinka.

"Jag tror inte att man ska vara alltför kategorisk när det gäller mäns attityder till kvinnor. Det finns många män som bejakar kreativa kvinnor, lika väl som det finns medsystrar som avundsjukt vaktar på varje försök att sticka upp eller avvika från det som är lagom. Jag tror mera att det är en fråga om generositet och självförtroende än en fråga om könstillhörighet", menade Maria och tänkte på sin far som ofta satt på axeln som en skuggfigur med sitt: Det går ju fantastiskt bra! Det fixar du, Maria!

"Kanske, kanske inte. Du skulle ha läst boken. Det är oerhört intressant att se på kvinnorna man härstammar ifrån: Erika född av Emma, född av Svea, född av Agnes. Att se hur just min roll utformats av generationers önskningar och drömmar, segrar och nederlag."

"'Bara en varg förstår en varg.' "

"Vad sa du nu? Det var bra sagt. Var kommer det ifrån?"

"Det är Bamse, han med dunderhonungen. Världens starkaste björn", sa Maria lite generad. "Det onda i den serien personifieras av Krösus sork och Vargen, som stjäl och gör rackartyg. När han blir ställd mot väggen av den starke Bamse säger han: 'Bara en varg förstår en varg.'"

"Så intressant. Man indoktrinerar små barn att tycka illa om vargar, det kreativa och kvinnliga. Se bara på Rödluvan och vargen, Peter och vargen och nu Bamse och vargen. 'Bara en varg förstår en varg.' Bra sagt!"

"Jag har lite svårt att hänga med. Jag har ju inte läst boken, bara sett serien", sa Maria i ett lamt försök att ta sig ur resonemanget som börjat så bra, men som nu lutade allt mer åt diket. Samtidigt illa till mods för att hon inte hade läst något intressant som kunde höja nivån. Frånsett Bamse.

"Vad är din uppfattning om attacken mot minkfarmen? Gäller det honom som privatperson eller i egenskap av minkfarmare? Var de en eller flera? Vi hade ju en attack mot slakteriet vid nyår. En Molotovcocktail som brände ur hela kontorsdelen. Texten på minkfarmens vägg är ju densamma som den som skrivits vid det tillfället. Vi kanske borde koppla in SÄK rätt så snart om det visar sig vara något av intresse."

Boningshusets fasader var vitputsade. På söderväggen ut mot landsvägen hade putsen flagat i stora vita sjok. Fönstren stirrade blanka och tomma. Bara en liten tunn blårutig gardinlängd markerade fönstrens sidor, inga blommor eller prydnadsaker fanns för att förhöja hemtrevnaden. Intrycket var ödsligt.

Gårdsplanen var skräpig. Tomma lådor, bildelar och byggmateriel låg som de hamnat. Gräsmattan lyste gul av maskrosor och vid husknuten frodades nässlorna. Med tanke på Ivans kliniskt rena kök fick man nästan lite doktor Jekyll och mr Hyde-känning, tänkte Maria. Eller också var det bara ren svensk avundsjuka för att Ivan hade mera ordning i sitt kök än familjen Wern. Och det var ju inte så svårt att åstadkomma.

Ingen svarade när de ringde på. Maria provade att knacka i fall ringklockan skulle vara trasig. Hon tittade in genom det flerfärgade glasfönstret. Rött, blått och grönt. Grön hall var definitivt snyggast. Ville man ha en lila hall fick man knäa rejält. För att kunna se genom den gula måste hon stå på tå. Erika trampade otåligt och drog handen irriterad genom sin bruna lockiga kalufs. Inte ett livstecken. Maria började beslutsamt gå ner mot den första röda minkhuslängan. Erika drog henne i armen.

"Ta det försiktigt och undvik gräset. Det kan finnas fler trampfällor."

En rörelse innanför fönstret i den bortre längan fångade deras uppmärksamhet. De knackade på den grå brädlappade dörren, som efter en liten evighet öppnades av en man med vitt stripigt hår och grått skägg. Han var klädd i en lång blå arbetsrock och ett blodigt förkläde. Maria märkte hur Erika ryggade tillbaka och reflexmässigt förde handen till hölstret hon inte bar. Maria hade svårt att hålla sig för skratt.

"Hej Ivan. Hur är det med vristen?"

"Bra", sa Ivan som tydligen var sitt vanliga fåordiga jag igen.

"Vi tänkte se oss om lite. Var har du rävsaxen?" undrade Erika.

"Farstun", sa Ivan och pekade in mot boningshuset. "Kaffe?"

"Tack, det skulle smaka gott", svarade Maria snabbt för att liksom fylla i tystnaden Ivan lämnade efter sig.

"Jag tänkte undersöka rävsaxen och marken runt omkring, sen skulle jag vilja fotografera din fot om det går bra?" Erika studerade intresserad Ivans gamla nötta träskor.

"Är det okey, Ivan?" Maria sökte ögonkontakt förgäves. Ivan grymtade något ohörbart och återgick till sitt ursprungliga arbete att mala ner köttrester till minkmat. Bandsågens ylande, när den sågade sig igenom benbitar, överröstade minkarna. Det malda köttet ringlade som långa röda ormar ur köttkvarnens hål ner i en rostfri hink.

Till sin besvikelse fann Erika att Ivan målat över den sprayade texten: MÖRDARE, DJURPLÅGARE. Färgen var ännu inte torr men täckande. I vinbärsbusken alldeles intill gjorde hon dock ett fynd. En sprayflaska som innehållit vit färg. Försiktigt säkrade hon eventuella fingeravtryck på flaskan med en plastfilm. När hon skulle ta sig an rävfällan ingrep Maria.

"Det var Krister som bände upp fällan. Jag får väl ordna med hans fingeravtryck så vi kan utesluta honom, sa Maria djupt allvarlig och skrattade med ögonen. Förresten så tror jag att Egil Hägg bar upp rävsaxen till huset. Och Gustav kände lite på den, när Egil visade honom hur man gillrar den och hur den smäller av, för att han skulle förstå vad som hänt. Jag tror att jag också kan ha kommit emot den när jag undersökte Ivans vrist." Erika stönade högt.

"Vi får bara hoppas att den som använde sprayburken var lika amatörmässig som ni andra. Då borde vi ha säkrat en del fingeravtryck."

En duvflock cirkulerade lågt över Ivans hus och fortsatte mot det Häggska duvslaget. Maria som stod alldeles bredvid Ivans tvättstreck kunde se hur duvorna lämnat visitkort på de vita lakanen.

II

En del saker är det bättre att inte få inblick i, tänkte Maria när hon såg Majonnäsen stå böjd över motorhuven på ett av sina samlarobjekt, med halva rumpklyvningen blottad. Den tomma byxbaken hängde i bästa Ronny och Ragge-stil. Fortfarande var antalet skrotbilar oförändrat, trots att Maria med all önskvärd tydlighet påpekat att de måste bort. Hon misströstade. Karln måtte ju sakna all normal känsla för socialt umgänge. Och här var det inte tal om fingertoppskänsla utan om hela karosser.

Linda var arg som krut för att hon inte fått glass när de kom hem och Emil höll med:

"Vi brukar få glass av pappa." Linda sjöng dumma-mamma-sånger och kröp omedelbart upp i sin docksäng med en bok över huvudet som tak. På "Ekorr'n satt i granen" sjöng hon en lång egen komposition. Maria, som kände på sig att trött- och hunger-skrikens tid var nära, skyndade sig att vispa välling. Krister syntes inte till. Om jag ska tillbringa mina dagar här med Majonnäsen flyttar jag till en lägenhet i stan, tänkte Maria upproriskt och samtidigt lite skrämd över tanken. Söndagsförstöraren hade inmutat ny mark och tagit även vardagskvällar i besittning. Det här var ohållbart. Det fanns ingen kraft över till att bjuda hem vänner som de verkligen ville träffa. Majonnäsen slukade all energi i sin närhet. Som en blodsugande igel lämnade han sina offer först när han tömt dem på all kraft. När de för en gångs skull blev ensamma, ville de bara vara ensamma.

Förresten verkade det som om Majonnäsen blev ännu mer i sitt esse när de någon enstaka gång hade gäster. Då var det ju fest! Han kunde lätt se från sitt köksfönster att det kom bilar till Krister och Maria och sen satt han plötsligt bara där i vardagsrumssoffan och samspråkade med någon av gästerna. Hans favoritämne var Cypern, alltså när han var FN-soldat på Cypern. Maria visste alltid när det var dags för då hade han sina militärbyxor på sig. Allt som handlade om Cypern fick prefixet yxa. I värsta soldatjargong talade han om yxguld och Cypernkråka (kyckling) på yxtallrikar. När man hört det ett par gånger tänkte man yxtankar själv. Allt var yxa som hade med Cypern att göra.

Krister hade berättat att Majonnäsens vistelse på Cypern inte varit särskilt långvarig. Efter två månader hade han blivit hemskickad.

Längre kom inte Maria i sina funderingar innan ytterdörren slogs igen och Kristers glada röst hördes i tamburen. Hon hade förberett stunden väl. De måste tala ut med varann. Något var på tok. Ängslan låg på lur i mellangärdet. Varför undvek han all kroppskontakt och varför var han så trött? Tänk om han var allvarligt sjuk, om han träffat någon annan eller om operationen på något mentalt plan gjort honom impotent. De måste hjälpas åt att reda ut det här. För impotens fanns det handlingsprogram med kravlös beröring och massage, hade Maria läst i en tidning hos tandläkaren. Om det var så måste de tillsammans ta tag i problemet. Allt var bättre än ovissheten.

Misstänksamt studerade Krister ljusen på bordet, vinflaskan och sin älsklingsrätt: Fläskfilé med rosépepparsås. Det kändes som ett bete på en krok. Födelsedagar, namnsdagar och bröllopsdagar sprakade förbi utan att falla på plats.

"Vad är det?" sa han olyckligt.

"Jag tänkte att vi kunde ha det lite lugnt och mysigt. Barnen somnade tidigt i kväll. Det är intensivt för dem på dagis. Emil har lekt tiger hela veckan. Personalen börjar bli lite trött på hans fantasier. Hon den nya, som alltid har kjol och högklackat, undrade om han var så här jobbig hemma också. Han vill tydligen inte ställa upp på gemensamma aktiviteter när han är tiger. Hon arbetar på att få honom att förstå vad som är fantasi och vad som är verklighet."

"Då måste hon ha missat grundkursen. Barn i fyra-femårsåldern lever i fablernas värld. Hon är väl bara praktikant eller nåt. De

gamla vana skulle ha sagt: 'Kom nu tigern så leker vi namnleken.'"
Krister log lättad, nästan jublade inombords. Det var BARNEN hon ville diskutera. Emils fantasier. Det var ett rådslag föräldrar emellan.

Lugnt och fint navigerade Maria samtalet via barnen till hur trött man kan bli som småbarnsförälder, fram till själva kärnfrågan:

"Jag har märkt att du är väldigt trött på kvällarna. Är det något särskilt som tynger dej?" Krister drog in luft mellan tänderna och rodnade, först svagt, sedan alldeles påtagligt. "Berätta för mej. Jag tål att höra det", sa Maria och tog ett osynligt grepp om bordskanten under duken.

"Du kommer aldrig att förlåta mej." Rösten stockade sig i halsen.

"Pröva mej, jag brukar klara det mesta."

"Du kommer att bli arg."

"Ja, det är möjligt. Men det dör du inte av."

"Jo, jag..."

Längre kom han inte innan ytterdörren flög upp och Majonnäsen bullrade in i hallen. Höganäskrukan med lin flög i golvet med ett brak. Ur det mörka skägget kom en röst len som motorolja.

"Jag såg att det lyste", trevade han. Den trasiga krukan verkade han inte ta någon notis om. Han var säkert så van vid att tingen runt omkring honom inte ägde någon beständighet, att han helt enkelt sorterade bort all sådan information som oväsentlig. Det ingick i den allmänna bullermattan runt hans person, helt enkelt.

"Det lyser väl hemma hos dej också. Jag tycker att du sitter lika bra under din egen kökslampa som under våran", fräste Maria.

"När jag såg att ni tagit fram lite vin och grejer kom jag på att ni inte har fått smaka på mitt senaste körsbärsvin", fortsatte han obesvärat och log godmodigt mot sitt värdfolk. "Här ska du ha, Krister. Det är dunder." Majonnäsen överräckte med en storstilad gest en vinare av det ökända slag som han brukade presenta sin omgivning med, som en sorts inträdesbiljett. Vildjäst, vedervärdigt och redigt spetsat för att kompensera den uteblivna alkoholhalten i den misslyckade jäsningsprocessen. Linda hade vaknat av braket i hallen när krukan föll till golvet och kom upptassande, yrvaken med nappen i mun.

"Hur kunde du se vad vi hade på bordet? Härifrån kan man inte se några detaljer i ditt köksfönster", sa Maria och lutade sig över bordet mot fönstret. "Hade du din kikare? Har du suttit och tittat på oss med kikare igen?!!"

"Ja, va fan. Jag satt och lekte lite med min yxkikare. Inte blev Jonna vackrare av att jag glodde på henne och inte gladare heller. Så jag tittade ut genom fönstret och där satt ju ni och festade. Så jag tänkte att jag kunde komma över och liva upp stämningen lite."

"LIVA UPP!! Du har alltså suttit och tittat på oss med kikare! Krister, du ser till att den här karln är ute ur huset när jag kommer hem. Jag går ut!"

"Vart ska du gå?" undrade Krister försiktigt. Maria svarade inte. Dörren slog igen med ett brak ungefär samtidigt som Emil klev ur sängen.

Frånlandsvinden hade sakta ökat till kuling. Det duggade lätt. Maria tog stigen ner till stranden förbi strandbodarna, som gråa och ruggiga tryckte sig samman i blåsten. Hon tittade in på gamle Jacob, som låg framåtlutad över bordet och sov. Säkert oväderstrött. Annars brukade han sitta på bänken vid husgaveln och laga sina nät om kvällarna, med hela havet framför sina ögon. Han var så härlig Jacob. Tryggheten själv. Sist de talats vid satt han där ute och myste. "När man har kepsen i horisonten, ren blåblus och läppen full av snus så känner man att det är söndag", hade han sagt. Jacob verkade ha god syn och ett gott minne. Tänk att få vara så pigg när man blir gammal. Det kan man bara önska sig. Man kunde säga att Jacobs bod var något av en sambandscentral. De flesta tittade förbi och bytte några ord, drack en kopp kaffe och fick sig ett råd eller en god historia på vägen. Visserligen kokade han kaffe på sumpen ibland för att inte vara slösaktig. Men kom man dit en söndag så var det nya bönor på pannan, garanterat.

Maria fortsatte med stora kliv ner mot strandängen. Inte såg hon blommornas skönhet; timjan och kattfot, jungfrulin och blåklockor som stod i fång, de nästan utslagna brudbröden och solvändan som kurat ihop sig för natten. Vågorna rullade in över sandstranden, sköljde över stenbryggan och drog sig girigt tillbaka med sitt byte av soltorkad tång och snäckor. För varje våg krympte sandslottet med sin sjögräsfyllda vallgrav, sina vimplar av vita fågelfjädrar och sina små vägar av tång. Snart var det bara en liten kulle kvar av slottet som Emil byggt. Maria slog sig ner på en fuktig sten. Vilade med blicken över havet och drog in havsluften i djupa andetag. Håret som utslaget dansat i vinden tyngdes ner av regnet, som föll i allt större droppar.

Ensamtid, tid att vara ensam utan andra ljud än naturens egna. Varför unnar man sig det så sällan? Det borde ingå i de mänskliga rättigheterna: Rätten till ensam tid, för att bli en hel människa, för att känna efter vem man är och vad man vill med sitt liv. Tid att bara vara i kravlösheten på en sten vid havet. Kanske borde man stämma träff med sig själv: Vi ses varje torsdagskväll över en nypa havsluft, eller skogsluft, vi ses vid ekängen i solnedgången jag och jag. För att vila i varat. Varför var det en sådan sned fördelning på tid? Många gånger hade Maria mött människor som nästan drunknat i sin ensamtid, som bara längtade efter att få göra något tillsammans med någon. Men ingen hade tid.

Sakta ebbade ilskan ut och gav plats för skönhetsupplevelsen. Kvällssolen bröt igenom ett guldkantat moln. De sista kraftfulla strålarna riktade rakt ner som ett förklarat ljus över Kronholmen. Det mörka vattnet och himlens tunga regnmoln skapade kontraster till ljuset. En mäktig skönhet som gav genklang i hela kroppen.

En smäcker segelbåt långt ute under Kronholmen styrde sakta mot småbåtshamnen. Kanske var det Odd Molin som lyckats ragga damsällskap, vem vet. Hu vale för lättgravad lax och sjösjuka, tänkte Maria och reste sig, stel och genomfrusen i kroppen, för att gå hem. Nu när hon var i harmoni kunde hon nästan tycka lite synd om Krister som satt där med sina vakna sömngriniga barn och Majonnäsens vildjästa vin. Gamle Jacob sov fortfarande när Maria passerade strandbodarna. Hon knackade lätt på fönstret, men den gamle sov tungt och Maria lät honom vara. Vad fanns det väl för anledning att vara vaken i ruskvädret?

När Maria tände kökslampan såg hon lappen på bordet: En sovmorgonsbiljett. Biljetten garanterade Krister valfri sovmorgon och kunde lösas in när han så önskade. Underskriften av kontraktet var Marias egen. På Kristers födelsedag hade hon haft ont om kontanter. Därför hade hon skänkt sin make tre sovmorgonsbiljetter. De två första hade han utnyttjat direkt. Det här var den tredje och sista. Eländigt morgontrött som han var, hade han verkligen uppskattat gåvan.

Maria steg in i sängkammaren och väntade en stund tills ögonen vant sig vid mörkret. I en enda hög, på korsan och tvärsan låg hennes familj utväckt som ett plockepinn. Utan att störa dem smög sig Maria in i barnkammaren på tå för att inte få en legobit i hålfoten och boade ner sig i Emils obäddade säng.

12

Ända bort till fikarummet hördes Arvidssons och Himbergs vredgade röster och Hartmans försök till medling. Arvidsson var sällan till sin fördel innan han fått morgonfika.

"Han har så in i helvete dålig musiksmak. Den är värre än beväringsfjärtar."

"Jag kommer att anmäla CD-spelaren som stulen", hotade Himberg.

"Lugna er grabbar, lugn."

"Jag tar hellre Wern med mej till Videvägen. Hon kan åtminstone lyssna på P1", sa Arvidsson och plockade motvilligt fram fronten till Himbergs mest älskade bilstereo ur papperskorgen.

Under gårnatten hade en kvinna blivit antastad på Videvägen. Ett ungdomsgäng hade sprayat ner hennes Diordräkt i rött, blått och vitt:

"...som franska flaggan, trikoloren", berättade Hartman. Trots att kvinnan haft åtskilliga tusenlappar i väskan hade hon inte blivit rånad. Bara färgad.

"Vad får en kvinna i Diordräkt att fara till Videvägen med tusenlappar i väskan mitt i natten? Det verkar en smula omdömeslöst, tycker jag." Maria log åt tanken på en färgad kvinna och gäspade stort. Hon hade varit uppe sen fem på morgonen för att kunna lämna barnen vid sju. Förhoppningsvis hade Krister njutit av sin sovmorgonsbiljett.

"Hennes son bor där. Hon hade lovat vattna åt honom. Han är på semester någonstans med sin motorcykel. Det var krokodilskinnsväskan som retat ungdomarna, och de högklackade skorna, också de i krokodilskinn eller något liknande."

"Bara en minkpäls kunde ha varit mer provocerande, antar jag."
Arvidsson rynkade ögonbrynen.

"Kanske det. Men det är inte säsong."

Under mera städade former slog de sig ner i konferensrummet.
Hartman fiskade upp en rulle kex ur dokumentportföljen och en
påse pariserbullar ur rockfickan.

"Rosmarie Haag har ringt, både i går kväll och nu på morgonen.
Hon verkar ha fått ett visst tycke för Wern. Kan du fara dit och se
vad som bekymrar henne? Hon talade om ett inbrott, men ingen-
ting är stulet. Låset är inte uppbrutet. Hon oroar sig också för att
någon smyger i trädgården på nätterna, men hon har vid närmare
förfrågan egentligen inte sett någon människa. Det är synd om
henne. Det är svårt att plötsligt bli lämnad ensam utan att ens få
veta varför. Tydligen har fadern, som bor alldeles bredvid, tillfäl-
ligt flyttat in i stora huset."

"Håll henne kort, Wern, annars ringer hon dej i hemmet." Him-
berg log sitt otrevligaste 87:an Axelsson-leende och petade kräm
ur sin pariserbulle med pekfingret.

"För två månader sedan anmälde hon att giftiga växter stulits ur
örtagården, stormhatt och odört. Jag tycker att det är värt att note-
ra. Hur går det med Engelen?" undrade Maria och tackade nej till
en andra pariserbulle för att sedan ångra sig i sista stund. Den
första hade varit nybakad och alldeles oemotståndligt mjuk och
krämig. Hartman slickade omsorgsfullt av sockret från fingrarna
och såg sig förnöjt omkring.

"Himberg, vad säger du?"

"Engelen, det blir bra bara jag slipper den där torrisens sam-
hällsföredrag." Himberg gjorde en släng med huvudet åt Arvids-
sons håll. "Han är torr som en jävla öken. Vem fasen är intresserad
av EMU, växthuseffekt och ozonlager?"

"Inte du i alla fall. Ditt medvetande räcker inte längre än till
luddet i din egen navel. Han kan väl fara till Stockholm med Ros-
marie Haag om hon är intresserad, så slipper vi honom ett par tim-
mar."

"Det är väl en god tanke", sa Hartman obetänksamt och kliade
sig med kaffeskeden i hårbotten.

I Rosmaries örtagård under en stor ek satt en man, med halmhatt, skägg och runda glasögon, på en grönmålad bänk. Mannen presenterade sig som Konrad Hultgren, Rosmaries far. Den grå angorakatten strök sig runt hans ben och kloade lite på byxbenet.

"Rosmarie står i duschen. Hon har inte sovit mycket i natt, kände sig frusen. Hon kommer snart ut. Ta dig ett äpple så länge", sa den gamle och räckte fram ett vackert rött äpple ur sin papperspåse.

"Tack." Maria slog sig ner på bänken och lät blicken vandra över de prydliga landen, växthusen och den underbara örtagården, med muren överhöljd av nyponrosor och pergolan med sin slingrande humle. Strax nedanför örtagården fanns en alldeles nyanlagd altan, lagom för ett bord och fyra stolar. Jordhögen låg ännu kvar.

"Visste du att äpplet har sitt klimakterium?"

"Nej", sa Maria. Frågan var något oväntad. Antagligen hämtad ur en tankegång där hon inte fått vara med från början.

"Äpplets klimakterium är när äpplet är fullmoget. Först då utvecklas den rätta konsistensen och den fulla aromen. De här äpplena är fullmogna." Maria drog in doften och tog ett litet bett. Inte utan att tänka på Snövit. Det är vådan av att läsa sagor för sina barn.

"Det är verkligen gott. Vill du berätta för mej om Clarence. Vad tror du om hans försvinnande?"

"Clarence är en odåga, även om han lyckats slå blå dunster i min dotters ögon. Jag uppskattar inte hans affärsmetoder. De är lagliga, sägs det. Jag skäms för att ha något samröre med den mannen, så vi undviker varann i möjligaste mån", morrade Konrad ur skägget. "Han räddade handelsträdgården från konkurs och det var viktigt för Rosmaries sinnesfrid. Trädgården är hennes allt. Men det vi är skyldiga honom har jag betalat av flera gånger om med mitt arbete. Med åren har jag också börjat misstänka att det var Clarence som låg bakom vårt ekonomiska obestånd, genom att sprida rykten så våra kunder drog sig tillbaka. Därmed försvann underlaget för de banklån vi räknat med till reparationen av huset och cafeterian. Nej, jag ska säga dej att jag hade hoppats på en annan måg. Men det är en lång och sorglig historia. Rosmaries egen historia. Det var länge sedan nu."

Utan förvarning hoppade den grå katten upp i Marias knä och snodde runt ett varv för att göra sig hemmastadd. Katten hade stora runda grå ögon, som Rosmarie. Kanske därför hon valt den, tänkte Maria. Det sägs ju att man väljer hund efter sitt eget utseende, så varför inte också katt?"

"Hurdan var han, mannen du ville ha till måg?"

"Han var bara en pojke när han började arbeta hos oss i handelsträdgården. Vi delade varandras tankar. Han var som en öppen bok. Kanske alltför sårbar i sin öppenhet. Alltid glad. Han älskade min Rosmarie. Som de älskade varann de där två. De var alltid tillsammans. Sen for han till Cypern. Det var Clarence som lockade honom till det. Grabben skulle bevisa att han var en man som kunde uträtta något här i världen, tror jag. Rosmarie var med barn. Det var inte hela världen. Inte ens på den tiden. Hon var glad åt det. Väntade på honom. Sen kom olyckorna slag i slag. Men det har Rosmarie redan berättat för dej, det vet jag."

"Kan du se någon anledning till att Clarence skulle ha blivit bortförd mot sin vilja?"

"Jag kunde ha gjort det själv om det inte varit för Rosmarie", muttrade Konrad och grävde med träskon i gruset. "Så många gånger som han lurat hederligt folk, gamla damer, ensamma gubbar. Han vet precis vilka strängar han ska slå an för att få köpa för en spottstyver och sälja till ockerpriser. Nog finns det en och annan som snuvats på sitt arv, med lagens goda minne, ska jag säga.

Fast gamle Gideon rådde han inte på. Han sålde varken till kommunen eller till Clarence", skrockade Konrad belåtet. "Jag måste berätta för dej om Gideon. Stället hans heter Sandåtorp och ligger vid Sandåstrand, alldeles i kanten av skjutfältet, om det säger dej något. Torpet har stått övergivet sedan ägaren dog någon gång i mitten av 70-talet. Jag var med på Gideons begravning. Det var en begravning i triumf, om man får säga så. Gideon Persson var trädgårdsmästare, det var så vi lärde känna varann. Han hade inga egna barn och kommunen ville köpa hans fastighet. Gideon skulle få det så bra på ålderdomshemmet i stan, menade man. Men Gideon vägrade hårdnackat att sälja sin strandtomt. Visst var han svårt hjärtsjuk, stundtals döende, men sälja till kommunen tänkte han inte göra eftersom de ämnade muddra upp viken, anlägga en ny hamn med industriområde och fördärva allt han strävat med i hela sitt liv. Den bördiga jorden skulle hamna under asfalt. 'Vad kan man bättre lämna i arv till nästa generation än fet brukbar jord', sa Gideon till sina vänner som oroade sig för att få sin ostörda badvik fördärvad. Gideon vägrade, som sagt, att sälja och kommunen hotade med expropriering. 'Så fasen heller', sa Gideon och dog. I testamentet som högtidligen lästes upp, med några få avlägsna släktingar och tingsrättens biträden närvarande, stod det att hela fastigheten tillföll kommunen. Men bara under förutsättning att de byggde ett ålderdomshem efter de ritningar Gideon bifogat, att boningshuset fick stå kvar orört och planteringarna sköts om efter givna anvisningar, samt att ett tempererat badhus inrättades för de gamlas välbefinnande.

Eftersom kommunen fått fastigheten i gåva kunde det inte bli tal om någon expropriering. Å andra sidan var gåvan villkorad på ett sätt man inte hade den minsta lust att uppfylla från kommunens sida. Alltså blev Gideons ägor liggande för fäfot och det njuter jag av, sa Konrad och motade ner katten som klivit över i hans knä och börjat kloa med rumpan i vädret. Nu kan man fara dit på utflykt och minnas hur det var förr."

"Släpper de inte brevduvor från Sandåstrand?"

"Jag vet inte. Jag har inte varit där på senaste åren. Jag orkar inte gå så långa sträckor i taget", suckade Konrad, tog av sig halmhatten och kliade sig eftertänksamt med planteringsspaden i sitt gråa rufsiga hår.

"Jag tänkte fråga dej en annan sak: Hur är det med Clarences alkoholvanor?"

"Så Rosmarie har berättat det. Oftast är han ju nykter och skötsam men när han börjar dricka kan han inte sluta. Han blir som besatt och bär sig fruktansvärt illa åt. Rosmarie har förbjudit mej att lägga mej i det. Men du ska veta att det kliat i en gammal mans fingrar många gånger", sa Konrad och kramade hårt med handen om planteringsspaden. "Dagen efter minns han inget av vad som hänt. Han är alltid mycket ångerfull och Rosmarie förlåter honom, och så håller det på."

Med en handduk lindad som en turban, i jeans och långärmad vit polotröja, kom Rosmarie emot dem. Maria tänkte att man måste vara förfärligt frusen eller väldigt angelägen om att dölja sin kropp om man väljer en polojumper med lång ärm en dag som denna.

"Jag kanske var lite överilad när jag ringde dej igår", log hon urskuldande. "Jag kom inte att tänka på det först, men kanske kan katten ha släpat runt med den där rosmarinkvisten. Kattluckan är ju öppen i båda riktningarna. Det kan vara en förklaring. Det kan ha fastnat en kvist i pälsen. Den är så tovig."

"Om det är okey skulle jag vilja ta en titt inomhus i alla fall. Vi kanske kan hjälpas åt att försöka hitta något du kan ha förbisett. Någon liten detalj som kan hjälpa oss att förstå vad som hänt Clarence. Du får berätta för mej vad du har tänkt, om du letat efter brev, vilka kläder som saknas och om det finns någon annan almanacka, komihåglappar eller telefonblock. Två ser mer än en." Rosmarie nickade bekymrat.

"Det är så ostädat. Jag är mest ute och Clarence, han vet nog inte ens var dammsugaren står."

De steg in i den ljusgula hallen som dominerades av en grålaserad furutrappa full med buketter som hängde för torkning; smörblommor, jungfrun-i-det-gröna, lin, riddarsporrar och kryddor. Överallt fanns det änglar; tavlor där änglar ledde barn förbi stup, mulliga små änglar à la Rafael vilande på moln och bilder på änglar med blomstergirlanger. En broderad kudde med små änglabarn låg i furusoffan och på hyllan över öppna spisen bredvid ett enormt arrangemang med torkade rosor stod små guldänglar och spelade flöjt. Stora änglar; serafimer och keruber och små amoriner med manbarheten dold bakom ljusblå sidenband ockuperade även sängkammaren.

Varför fyller man sitt hus med änglar? Handlar det om beskydd? Skyddsänglar som hindrar barn från att falla ner i avgrunden? Eller hämndänglar? Änglavakt? Om Monets ande fått råda även över interiören borde det ha varit japanska träsnitt i samma omfattning.

"Jag har gått igenom Clarences garderob och tvättstugan. Så vitt jag kan se fattas inga kläder utom de han hade på sig när han for iväg till Gyllene Druvan", sa Rosmarie och öppnade det blåbetsade klädskåpet, som var översållat med rosor och lin. På den ena huvudkudden i den likaledes blåbetsade sängen låg den gröna kvisten fortfarande kvar. Maria bad att få ta den med sig.

"Har du kontrollerat kavajfickor, skjortor och byxfickor och sett efter om det finns något av värde?"

"Jag hittade en lapp i den här grå kavajfickan, ett mobilnummer. Det gick till Odd Molin bara." Av skärpan i Rosmaries röst kunde Maria förstå att Odd Molin inte hörde till de mest älskade vännerna.

"Är Odd ofta här på besök", undrade Maria försiktigt.

"Bara när jag inte är hemma. Vi kommer inte så bra överens... Han har försökt göra närmanden, men jag är inte intresserad", tillade hon efter en stunds tystnad.

"Vad säger Clarence när Odd ger dej uppmärksamhet", sa Maria och studerade med spelat intresse en ängel med speldosa under kjolen.

"Clarence blir väl lite irriterad kanske."

"Bara irriterad?"

"Han bli väl arg över att inte få all uppmärksamhet."

"Blir han ofta arg för sådana saker eller är det bara när han druckit?"

Maria såg hur färgen rann bort ur Rosmaries ansikte och lämnade två sminkrosor på kinderna. Blicken miste sitt grepp och for åt sidan. Luften pressades ur mellangärdet och nådde läpparna i ett kvidande läte.

"Slår han dej när han har druckit?"

"Ja", viskade Rosmarie.

"När Clarence försvann förra gången, gjorde du ingen anmälan om det?"

"Nej."

"Varför inte?"

"Jag var glad, lättad över att han var borta." Rosmarie talade så tyst att Maria riktigt fick anstränga sig för att höra orden.

"Du var lättad", bekräftade Maria. "Vad hände sedan när han kom hem igen?"

"Han sa att jag inte älskade honom tillräckligt. Om jag gjort det hade jag bemödat mej om att söka efter honom. Han slutade aldrig att älta det."

"Var det därför du ringde flera gånger till polisen, till och med kontaktade Himberg i hemmet? Var det för att kunna bevisa för Clarence att du saknat honom, att du verkligen sökt efter honom, om han återkommer?"

"Ja", rösten ville inte riktigt lyda. "Ja."

"Saknar du honom alls?"

"Nej, jag vill bara att han ska försvinna ur mitt liv. Att jag säkert ska veta att han aldrig, aldrig mer kommer hit. Att han aldrig rör mej mer."

"Jag tror att du har märken som du döljer under den där stora polotröjan. Är det så?"

"Ja." Rosmarie tog sig åt halsen och blundade.

"Om du tycker att det går bra skulle jag vilja se på dina armar och din hals." Rosmarie nickade.

"Jag vill inte pressa dej. Om du tycker det är svårt kan vi vänta."

"Det är okey." Svetten pärlade i Rosmaries panna. Oändligt varsamt hjälpte Maria kvinnan av med sin tjocka polotröja, som ångade av kroppsvärme. Två breda blåröda märken på halsen lyste mot den vita huden. Armarna var fulla av blåmärken. Rosmarie kröp ihop och dolde huvudet i händerna, dolde halsen med sina smala armar.

"Du ska inte skämmas för att du blir slagen. Skammen är inte din. Vem som helst kan bli slagen och ju längre det får fortgå desto svårare är det att bryta sig ur förhållandet. Skam över den som har slagit dej!"

"Det är bara när han har druckit, sen ångrar han sej och säger att jag är det finaste han har. Att det aldrig ska hända igen. Han tänkte ta sitt liv, det sa han förra gången jag talade om att gå skilda vägar. Jag ljög för dej. Han dricker i perioder. Han lovade att aldrig mer..."

"Det är okey. Ibland behöver man ljuga för att orka med livet. Har du någon aning om var Clarence kan finnas nu?" Rosmaries stora grå ögon svartnade av ängslan.

"Han sa att han skulle ta livet av sig om jag lämnade honom." Rosmarie drog sig oavbrutet i örsnibben som rodnade och vitnade av greppet. "Men det har jag svårt att tro på. Du får inte säga nå-

got till pappa. Han vet inget. Han skulle ha slagit ihjäl Clarence...
han skulle ha blivit utom sig."

"Hade du tänkt lämna honom nu?"

Rosmarie fick inte fram ett ord. Hela kroppen skälvde. Maria la
armen om henne och vaggade henne som ett litet barn. Strök henne
över håret. Ordlös tröst för ordlös sorg. Tills tårarna kom som
ett befriande regn.

"Ja. Han våldtog mej. Hela natten. Tog stryptag. Gång på gång.
Slog mej i magen. Skrek att jag var ett jävla luder. Fick inte luft",
hackade Rosmarie. "Han hade lampan tänd. Ville se mej. Njuta av
att härska över min kropp. Min rädsla eggade honom. Hans blick
var vansinnig, febrig. Jag tror att jag svimmade av. Men han fort-
satte. Hela natten. Tills han såg ansiktet i fönstret. Då blev han
rädd. Jag lyckades ta mej ut och låsa in mej i redskapsboden. Na-
ken. Jag frös. Fan, vad jag frös. När han farit till arbetet, när jag
säkert visste att han farit till sitt arbete, tordes jag gå in. Sen på
kvällen när han kom hem hade jag packat. Clarence var mycket
ångerfull. Han bad mej stanna. Han grät. Han hotade att döda mej
och jag låtsades ge vika. Men jag hade bestämt mej. Jag orkade
inte mer. Strax före sju var han tvungen att fara till Gyllene Dru-
van för att träffa en viktig kund. Sen dess har han varit försvunnen.
Det som utlöste hans vrede den här gången var att Odd frågade
om jag ville följa med på en tur med Viktoria, när Clarence var i
Stockholm. Odd skulle bara ha vetat."

"Vad har du för relation till Odd?"

"Det kunde ha blivit något. Jag kände mej så ensam. Det var
nära, men det är länge sen nu. Han ville att jag skulle lämna Cla-
rence, men jag kunde inte. Clarence äger örtagården."

"Det är bra att du berättar det här för mej. Jag skulle vilja foto-
grafera dina märken, helst också videofilma ett förhör där du upp-
repar vad du just sagt till mej. Jag förstår att det inte känns trev-
ligt men det är viktigt att få bevis inför en kommande rättegång,
om vi ska kunna hålla honom kvar. Jag följer med dej till en läka-
re, om du vill. Det är en fördel om du får ett intyg på de här ska-
dorna. Jag tror också att vi med utgångspunkt från det här kan ord-
na ett larmpaket åt dej och en mobil med direktnummer till
polisen om du inte har en egen. Det är inte helt ovanligt att män

som slår sina kvinnor försvinner ett tag för att göra dem osäkra. Det är bra att din far flyttat in i huset så du inte är ensam. Försök att tala med honom. Berätta som det är. Du måste ha hjälp och stöd i det du går igenom. Så fort Clarence dyker upp tar vi hand om honom så han inte besvärar dej mer. Tro inte att du kan ändra honom. Du kan bara ändra ditt eget liv."

Rosmarie rusade fram med ett kvävt skri, slet ner bröllopsfotot från byrån och slängde det i väggen. Leendet med guldtanden sprack i två delar när glaset rämnade.

"Jag vill att han ska vara död! Död!" rösten skakade av vrede. "Vad händer nu? Hur länge kan han vara borta utan att bli dödförklarad? Jag kan inget om ekonomi. Blir jag tvungen att betala hans räkningar? Hur ska det bli? Jag klarar inte av det här."

"Du kommer att få hjälp med de här sakerna. Vi kommer också att göra en grundlig utredning. Du behöver finnas tillhands för att hjälpa oss med en del frågeställningar. Jag vill att du meddelar oss om du tänker resa någonstans. Efter 30 dagar rapporteras försvinnandet till rikskrim. Under tiden gör vi allt för att ta reda på vad som hänt. Det som närmast är på gång i utredningen är ett möte för gamla FN-soldater på restaurang Engelen i Stockholm. Polisinspektör Himberg kommer att fara dit för att se om Clarence tänker närvara där. Vill du följa med så finns det plats för dej i bilen."

"Nej tack, inte om jag slipper", sa Rosmarie och skuggan av ett leende skymtade i hennes stora grå kattungerunda ögon.

Katten hade kommit till honom självmant. Strukit sig mot hans ben, tillitsfullt och ovetande om livets mörka sidor. Styrd av sina instinkter, sin glada lek i nuet, hade den följt efter honom. Han hade låtit den följa med. Varför visste han inte själv. Kanske var det något med ögonen. De stora runda grå ögonen som såg på honom med förväntan. Han hade inte velat klappa henne, inte till en början. Handen raspade som sandpapper när han tveksamt drog den över pälsen, sen blev det liksom en vana. Hon bara fanns där när han vaknade. Avspänd och kelen kröp hon spinnande upp till hans ansikte, med de grå blänkande ögonen försiktigt vilande på hans hakspets.

Han kallade henne lilla Rosa. Han borde ha förstått bättre. Lilla Rosa gick sin egen väg så som hon behagade. Hela natten längtade han

efter hennes mjuka varma kropp, men hon kom inte tillbaka förrän i gry-
ningen. Då hade händerna hårdnat och knogarna vitnat i bitterhet. Han
försökte smeka henne över den regnvåta pälsen men greppet hade mist sin
mildhet. Hårdare och hårdare klämde fingrarna om hennes hals. Hon
försökte säga något men det var farligt att lyssna, farligt att mjukna. Med
vämjelse kände han sin egen lust i ondskan. Händerna hade låst sig i
greppet om hennes hals, bortom viljan, bortom förnuftet. Till slut låg hon
livlös i hans famn. Först då blev han varse blodet på sina sönderrivna
armar.

13

M ed en känsla av olust, och långt ifrån utsövd, vaknade
Maria av solen som gassade mot sängkammarfönstret.
Trots det mörkbruna påslakan som tillfälligt fungerade
som rullgardin letade sig ljuset in. Maria ångade av värme. Hon
borde försöka somna om och sova ut eftersom hon hade kvällsjour.
En påträngande fluga surrade runt i rummet och spatserade ut-
med Marias bara ben, tog en liten flygtur och landade mitt i an-
siktet. I ett sista försök att somna om drog hon täcket över huvu-
det och höll snart på att storkna i värmen. Ett krafsande på
sovrumsdörren, som gled upp med ett gnällande ljud, var defini-
tivt slutet på vilan. Irriterad stirrade Maria på väckarklockan. Inte
ens åtta! Krister och barnen hade nyss gett sig av. Humpekatten
tog ett språng och landade med god precision på Marias mage för
att omedelbart kasta sig över fötterna, som rörde sig under täcket.

Rosmarinkvisten, som legat på Clarence Haags huvudkudde,
fanns inom räckhåll på byrån. Maria tog upp den ur sin plastpåse
och lockade katten med svepande rörelser. Först tog Humpe ett
skutt för att fånga den, men ryggade tillbaka för lukten. Experi-
mentet upprepades flera gånger med samma resultat. Maria pro-
vade att stoppa in kvisten i den lurviga pälsen. Men katten befri-
ade sig omedelbart. Att tänka sig en katt släpa in en kvist starkt
doftande rosmarin var i det närmaste uteslutet, tänkte Maria för
sig själv och satte fötterna på golvet.

Badrummet stank av nattens bajsblöja som Krister inte tagit ut
till soptunnan. Ingen "odour-control" där inte. Tvättkorgen hade
svämmat över. Mest irriterande av allt var Kristers hoprullade
strumpor. Alla sätt är bra utom de tråkiga. Maria hade själv sett hur

han rullade dem av fötterna till en boll. Kastade upp en strumpa till serve och smashade ner den i tvättkorgen. Gjorde V-tecken och tog emot den tilltänkta publikens jubel, innan han lät den andra strumpan gå samma väg. Sju par kondomrullade strumpor kan fresta tålamodet hos en ängel. Maria var ingen ängel, bara en vanlig dödlig kriminalinspektör.

Hon kände ett styng av oro. I går kväll hade Krister kommit hem halv tolv för att sedan omedelbart kasta sig under täcket, vresigt muttrande. Maria hade krupit intill sin grinige make och han hade stönande vänt sig på sidan. Det gör ont att bli avvisad. Vart hade deras liv tillsammans tagit vägen? Maria skulle just ta en dusch när telefonen ringde.

"Hej det är jag, det är Ninni. Kommer du ihåg lilla mej", fnittrade en pockande kvinnoröst i andra änden av luren. Maria hoppades vid alla höga furor att det var felringning.

"Nej, jag kommer inte ihåg lilla dej."

"Ninni, jag alltså. Är du hans morsa? Jag vill prata med Krister. Nu med detsamma", läspade hon.

Maria kunde ha satsat hundra spänn på att det smackande bakgrundsljudet kom från ett stort rosa bubbelgum.

"Nej, jag är inte Kristers morsa. Jag är hans fru. Kan jag hälsa honom något?"

"Oj då, oj då! Nej, då var det inget." Den fnittrande rösten och smackandet försvann. Luren lades på. Maria stod kvar med sin lur i handen och minusgrader i magen. Det var väl ändå inte rimligt att Krister skulle ha något kuckel ihop med ett tuggummituggande lilla jag? Det hade visserligen hänt förut, och skulle säkert hända igen, att unga tjejer som blev lite betuttade i Krister ringde och bad om hjälp med sina studieuppgifter. Han var en utmärkt föreläsare, rolig och full av infall. Han ägde scenen och njöt av sin publik. Hans stora charm låg i hans intensitet, hans absoluta närvaro i nuet. Han såg, verkligen såg människorna han hade omkring sig. En del kvinnor klarar inte sådan uppmärksamhet utan att bli blint förälskade. Det var hon själv ett exempel på.

Lilla jag, lilla Ninni, säkert tonårsfräsch, smal och brunbränd i pluttesmå tonårskläder och med hela sin beundran serverad på silverbricka. Vilken karl kan stå emot sådant i längden? Tänk om hon var med barn? Fantasin rev iväg som en Formel 1-bil och inga bromsar fanns som kunde stoppa framfarten. Utan att egentligen fundera över om det var rätt eller fel muddrade Maria Kristers kavaj och byxfickor. Gem, parkeringsmynt och servetten från en hamburgerrestaurang. I bröstfickan på den blå kavajen låg en lapp. Ett helt vanligt ark från ett rutat block med ett telefonnummer och "Vi ses" med små retsamma bokstäver och ett kyssmärke i rött läppstift.

"Telia, namnupplysningen." Maria hade radiostyrd slagit siffer-kombinationen och fick besked. Numret tillhörde Ninni Holm. Universum sviktade. Maria kände sig yr och illamående. Den enda trösten i nöden var att Krister inte kunde vara hos "lilla jag" just nu för då hade "lilla jag" inte behövt att ringa och tala med "Kristers morsa". Med ett ostadigt pekfinger petade hon numret till Kristers arbete. Hela serien utom sista siffran. Lät luren dröja i handen. Vad skulle han säga? Blåneka? Så mycket enklare för honom att avfärda anklagelsen per telefon. Nej, hon måste säga det öga mot öga. Se hans ansikte.

I fullt uppror klädde Maria på sig efter duschen och gick ut i trädgården för att gräva i landet. Tårar av förödmjukelse och vre-de brände bakom ögonlocken. Hur allvarligt var det med lilla bub-belgumman? Så fort hon fick Krister på tu man hand, om det var möjligt utan barn, svärmor eller Majonnäsen, skulle han få förkla-ra sig. "Vi ses! Puss! Puss!" Tänk om de inte längre hade en ge-mensam framtid. Hur skulle det bli med barnen? Skulle hon få delad vårdnad med svärmor Gudrun? Krister orkade aldrig ha dem någon längre stund. Och här stod hon, den bedragna, och sådde sallad och morötter. Till vad nytta? Maria klämde ner spaden i jor-den med hela styrkan av sin vrede. Spadtag för spadtag tills ut-mattningen tagit udden av oron. Då böjde hon sig över grepen och grät. Ibland behövs en nära-jorden-upplevelse för att få perspektiv.

Plötsligt insåg hon hur ensam hon var. Alla gamla vänner fanns i Uppsala eller snarare spridda över landet. Karin fanns i Uppsala. Hela det gamla gänget som firat nyår, midsommar och påsk ihop hade skingrats alltefter som de fått arbete på olika håll. Maria tänk-te igenom sitt liv för första gången sedan hon flyttat till Kronviken. Dagarna var fulla av aktivitet, men inte längre av glädje. Hon kände sig isolerad. Utan vuxet umgänge, bortsett från Jonna och Majonnäsen och Kristers familj inte minst. På jobbet fanns Erika, men hon var inte Karin och så Hartman förstås. Hartman, a man of my heart. Maria sände en varm tanke. Hartman var en hedersknyffel. En man som ingav respekt lika väl som han visade respekt för alla, så väl för busar som kollegor. Men det var ändå inte samma sak som att ha det gamla gänget omkring sig. Kanske var det så att den Maria som levt och varit lycklig i Uppsala bara fanns i de andras medvetande och bara kunde återuppstå i deras närvaro. Just nu kändes det så. Fortfarande med ansiktet randigt av jord och tårar slog Maria numret till Karin.

Sen kändes det bättre. Karin hade saknat henne lika mycket och hade allvarliga planer på att söka arbete på Kronköpings lasarett, som desperat sökte sjuksköterskor och lockade med betald flytt, bostad och 40 000 i mutbidrag. Karin hade stora nyheter att berätta. Hon hade träffat en man och var upp i det blå förälskad.

"Vi har pratat om att flytta ihop. Han kan tänka sej att bosätta sej i Kronviken", säger han. "Vi får se om det ordnar sej med jobb. Jag lovar ingenting säkert", sa Karin. "Jag lovar bara att jag vill bo i närheten. Det kan jag lova." Angående Kristers underliga beteende kunde Karin bara råda Maria att ställa honom mot väggen så fort som möjligt och sedan se till att få av honom bandaget på magen. Sterilisering av män är ett litet ingrepp som på sin höjd kräver en plåsterlapp på varje sida. Att gå med bandage över hela magen i flera veckors tid är löjeväckande. "Det stinker sjukdomsvinst lång väg", menade hon.

Sen kändes det, som sagt, bättre och inte alls lika isolerat. Maria började tänka på sitt kryddland igen med ny inspiration, trots Majonnäsens bilar som fortfarande stod i flock på gräsmattan. På biblioteket hade hon lånat allt som fanns om kryddor. Om anis kunde man läsa att en dryck beredd på denna ört kunde ge man och kvinna lust till varann. Samma sak stod att läsa om ringblomma, basilika och kyndel. Kanske borde man koka ihop en kärleksdrog och testa den på Krister. Nåt dunder, som Majonnäsen skulle ha uttryckt det. Möjligen skulle det duga med en simpel ouzo, om det bara krävdes lite anis för att få ordning på sitt samliv. Å andra sidan kittlade Giovanni Boccaccios dikt om Isabella fantasin. Isabella förvarade sin älskades avhuggna huvud i en kruka med basilika för att det inte skulle drabbas av förruttnelse. Kanske något att läsa för Krister vid tillfälle.

Med dessa funderingar tog Maria sitt skissblock och sina akvarellfärger och gick ner till stranden för att måla. En dödssynd enligt alla regler för rätten till barnomsorg. Barn får bara vara på dagis när föräldrarna arbetar eller sover. Sist Maria haft jour och sedan inte kunnat sova hade hon tagit sig friheten att putsa verandafönstren och vad händer? Majonnäsens Jonna möter henne på dagisgården, småpratar lite lömskt och trevligt tills de kommer fram till dagisfröknarna och då, precis då, tänder hon på sin häxpipa.

"Jag såg att du putsade fönster", sa hon med övertydliga läpprörelser så ingen skulle gå miste om informationen. "Får man göra så när man har barnen på dagis? Faran är ju att det sätts i system och utnyttjas. Det finns människor som skulle ha sina barn inlämnade jämt om de fick", menade Jonna med en blick på personalen som inte läxade upp Maria i den omfattning som var önskvärd.

Du till exempel, tänkte Maria. Det finns trasiga, trötta vuxna som under en period inte orkar med sina barn för att de har fullt upp med sina egna bekymmer. Skulle det vara så farligt att ge dem lite andrum. Barnen mår ju säkert bättre av att vara på dagis en liten stund längre än att umgås med en vuxen som är helt slutkörd. Men Maria sa ingenting. Jonna skulle säkert dra höga växlar av ett sådant uttalande och kunna få för sig både det ena och det andra om drogmissbruk och risk för barnmisshandel.

"Fick du låna Manfreds kikare", var allt hon kom på att säga i den laddade tystnaden.

När Maria gick ner mot stranden med sina färger, full av lust och kreativitet, kände hon sig ändå skyldig, skyldig till olaga akvarellfärgsinnehav och penselmissbruk. När som helst väntade hon att Jonna skulle komma farande och undra var hon hade gjort av barnen.

14

Maria hade precis börjat blanda färg när ekan gled in vid bryggan, med måsarna som en olycksbådande mobb i aktern. Genom skränet hade hon hört fiskarens hesa rop på avstånd och skyndat dit. Mycket upprörd pekade mannen mot aktern.

"Jag har en döing i nätet. En död människa. Han låg och flöt under Kronholmen. Jag rodde dit för att se vad det var som låg i vattnet. Jag har inte orkat dra in han i båten. Motorn tordes jag inte använda. Jag var rädd att tappa tillbaka han i vattnet igen om nätet skulle brista eller trassla in sig i motorn. Jag rodde hela vägen från Kronholmen, hela vägen", poängterade han andtrutet. Maria kunde se hur blåblusens rygg mörknat av svett.

Med gemensamma krafter lyfte de in kroppen över relingen. Vinden friskade i rejält. Stred med dem om bytet som dragits ur havet: En vit medelålders man. Skurgummehuden på handflatorna med skinnets uppluckrade vita yta talade för att han legat i vattnet ett tag. "Jag har ingen telefon. Hela tiden när jag rodde tänkte jag att jag borde ha haft en telefon", sa fiskaren och skakade olyckligt sitt kala huvud där kepsen suttit tills för en liten stund sedan.

"Den här mannen har knappast drunknat idag. Ett par timmar mer eller mindre spelar ingen roll. Det var klokt av dej att transportera kroppen varsamt. Det underlättar polisens arbete att ta reda på vad som hänt."

Maria kontaktade sambandscentralen och hörde vakthavandes lite nasala röst gå upp i falsett. Runt omkring bryggan hade folk börjat samlas. Stranden som nyss tyckts så öde hade tydligen slukat fler människor än man kunde ana i sina gropar och vassruggar. Vid polisbilens ankomst hade skaran femdubblats. Pressen, som uppfattat koden på polisradion, infann sig samtidigt som avspärrningen blev klar. Reportern från Kronköpings Allehanda, som kastat sig ur bilen med fotografen tätt i hälarna, såg minst sagt besviken ut över att bli motad från bryggan.

"Vad har polisen att säga om det inträffade?" ropade han till Maria som stod böjd över den avlidne.

"Du får tala med vakthavande", svarade Maria vänligt men bestämt.

"Handlar det om ett mord eller en olycka?"

"Jag kan inte svara på det. Hör med vakthavande."

"Det är fastighetsmäklaren eller hur?" Reportern grep Maria i armen när hon skulle passera.

"Jag har inte befogenhet att svara på det och det vet du."

"Va fan", stönade reportern och tog ett par steg baklänges för att ge plats åt fotografen.

Den döde bars från platsen i en svart plastsäck med blixtlås till bårbilen, som försvann mot Kronköpings lasarett tätt följd av polisbilen.

Väl inne hos läkaren, som skulle konstatera dödsfallet, kom Maria på att hon nog glömt att låsa ytterdörren till villan. Krister skulle väl undra. Den unge läkaren hade ett märkligt ansiktsuttryck. Kanske var det nytt för honom att samarbeta med polisen eller också var det odören av kroppens begynnande förruttnelse som bekymrade honom. Den förtvålade hudytan.

"Kroppen blev alltså funnen nu i morse av en fiskare, ca 07.30. Sen roddes den avlidne i land och det tog knappt tre timmar. Ska han obduceras?"

"Ja, det får vi säkert räkna med. Brott kan inte uteslutas. Identiteten är inte helt klar. Kroppen är uppsvälld och förändrad. Fiskaren, som drog upp den avlidne, tror sig känna igen honom, men vi får nog ta hjälp av tandkort för att kunna säkerställa identiteten. Det är inte omöjligt att han finns med bland dem som anmälts saknade i länet. Hittar vi honom inte där får vi kontakta rikskrim."

När Maria avslutat skrivarbetet: anmälan och primär rapport dödsfall, sökte hon upp Hartman.

"Har man kunnat identifiera honom ännu?" undrade han.

"Det är på gång."

"Vad tror du, kan det vara Clarence Haag? Du har ju sett foto på honom. Om jag förstår det rätt var den avlidne i lite mosigt skick. Jag tänkte att det var bäst att utesluta andra möjligheter innan man ber fru Haag komma hit och identifiera honom."

"Min första tanke var att det kunde vara Clarence. De är inte så olika, samma ålder ungefär, samma kroppskonstitution. När vi lagt mannen på durken såg jag tänderna. Det kan inte vara Clarence Haag. Clarence har en halv framtand i guld.

Fiskaren som drog upp den avlidne tyckte sig känna igen mannen som en Mårten Norman. Jag slog en MFP på det namnet. Mårten Norman är väl representerad i dataregistren: Han har suttit inne för narkotikabrott, inbrott, stöld och misshandel. Just nu villkorligt frigiven och anmäld försvunnen av sin övervakare för tre dagar sedan. Senaste adress är en strandbod nere i Kronviken. Enligt uppgift blev han vräkt från sin lägenhet på Videvägen för ett år sedan."

"Vräkt från sin lägenhet på Videvägen! Det säger en del om mannens kvalifikationer." Örjan Himberg som lufsat in under samtalets gång log så öronen satt som rosetter i mungiporna. Hartman gav honom ett ogillande ögonkast och Himberg lät leendet dala till en mer passande nivå.

"Vad har han för anhöriga?"

"En mor. Lilly Norman."

"Vem kontaktar henne när vi fått klartecken att det är Mårten Norman?"

"Wern, tjejer är bättre på sånt känslomässigt". Himberg skruvade olustigt på sig.

"Wern?"

"Om ingen annan vill så gör jag det, okey."

Efter några lönlösa försök att ringa på fru Normans dörr, blev Maria av en granne upplyst om att Lilly Norman var intagen på sjukhus sedan en dryg vecka tillbaka.

"Hon har ramlat och slagit sig igen, människan. Lilly har en förfärlig otur, halkar och slår sig jämt och samt. Hon borde nog inte bo ensam i det stora huset. Det är svårt för en gammal ensam kvinna att klara allt själv, gräsklippning och snöskottning. Sist hon skulle klättra upp och byta en glödlampa var det likadant. Hon bröt sig sönder och samman. Och sonen, den odågan, har hon inte mycket nytta av. Den har hon fått för sina synders skull. Inte ett handtag gör han för sin gamla mor. Bara springer här och lånar pengar. Han försökte låna av mej också, men då sa jag nej. Man måste vara bestämd. Lilly har alltid varit för släpphänt med den pojken. Det säger jag och det står jag för", deklarerade grannfrun med en understrykande knyck på nacken.

På väg till sjukhusets informationsdisk passerade Maria kiosken, eller rättare sagt passerade hon inte kiosken. När Maria såg hyllorna med choklad, frukt och godispåsar kände hon hur hungrig hon var. Någon lunch hade det inte blivit. Inte ens en kopp kaffe med gamle Jacob, som hon tänkt. En intensiv längtan efter choklad steg upp som en vädjan från den tomma magen, alldeles omöjlig att stå emot. Mörk choklad med minst 72% kakao, gärna bitter, eller små underbara nougatbollar som långsamt smälter i munnen eller punschpraliner eller belgiska havsfrukter. Helst alltihop på en gång.

När Maria tryckt i sig choklad för 85:50 kom hon att tänka på lilla jag, lilla Ninni, som säkert inte hade ett uns mer fett på kroppen än vad som gick åt för att fylla bh:n, inga bristningar på magen efter graviditeter och inga ärr i själen som hämmade framfarten. Därför köpte Maria en banan, som hon inte orkade äta upp, och lät den glida ner i den lilla svarta ryggsäcken för att förebygga kommande attacker av frosseri. Förresten var det Ninnis fel att hon hetsätit choklad. Det var lilla jag som rubbat balansen och fått henne missmodig. Det krävs så lite missmod för att man ska behöva äta choklad. Mycket choklad. Den lindrar sorgsenheten. Även om gränsnyttan avtar med mättnadskänslan, för att sedan nästan helt elimineras av skuldkänslor. Hon hade dock förbrukat 85:50 av familjens skrala kassa på chokladmissbruk. För missbruk är det när man glufsar i sig fin choklad. Det enda värdiga sättet att nalkas drottningen bland kioskvaror är att äta chokladen i små, små bitar och låta den långsamt smälta på tungan. Då räcker det med en, högst två bitar för att uppnå maximal njutning.

I hisshallen fanns en stor spegel. Maria tvärvände när hon såg sin spegelbild, gjorde en ful grimas åt sitt changerade yttre och tog trappan upp till den kirurgavdelning där Lilly Norman låg. Sakta, trappsteg för trappsteg, gick hon för att få tid att förbereda sig inför mötet med den avlidnes mor.

Det är aldrig lätt att lämna dödsbesked. På väg upp till femte våningen funderade Maria på hur hon bäst skulle lägga orden. Kanske är det något av det svåraste man måste göra som polis. Något man inte fick utbildning i på polisskolan, hur det skulle gå till rent praktiskt. I början får man lyssna på äldre kollegor, anamma eller förkasta: "Det var från polisen. Jag har den sorgliga plikten att meddela att er son avlidit." Svårt att hitta något som är värdigt utan att vara för högtravande: "Maria Wern, jag kommer från polisen. Kan vi slå oss ner någonstans så vi kan tala ostört. Jag har sorgliga nyheter: Din son har drunknat." Så sent som igår hade Maria hört på radion att bara sju procent av kommunikationen sker via det talade ordet. Kroppsspråk och tonläge betyder så mycket mer; värme och välvilja är det som räknas även om det man säger låter lite taffligt. Visst hade de läst lite vardagspsykologi på skolan om krisreaktioner, men det betydde inte att de hade den blekaste aning om hur någon skulle komma att reagera. En del anhöriga blir mekaniska, stumma och inkapslade. Somliga gråter tyst, medan andra blir rasande aggressiva och far ut i anklagelser. Hur reagerar man om någon kommer och säger att ens son är död? Någon man inte alls känner. Kan man ta in det då? Kan man tro på det? Det bästa vore naturligtvis om någon som tidigare har träffat den anhörige tar den svåra biten. Fast så blir det nästan aldrig. Ibland kunde man få ett uppdrag från polisen i en helt annan landsända att informera anhöriga i Kronköping om ett dödsfall på annan ort.

Ändå är själva meddelandet inte det svåra. Det allra svåraste är att lämna den man skakat om med ett sorgebesked. Om det inte finns någon nära vän som kan komma och ta vid. Man känner sig på något vis skyldig. Skyldig att återställa allt i harmoni och balans igen. I vårt högeffektiva samhälle får sorgen inte ta någon plats. Ingen plats och ingen tid. Helst skall den sörjande vara på arbetet nästa dag och utföra ett fullgott arbete, med eller utan piller. Är det omöjligt kan den drabbade få ett sjukintyg. I värsta fall med diagnosen "psykiskt insufficient", psykiskt otillräcklig. Som om sorg var ett onaturligt sätt att reagera på vid ett dödsfall inom familjen. Döden har blivit så främmande i vår kultur att vi inte vet vad vi ska säga eller vad vi ska göra när någon drabbas av förlust. Det finns medelålders människor som aldrig sett en död. Dör gör man i skymundan på sjukhus, eller som i Mårten Normans fall – man smugglas undan i en svart plastsäck för att ingen ska bli illa berörd av något så allmängiltigt som döden.

Lilly Norman sa ingenting. Den tunna spända kroppen verkade nästan slappna av en smula när Maria kom fram med sitt ärende. Hon såg ut som en liten skadad fågelunge där hon satt i rullstolen med sitt gipsade ben och sitt blåslagna ansikte. Maria flyttade undan en trave sjukhuskläder och satte sig på den enda tillgängliga stolen för att komma i ögonhöjd.

"Det var en fiskare som fann honom i vattnet strax hitom Kronholmen."

Lilly såg ut genom fönstret en lång stund. Det blänkte till i hennes ögon och en tår fann sin väg över kindens tunna hud och följdes av ännu en. Maria satt stilla med händerna i knät och väntade. Ljuden omkring trängde sig på. Matvagnen dundrade förbi. Porslin som skramlade. Ett sorl av röster.

"Han var en så fin pojke. Duktig i skolan. Glad och hjälpsam. Lite busig ibland som pojkar är mest. Allt det jag hoppades av framtiden var inom räckhåll. Vi fick inga egna barn. Mårten var adopterad. Mer efterlängtad än han kan ett barn inte ha varit. Allt ville vi ge honom. Vi var så stolta när han kom hem och sa att han skulle göra FN-tjänst på Cypern. Han var så tjusig i sin uniform. Det var romantiskt och rörande när Anita Lindblom sjöng på radio: 'Krig och död i ett fjärran land. Gråt och svält, ett land i brand. Men i sken av en handgranat, i basker blå står en svensk soldat.' Om vi bara hade vetat! Han var för vek, Mårten. Kom i dåligt sällskap. Kanske var han rädd hela tiden. Ibland har jag funderat på om han reste för vår skull, för att vi skulle bli stolta över honom. För att visa att han var vuxen, en man. Han hade inte behövt göra det. Kanske skulle allt varit annorlunda om han inte farit. När han kom hem var han så förändrad. Så fruktansvärt förändrad. Jag kunde inte nå honom mer. På sin fars begravning stal han pengar ur min handväska, de femton tusen jag hade tagit ut för att klara utgifterna. Han skulle bara låna dem ett tag. Det var början. Gud så tungt det varit att bära. Vad tror du, kommer han till helvetet?"

"Jag tror att han har varit i helvetet."

"Det är sant. Frågan är om man kan säga att han hade sin fria vilja. Jag vet att han egentligen älskar mej, älskade mej, och ändå tvingades han skada mej, slå mej för att få pengar till sitt missbruk. Jag blandade aldrig in polisen."

"Mödrar gör sällan det när de blir misshandlade av sina barn."

"Nej, det händer nog många fler än ni har en aning om."

"Det tror jag också. Vill du berätta när du såg Mårten sist?"

"Det är precis en vecka sedan. Han kom hem tidigt på morgonen. Jag hade ytterdörren låst men öppnade för honom när han började skrika. Jag ville inte att grannarna skulle undra. Han fick de sista hundralapparna jag hade. Hyrpengarna hade jag betalat in i förskott. Han trodde mej inte och sen hamnade jag här på sjukhuset. Vet ni vad som hände Mårten? Var det en olycka? Var han påtänd?"

"Det kan vi svara på först om några dagar. Stämmer det att han bodde i en strandbod?"

"Tills för ett år sedan bodde han på Videvägen, men han gjorde sej omöjlig. Vi kom överens om att han kunde bo i strandboden jag ärvt av min far. Den ligger nere i Kronvikens fiskeläge. Det bor en äldre man i boden bredvid på somrarna, Jacob. Jag tror han har, hade, ett litet öga på Mårten, såg till att han fick något i sej ibland."

15

Ett nytt datasystem var på ingång. Ragnarsson-Storm kunde nästan inte tänka på något annat, eller tala om något annat. Kommissarie Ragnarsson, som i lönndom kallades Storm, för att han tog allt med en stormande intensitet. Fanns det något att hetsa upp sig över så hetsade han upp sig och nu gällde det datasystemet. Inte ens Hartman kunde hålla mungiporna i styr när det visade sig att det nya systemet hette just: STORM.

Ek hade tittat in under eftermiddagen för att hämta lappen med anmälningar till sin födelsedagsfest. Han synade papperet och log brett. Alla som inte var i tjänst skulle komma. Hartman hade bytt tur med Storm, som var tvungen att skjutsa sin fru till flyget nästkommande lördag när han arbetade kväll.

"Alla kan komma", upprepade han för sig själv. "Vill ni dansa eller ska vi leka mördarleken?"

"Kan vi inte bara tala med varandra som vuxna människor", sa Arvidsson torrt och vände blad i dagstidningen, kamouflerade sig för att ingen skulle se hur fruktansvärt glad han var att se Ek igen.

"Vad är mördarleken?" undrade Erika som i möjligaste mån ville undvika överraskningar hon inte var klädd för. Allt sedan hon tvingats avverka en hinderbana i Kronskogen iförd snäv kjol och högklackade skor. "Är det som sanning och konsekvens?"

"Värre. En är mördare och dödar genom att blinka åt de andra som sitter i en ring. En och en faller de döda till golvet. En annan person är detektiv och försöker upptäcka vem mördaren är, alltså ta honom på bar gärning när han blinkar."

"Dagislekar, jag vägrar!" Arvidsson fick frossa bara han tänkte på att sitta i ring och tvingas se Maria i ögonen, alldeles nära och kanske till och med blinka åt henne eller tvärt om. Han visste att han skulle rodna då och alla skulle se det. Kommentarerna skulle sänka honom till underjorden. "Jag kommer inte om det ska vara barnkalas", sa han och hoppades att ingen skulle höra besvikelsen i hans röst.

"Okey, vi skiter i det. Jag har en annan liten lek, eller ett vad. Vi har inte slagit vad på länge. Se här på kylskåpsmagneterna, de sitter på rad med exakt tre centimeters mellanrum. Varför gör de det tror ni? Jo, för att Ragnarsson har varit här och trimmat dem. Nu låter jag den tredje magneten sjunka ner en bit. Frågan är då: Kommer Storm att justera den när han kommer hit för att fika eller kommer han inte att göra det? Vi begränsar oss endast till detta tillfälle. Om han justerar den senare än klockan fyra eller inte rör den alls räknas det som ett NEJ, och om han utan några antydningar – Ek tittade strängt på Erika och satte sin bookmakerpenna bakom örat – utan några som helst antydningar flyttar tillbaka magneten, så vinner de som satsat på JA. Vi kör väl som vanligt med 10 kronor i insats."

Maria tänkte så det knakade. När hon var ny hade hon ovetandes satt sig på Storms plats vid fönstret i personalrummet. Han hade inte direkt bett henne att flytta på sig, men han hade blängt på henne, länge och irriterat, och sedan när hon reste sig för att hämta kaffe på maten hade han flyttat undan hennes tallrik, längst bort på bordshörnet, och tagit hennes plats. Storms skrivbord var också värt en analys. Pennorna stod i givakt i sitt pennställ. Bordet var oftast rent, till och med avdammat. Telefonen och snabben stod i rät linje till varandra och papperen tordes inte röra sig där de låg i sina exakta buntar. Nog led han av symmetrinoja. Den egentliga frågan var hur han hade det med uppmärksamheten, skulle han alls lägga märke till kylskåpet? Handlade lagen om alltings symmetri bara om den privata sfären eller ägde den allmängiltighet? Hade han någonsin lagt märke till att någon klippt sig? Eller att det kommit upp nya gardiner i konferensrummet eller ens att Arvidsson gick med krycka när han stukat foten? Maria satsade 10 kronor på NEJ och gick sedan till förhörsrummet där hon mötte Tord Bränn, fiskaren som funnit Mårten Norman. Det hade inte blivit tillfälle att ta alla uppgifter nere vid fiskeläget, när folk och press samlades i en stor klunga.

Tord Bränn uppenbarade sig i ren skjorta och en uppseendeväckande omodern slips. Kavajen stramade i armhålorna och gick förmodligen inte att knäppa igen. Själv upplevde han den som en civiliserad form av tvångströja, hans min antydde något i den vägen.

"Tar det lång tid det här", undrade han och fingrade oroligt på kepsen i ett trevande försök att känna efter om den borde vara av eller på.

"Vill du berätta för mej vad som hände i dag, så detaljerat du kan."

"Jag gick upp i morse klockan fyra och stekte två ägg. Vi har egna höns. Ibland får man leta efter äggen men i morse..."

"Jag tänkte från och med att du fann den döde", skyndade sig Maria att tillägga.

"Jag gick ut med båten för att lägga näten i sjön. Jag har min egen plats alldeles hitom Kronholmen, strax söder om utsiktsklippan. Jag såg något som låg och flöt vid farleden och blev nyfiken. Men jag gjorde mitt med näten innan jag rodde dit bort. Jag tänkte att det var en stor plastdunk som låg och guppade i vågorna. Kunde vara bra att ha. Men det var en döing."

"Du tyckte dej känna igen mannen?"

"Ja, för sakran!" Tord sköt ut underkäken och nickade två gånger. "Det var han knarkarn, Mårten Norman."

"Vet du något om hur han kan ha hamnat i vattnet? Har du sett honom gå ut med någon båt senaste veckan?"

"Den, han är skygg för vatten som katten själv. Han tvättar sig inte ens som folk på söndagar. Han har ingen båt."

"Fanns det någon som han umgicks med, som han trots allt kunde ha följt med på en båttur?"

"Gamle Jacob var väl hygglig och stack till han en matbit då och då. Men jag tror inte att någon skulle ta med han ut på sjön."

"Varför då?"

"För att det inte går att lita på han. Det räcker att ta hänsyn till väder och vind. Man ska inte ta sådant i båten man inte vet om man kan ro iland. Han var helt oberäknelig. Ibland var han seg som tjära och ibland levde han rövare i sin bod så man kunde tro att det var en hel bataljon där inne."

"Såg du till honom i midsommarhelgen?"

"I midsomras var jag med barnbarnen till Stockholm. Det är på gränsen till hädelse att lämna naturen här när den är som vackrast, men de små liven hade en obändig vilja att fara till Gröna Lund. Man har inget att säga till om längre." Tord tog av sig kepsen och torkade sig i pannan. Svetten flödade ner på skjortkragen. "Frugan, hon tyckte jag skulle klä ut mej så här när jag skulle träffa polisen, hon envisades", sa han urskuldande.

När Maria exakt klockan 15.32 steg in i fikarummet var Ek och Arvidsson inne i en av sina ändlösa diskussioner. Den kulinariska debatten hade denna gång utmynnat i ett högljutt samtal om bilism och offer till gudar. Vilka genvägar som lett dit var omöjligt att efterhandskonstruera för de oinvigda. Maria slog sig ner och väntade på att diskussionen skulle avklinga.

"Människan har i alla tider och kulturer offrat till sina gudar. Vi gör det också."

"Vilka gudar offrar människorna till i vår tid, menar du?"

"Mammon i olika förklädnader. Marknaden om du så vill. Snabba transporter av varor kräver fler bilar på vägarna. Varje år i Sverige kräver trafikodjuret 600 människors liv och vi tycker tydligen att det är ett rimligt offer i gengäld för de gåvor guden ger. Det är viktigt med Marknadens förtroende. I de heliga börsnoteringarna kan vi avläsa gudens stämningslägen."

"Så kan man inte resonera!"

"Varför inte? Skillnaden mellan vår tids människooffer och dåtidens är att våra offer sker slumpmässigt. Vi vet inte i förväg vilka som kommer att dö i trafiken, få cancer av miljögifter eller stressas till kollaps av sin arbetssituation. Om en lista på offren publicerades ett år i förväg skulle ingen acceptera det. Men när det sker slumpvis blundar vi. Det blir nog inte jag."

"Så kan man inte resonera!" Ek stod upprörd med händerna i byxfickorna och svajade som en pendel med överkroppen.

"Vad man ser beror på vilken utgångspunkt man väljer. Står man med ansiktet mot väggen riskerar man att få se väldigt lite."

"Och om man jämt stirrar i dagstidningar riskerar man att få näsan i kläm", sa Ek och knep Arvidsson i kran i brist på andra argument. I detsamma kom Storm in och alla vände sig mot honom i spänd förväntan.

"Nej, det blir inget av med någon KAFFEAUTOMAT!" sa han vresigt sedan han studerat dem en stund och gjort sin egen tolkning av deras ansiktsuttryck. "Vi har diskuterat det tidigare och som ni vet tycker jag att det vore en dåraktig investering. Onödig och tidsödande. Tänk vilket spring det skulle bli om det fanns kaffe för jämnan. Det är väl inget fel att göra som vi alltid har gjort, att använda kaffebryggaren. Jag ska säga er att de där automaterna är rena lurendrejeriet. Jag tror att kaffeproducenterna betalar en del av reklamen för att det går åt mera pulver i sådana åbäken."

"Gör det?" sa Ek.

"Sist jag provade en sådan här apparat ute på stormarknaden såg jag vad de gick för. Först la jag i min femma, sen tryckte jag på knappen. Då skramlade det till i lådan och sen forsade kaffet ner."

"Ja?" sa Ek för att hjälpa Storm på traven där han blivit stående med handflatan tryckt mot kylskåpsdörren. De tätt sittande ögonen fokuserade irriterat på kylskåpsmagneterna. "Jaa?"

"Sen kom muggjäveln", utbrast Storm och rättade i snabb följd till de övriga fem kylskåpsmagneterna så DE stämde med den som avvikit. Ett schackdrag som sedan ledde till eviga diskussioner mellan Ek och Arvidsson.

16

Arvidsson hade en del att berätta om Clarence Haags affärer.
"Jag tog en lite tur till Videvägen igen och hälsade på
Mårten Normans gamle vän, etermannen och råttfixaren,
Per Trägen. Till en början var han inte särskilt meddelsam men
det släppte när jag klämt lite på honom. Rent mentalt alltså. Var-
för bruka våld när man bara behöver nämna att det luktar finkel?
Jag poängterade att hembränning varit förbjudet sedan 1860. Han
lovade lägga det på minnet. Sen blev han liksom lite mjukare. Vi
skildes som vänner. Men innan dess berättade han att Mårten
mjölkade pengar av Clarence Haag. Nu senast för en dryg vecka
sedan, 20 000 kronor, och samma sak förra månaden. Jag har kon-
trollerat med Clarences kontoutdrag och det stämmer. Liknande
uttag förekommer flera år tillbaka i tiden. När jag sedan jämförde
med de perioder som Mårten suttit inne, fann jag att dessa måna-
der varit betalningsfria för Clarence."

"Det finns kanske ett samband. Vad får en etablerad fastighets-
mäklare att betala ut stora penningsummor till en känd narkotika-
missbrukare? Vad kan vi tänka oss för motiv: eget missbruk? Lang-
ning? Utpressning? Jag skulle vilja att personal från Gyllene
Druvan tar sig en titt på Mårten Normans foto. Kanske kan de
peka ut honom som kepsmannen. Hartman bläddrade bakåt i sitt
block och det blev tyst en stund. Tar du på dej det, Arvidsson?"
Den rödhårige nickade. "Efter obduktionen av den drunknade får
vi se vilka insatser vi bör sätta in. Med tanke på utbetalningarna
från Clarence Haag kan brott inte uteslutas."

"Jag tycker man borde tala med Odd Molin igen. Han kanske
känner igen Mårten Norman och vet något om Clarences affärer.

ju kompanjoner", sa Arvidsson.

måste också höra de fiskare som lägger till i Kronviken. Jag kan tänka mej att de har rätt bra pejl på varandras båtar och förehavanden", poängterade Hartman.

"Det finns en gammal man, Jacob Enman, han brukar sitta utanför sin bod hela somrarna och laga nät. Där har han full uppsikt över både fiskeläget och småbåtshamnen. Sist jag gick förbi låg han över köksbordet och sov. Han var säkert oväderstrött. Det blir man när lågtrycket pressar en i huvudet. Äldre människor känner av... Han låg över bordet och sov... NEJ! Hartman, jag gick förbi flera gånger och han låg likadant. Han låg över bordet med huvudet i armarna. Det kanske inte står rätt till", sa Maria och flög upp från bordet.

Wern och Arvidsson tog den vita Forden ner till fiskeläget. Alla målade bilar var ute, två norr om Kronköping stad och den tredje jagade en misstänkt 12:a långt nedåt skjutfältet. Inte konstigt att trafikonykterheten visar dystra siffror, när det bränns hemma i vart och vartannat hus. En del lagar och förordningar har haft svårt att finna folkligt stöd i de mörka skogarna och ensliga kusttrakterna i norr.

Blåsten högg tag i bilen när de kom ut på öppna slätten. Gula rapsfält och blåaste lin susade förbi, varvat med energiskog och betesmarker. Maria tyckte inte att det kunde gå fort nog. För en gångs skull var hon glad att Arvidsson körde och höll sig inom lagens ramar. Själv skulle hon ha stampat gasen i botten. Annars kunde hon ibland reta sig på de manliga kollegornas självklara sätt att alltid placera sig vid ratten.

Rosmaries örtagård skymtade på långt håll, med sina rosa byggnader. Maria hann se den halvfulla parkeringen innan de passerade plantskolan.

När den grå raden av fiskebodar närmade sig började regnet falla på vindrutan i stora tunga droppar. Vita gäss lekte på vågorna som mörkgrå vräkte in över stenpiren. Fiskebåtarna guppade upp och ner som gungbräden i den grova sjön. Trots den hårda vinden hördes det knarrande ljudet av fendrar som gned mot varann när Arvidsson steg ur bilen. Blåsten högg i ordentligt. Maria fick pressa upp dörren på sin sida, som om vinden ville hindra henne från att se det oundvikliga. Den drog i hennes kläder. Svepte håret framför hennes ansikte så hon inte kunde se. Maria knöt handen hårt i byxfickan. Måtte hon ha fel, måtte han vara vid liv, gamle Jacob. Fast är man bortåt nittio kan det ju hända när som helst. Någon gång måste man ju få sluta sitt liv. Att somna in vid sitt eget köksbord är inte det sämsta, försökte hon intala sig. Med en svidande känsla bakom ögonlocken gnuggade hon bort det värsta dammet från rutan och kikade in. Snart kunde hon konstatera att gamle Jacob låg som förut med huvudet vilande på armarna över köksbordet. Maria knackade på fönsterrutan. En liten ynklig knackning som dränktes i vindens vinande framfart. Jacob rörde sig inte. Maria bultade så hårt hon tordes utan att krossa rutan.

Arvidsson kände på dörren. Den var låst. Händerna trevade över dörrposten och under den flata stenen vid ingången. Men ingen nyckel fanns. Det återstod bara för Arvidsson att slå in fönsterglaset på motsatt sida om dörren, haspa av och lyfta ut rutan. En hemsk stank av förruttnelse slog emot dem. Maria kröp in genom gluggen, stödd under foten av Arvidsson, och såg sig omkring. Inga tecken på våldsamheter. Allt såg ut som hon mindes det: Fotogenlampan i taket. Bäddsoffan med överkast i virkade mormorsrutor, ordentligt och stramt bäddad. Kaffepannan på gasolköket, lite sotig som om den stått i elden. Den stora tavlan med Jesus som stillar stormen och det dalamålade hörnskåpet där Jacob förvarade livets nödtorft, sitt snus och helgens lilla klara. Näten hängde som vanligt utmed ena långväggen och båtshaken stod i hörnet bredvid zinkbaljan. Bredvid sängen låg den randiga trasmattan, nött och upprepad i ena kanten. Försiktigt, utan att röra vid något, tog Maria de sista stegen mot köksbordet där Jacob satt framåtlutad. Det var nära att hon trampat i blodpölen som letat sig utmed stolsbenet och ner på golvet. Glasögonen låg bredvid med ena glaset krossat. Maria följde blodets väg upp över blåblusen där det stelnat till en mörk fläck under armhålan. Hon tog minsta möjliga nypa i Jacobs keps och lyfte tills bakhuvudet blottats. En svärm av flugor flög ut med den sötaktiga lukten av blod. Maria såg med fasa att flugorna redan hunnit lägga små vita ägg i det glipande såret. En fluga satte sig surrande på hennes kind och hon ryggade förskräckt tillbaka, utan att kunna ta ögonen från den avlidne, som vilade över bordet med lugna ansiktsdrag, trots det groteska såret i bakhuvudet. Öronen och näsan hade antagit en mörkblå färg, som skulle ha synts utifrån om rutan inte varit så smutsig.

"Hur går det?" Arvidssons röst ryckte henne ur försteningen.

"Han är död! Ihjälslagen! Ett stort sår i bakhuvudet." Försiktigt backade Maria ut samma väg hon kommit. Nu var det teknikernas sak att ta över. Illamåendet jäste i halsen. Yrseln kom i vågor.

"Hur är det, mår du dåligt?" undrade Arvidsson när Maria landat på gräset igen. Då brast det. Tårarna kom i en kvidande ström. Maria lutade sig in i Arvidssons utsträckta famn och dolde sitt ansikte.

"Jag tänkte inte på att han kunde vara död. Jag trodde att han sov. Tre gånger har jag gått förbi här utanför utan att tänka tanken", hackade hon. "Jag hade så fullt upp med mitt eget att jag inte ens funderade över att Jacob låg i samma ställning. Jag tänkte att vi skulle ta en fika ihop i morse och då var han redan död."

"Det är inte ditt fel. Du får inte ta på dej någon skuld i det här. Du kunde inte ha räddat hans liv i alla fall. Det ser ut som om han sover. Det tycker jag också." Arvidsson tryckte henne intill sig, kvinnan han mot sin vilja kommit att älska. Han hoppades att hon inte skulle höra hur hans pulsar ökade eller se hur blodet brände i hans hud när han rodnande böjde huvudet mot hennes hår. Han kände hennes doft så nära och fick uppbåda all sin viljestyrka för att inte kyssa henne när hon vände sitt ansikte mot honom. Plågad bet han sig i underläppen.

"Jag tror han blivit slagen med en yxa i bakhuvudet. Såret var stort och glipade kraftigt. Flugorna..."Maria fick ta sats för att fullborda meningen. "Flugorna hade lagt ägg", sa hon och en rysning for genom kroppen. Den nyktra repliken gav Arvidsson kraft att hålla henne ifrån sig. Tillsammans trotsade de blåsten och gick ut på bryggan så Maria kunde tvätta av sitt randiga ansikte innan de återvände till stationen. Arvidsson höll henne i ett livtag när hon lutade sig framåt. Hade Jacob suttit på sin bänk hade han säkert undrat vad de höll på med, tänkte Arvidsson bistert leende.

"Rosmarie Haag bör också ta del av bilden på Mårten Norman", sa Hartman och vek sin pizza fyrdubbel innan han stoppade den i munnen. Allt för att spara tid. Sen sa han inget på en stund.

"Kan Mårten Norman ha varit ansiktet i fönstret, den person Rosmarie uppfattade i sin trädgård? Om han blivit vittne till misshandeln hade han något att förhandla med. Utpressning är ett tänkbart motiv till hans död. Fast utbetalningarna har, som jag sa förut, pågått en längre tid. Rosmarie och Clarence har varit gifta i fem år. Vad kan man annars tänka sig? Kan utbetalningarna handla om någon sorts välgörenhet, gamla FN-soldater emellan?" Arvidsson lutade sig framåt och öste in pizza med båda armbågarna på bordet och den långa röda luggen hängande framför ansiktet som ett skydd mot insyn i ätandets stund. Han hade svårt att äta om någon tittade på honom. Nu satt Maria där bredvid honom och det gjorde inte saken bättre. Tuggorna växte i munnen. Han förbannade sin blyghet och sköt undan tallriken med halva måltiden kvar.

"Rosmarie Haag behöver ett larmpaket. Jag far gärna dit med det idag om det bifalles." Maria plockade fram sin illa medfarna banan ur ryggsäcken och kände sig utsvulten och asketisk. Hartman, som började återfå något av sin talförmåga, mumlade genom sista tuggan att han påbörjat en kartläggning av de fiskare som varit i Kronviken sista veckan.

"Vi får vänta med att tala med Gyllene Druvans personal och Odd Molin tills i morgon. Arvidsson och jag far ner till fiskeläget. Det är möjligt att vi får gå ut till allmänheten och be om hjälp, om vi inte får ut något konkret av de båtägare vi träffar. Exakt vilken dag vi skall fokusera på för de båda dödsfallen vet vi först sedan vi fått de preliminära obduktionsresultaten i morgon. Erika Lund var inte glad när jag träffade henne. Hon hade visst något viktigt att uträtta på golfbanan i helgen och så blir det som det blir. Hon har farit ner till fiskeläget. Vi lär knappast höra av henne på ett par timmar. Örjan Himberg är på väg till Stockholm. Vi har faxat ner foto på Clarence Haag till Stockholmspolisen. Deras insatsstyrka kommer att finnas på Engelen under kvällen. Vi kan inte ta några risker. Odd Molin har också farit dit ner enligt sin sekreterare. Han kan hjälpa till vid identifieringen om herr Haag skulle dyka upp.

Vi kan inte utesluta att Clarence Haag tagit livet av Mårten Norman, så väl som av Jacob Enman. Han har motiv och han har uppträtt våldsamt tidigare."

"Jag har gjort en lista på de fiskare i Kronviken jag känner till, med telefonnummer." Maria la fram sitt pappersark på det lindrigt rena bordet i personalrummet. "Det översta namnet är på den fiskare som drog upp kroppen. Tord Bränn. Honom har jag hört, men jag har inte hunnit skriva protokoll ännu. Sedan är det min granne, Manfred Majonnäsen Magnusson, som fiskar till husbehov. Jag är tacksam om jag slipper höra honom. Egil och Gustav Hägg, far och son, har en båt ihop med sin granne, Ivan Sirén. Marion II heter båten. Det är en bra idé att också kontrollera vilka fritidsbåtar i småbåtshamnen som rört sig sista veckan. Kronholmen är ett vanligt utflyktsmål för söndagsseglare. Jag tror till och med att det finns vindskydd för övernattning där."

17

Rosmarie Haag studerade fotot av Mårten Norman ingående. Det ljusa håret som strukits tillbaka från ansiktet satt bakom öronen i tunna stripor. Den undfallande hakan och den vassa näsan. Ögonen var djupt insjunkna i sina hålor.

"Han ser ut som om livet farit hårt fram med honom", konstaterade hon.

"Ja, det kan man nog säga. Han är död." Rosmarie lämnade tillbaka fotot snabbt som om hon bränt sig.

"Jag har tänkt mycket på det där samtalet Clarence fick. Det är över en vecka sedan jag berättade det för Himberg, ni har säkert hört talas om det. Jag var på övervåningen och råkade lyfta luren: 'Jag har inte mycket att förlora, men det har du, Clarence' och Clarence svarade: 'Ditt jävla svin. Jag ska sätta åt dej.' Jag vet inte vem det var han talade med, men det lät underligt. Tror ni att det var han på fotot? Om han är ansiktet jag såg i fönstret kan jag inte svara på. Kanske, kanske inte. Det var så kort stund jag skymtade någon bakom Clarences axel. Ett vitt ansikte med mörka, nästan svarta ögon. Clarence svor till och for ur sängen. Jag tänkte bara på att fly. En möjlighet att undkomma. Clarence var mycket mera skrämmande än det ansikte jag såg i rutan."

Maria tog fram väskan med larmet och demonstrerade.

"Det fungerar ungefär som ett trygghetslarm för äldre ensamboende. När du larmar lyser en röd lampa på apparaten. Då vet du att larmet når oss. Skulle du råka larma av misstag kan larmet stängas av med en grön knapp. Jag vill då att du ringer och meddelar oss att det var ett oavsiktligt larm. På själva apparaten finns en mikrofon så vi kan höra vad som händer i rummet. Vi har också möjlighet att spela in de telefonsamtal du får. Går du utanför huset kan vi ordna en mobiltelefon med direktnummer till polisen."

"Det här känns lite som en elektronisk fotboja, fast tvärt om."

"Ja, men det är för din egen säkerhet. Jag rekommenderar dej att använda det, men du bestämmer givetvis själv."

"Jag skulle hellre vilja att du var kvar här hos mej, men det går väl inte att ordna?"

"Jag är uppriktigt sagt ledsen att behöva säga nej. Det finns inte personal till dygnetruntbevakning av alla som skulle vara i behov av det. Ett larm är det bästa vi kan åstadkomma just nu." Maria råkade komma emot en bukett torkade rosor och en sky av damm svävade ner i solljuset. "Jag skulle vilja se mej om lite mer i huset om det går bra. Har Clarence något eget rum där han sitter och arbetar?" Rosmarie nickade tankfullt. Tillsammans passerade de alla bevingade varelser för att så småningom komma in i en zon helt befriad från änglar och torkade växter. Clarences kontor stod i stark kontrast till den ljusa lätta inredning som för övrigt rådde i huset. Möblerna var tungt maskulina i svartmålat trä och stålrör. Tjocka mörkgröna draperier hängde för fönstren och släppte in ett minimalt grådaskigt ljus i rummet, som kändes ovädrat, nästan lufttomt. Tre av väggarna hyste abstrakt konst i skarpa färger medan den fjärde var dekorerad med troféer från Cyperntiden: fotografier, någon bonad, en anslagstavla med olika länders namn på tyglappar, som enligt Rosmarie hade suttit på soldaternas skjortor. En begärlig bytesvara. Om man bara höll sig väl med föreståndaren för förrådet var ingenting omöjligt, hade Clarence berättat. På bokhyllan under anslagstavlan låg ett fotoalbum och på ett lite lägre bord en bönematta och en kamelsadel.

"Kan jag få låna med mej albumet ett par dagar?" undrade Maria.

"Visst, fast skulle Clarence få veta det blir det inte trevligt." Rosmarie vred sina händer. "Har jag berättat att min katt är borta. Hon har sprungit bort. Det har aldrig hänt förut." Maria skakade på huvudet och såg upp från alla glada gossar i fotoalbumet.

"Hon är helt försvunnen. Jag har hört med de närmaste grannarna, till och med letat utmed dikena i fall hon skulle vara överkörd. Clarence var mycket förtjust i den katten." Maria tog med sig Clarences almanacka och några dokument av ekonomiskt intresse.

"Han kommer att döda mej om han kommer på att vi snokat i hans lådor", sa Rosmarie och rynkade sitt vackra ansikte till en grimas av avsky. "Har du tid att ta en kopp kaffe", undrade hon när Maria stod i dörren.

"Nej tack, en annan gång. Jag kommer och handlar potatis och morötter av dej så snart jag blir ledig. Jag har inte en chans att stanna just nu, hur gärna jag än skulle vilja."

På vägen ut passade Maria på att studera sovrumsfönstret från utsidan. Fönstret låg en bra bit över markplan. Även för en lång man skulle det vara omöjligt att trycka ansiktet mot fönstret om man inte hade något att stå på. En sittgrupp i vit plast stod en bit bort på gräsmattan. Om man ställde sig på en sådan stol borde man nästan ta tag i fönsterblecket för att hålla balansen. Maria tog upp kolpulver och plastfilm ur ryggsäcken och säkrade eventuella fingeravtryck. Egentligen var det inte så mycket att hoppas på efter regnet.

"Har du flyttat på någon av plastmöblerna senaste veckan?" ropade hon till Rosmarie som stod på trappan.

"Nej, det tror jag inte. Fråga pappa, han är en ordningssam man."

Vid den stora eken satt Konrad på sin bänk i solnedgången. Han lyfte artigt på sin halmhatt när Maria passerade. Kaffet stod dukat och klart på altanen och jordhögen bredvid hade fraktats bort, noterade Maria.

"Vet du med dej att du flyttat på plastmöbeln vid huset på sista tiden?"

Konrad funderade en stund, lyfte på hatten igen och kliade sig bakom örat.

"Jo, Rosmarie, slarvmajan, hon ställer stolar under fönstren för att nå upp när hon ska putsa dem. Jag flyttade bort en stol hon ställt under sovrumsfönstret. Men jag minns inte vilken dag det var. Någon gång i förra veckan var det nog." Maria tackade för sig sedan hon säkrat fingeravtryck även på stolen. Det kändes nästan lite överambitiöst. Men ofta är det precis det noggranna vardagsarbetet som ger resultat. Bevis som håller i rätten. I grinden slogs hon av en annan tanke och återvände till Konrad.

"Har ni någon bod för verktyg?" Konrad reste sig mödosamt från bänken. "Vad skulle det vara för något du vill titta på?"

"Jag vill veta om ni saknar en yxa eller något liknande redskap, en stor slaktkniv kanske?"

"En slaktkniv kommer aldrig in på mina ägor", röt Konrad. "En yxa kanske jag har."

Bortom drivhusen fanns en liten grön bod omgiven av lupiner i alla färger, som en doftande regnbågskaskad. Dörren stod olåst. "Ja, när du säger det så. Vi har en stor yxa och en lite mindre 'damyxa'. De finns här båda två."

"Kan jag få låna med mej dem ett tag?"

"Ja om jag får tillbaka dem. Det händer ideligen att saker kommer bort. Vi har en del ungdomar anställda över sommaren. De är inte så rädda om sakerna som en annan fick vara i sin ungdom, när man inget hade. Ungdomar av idag drunknar i prylar och ändå ska produktionen och tillväxten ständigt öka. Om det kom dem till godo som inget har vore det vettigt, men så är det inte. Förlåt en gammal man som inte förstår koreografin inom högfinansen och världspolitiken, men behöver vi i industrivärlden mera saker? Som de flesta snurrar runt i sina ekorrhjul kan man undra om det inte är mera tid vi behöver, tid i lugn och ro. Tid till eftertanke!"

18

På väg till utsättningsrummet stötte Maria ihop med Egil och Gustav Hägg. Av Gustav fick hon stora kramen. Bakom dem stod Hartman med en lustig min och en blåklocka i handen. "Har du tid att höra de här herrarna?" sa han och visade med en artig gest mot förhörsrummet.

När Gustav fått spela "Maria-Therese" på sitt munspel, som han övat på med stor flit, kunde Maria ta de nödvändiga uppgifterna. Gustav gäspade ljudligt och drog upp benen under sig i skräddarställning. Egil såg oroligt på klockan och på sin son. Grabben behövde nog hem och vila. Han var blek och svettblank.

"Tar det här lång tid? Gustav har hjärtfel och epilepsi. Blir han för trött kan han börja krampa. Vi får vara rädda om grabben här." Egil la armen om Gustav i en beskyddande gest och Gustav gjorde likadant, med samma beskyddande min. De lutade huvudena mot varann och Gustav slöt ögonen. Hans mun var ett enda stort leende.

"Vi gör så här att du far hem och försöker skriva upp så exakt som möjligt vilka båtar du sett som legat här i Kronholmen för cirka en vecka sedan. Det är inte så lätt att komma ihåg i efterhand, men det är mycket viktiga uppgifter för oss. Både fritidsbåtar och fiskebåtar är av intresse. Jag vill också att du tänker efter när du sist talade med gamle Jacob och vilka som besökt honom vid den tiden. Känner du igen den här mannen?" Maria höll fram fotot på Mårten Norman.

"Ja, fasen! Det är han knarkarn som har boden bredvid Jacob. Är det han som har haft ihjäl Jacob?"

"Det kan vi inte svara på ännu. Mannen har hittats drunknad i dag i Kronviken. Vi är intresserade av allt som rör honom. När och hur han varit sedd." Clarence Haags foto lades upp på bordet.

"Vet du vem det här är?"

"Hans fru är jättesöt. Rosmarie heter hon." Gustav strålade med hela sitt runda ansikte. "Söt och snäll åsså. Hon bjöd mej på paj."

"Jag kan inte säga säkert du", sa Egil och drog sig fundersamt över hakan. "Kanske? Seglar han ihop med den där Odd Molin som har den vackra gamla mahognybåten?"

"Det är inte otänkbart."

"Då kan jag ha sett han och frun bada här nere någon gång. Visst är hon rödhårig? Jag säger som Gustav, ett rasande grant fruntimmer den där Rosmarie. Den skulle man inte kunna nobba två gånger, eller hur Gustav?" Egil stötte sin son i sidan och skrattade, sen insåg han stundens allvar och dämpade sig lite.

"Fy fan, vem kan ha velat gamle Jacob något ont. Han har väl inte gjort en fluga förnär i sitt liv?" Maria hajade till. Fluga förnär! Bilden av det glipande såret med sina vita ägg kom oundvikligen upp på minnets dataskärm.

"Var inte rädd, Maria. Det är inte farligt att dö. Man somnar bara och sen är man inte i sin kropp mer. Fopp, som en banan ur skalet och sen gräver man ner det i jorden", sa Gustav och la huvudet på sned med ett förstående leende.

"Han är så klok, min Gustav", sa Egil rörd och drog upp en näsduk ur fickan, snöt sig ljudligt och sträckte sedan fram handen till avsked. "Vi måste hem nu. Kom Gustav innan du kärar ner dej alldeles i polisen här. Jag skriver upp allt vi kan komma på och så lämnar vi in det här i morgon bitti", lovade han.

"Ivan, kommer han?"

"Han mår inte bra. Det blev feber av den där foten. Han skulle nog behöva till en riktig doktor ändå. Jag får skjutsa ner han i morgon. Det är nog ingen annan råd. Han är liksom folkskygg. Det är nerverna tror jag."

När de gått funderade Maria på det ansikte Rosmarie Haag sett i sitt fönster. Tänk om det inte alls existerade någon mystisk person i trädgården. Det kunde lika gärna handla om ett rop på hjälp. Ett sätt att få dit polisen utan att direkt peka på Clarence. Maria lät frågan stå öppen tills hon fick tillfälle att tala med Rosmarie Haag nästa gång.

Genom fönstret såg hon Egil streta iväg med Gustav vid handen. De verkade ha helt olika uppfattning om vilken väg de skulle ta. Egils mullrande röst skallrade in genom glasrutan. Gustav stampade i marken och drog av alla krafter. Sedan skymdes de av lövverket.

En knackning på dörren avbröt Maria i hennes funderingar kring ansiktet i fönstret och där stod Gustav igen.

"Jag har något till dej Maria", sa han klurigt. "Blunda och räck fram handen." Maria gjorde som hon blev tillsagd och kände något litet och kallt i handflatan.

"Nu kan du öppna ögonen." Maria öppnade sakta ett öga i taget och stirrade på duvringen i sin hand.

"Vill du gifta oss med varann?" Maria kunde inte låta bli att le mot Gustavs soliga ansikte.

"Jag är ledsen Gustav, men jag är redan gift med Krister."

"Det gör inget. Han får åsså vara med", sa Gustav generöst. "Vi kan ringmärka oss tillsammans. När du väl kommer till kritan så tycker du om mej. Det vet jag."

"Ja, du är en go kille, Gustav. Får jag låna ringen av dej ett tag tills du hittar någon annan flicka att ge den till. En trevlig kille som du får nog inte gå fri så länge."

"Nej, tjejerna på verkstan är lite efterhängsna ibland", sa Gustav allvarligt.

19

När Hartman kom hem, trött efter arbetet, möttes han av en underbar doft av portvinsstek från köket. Bordet i vardagsrummet var dukat med vit duk, ljus och rosor. Schackbrädet var framtaget och elden sprakade i öppna spisen. Tillsammans med sin älskade hustru slog han sig ner vid bordet och trampade i något vått och halvljummet. En liten bit bort, utom räckhåll, satt pestråttan Peggy och betraktade honom roat med sina pepparkornsögon. För Tomas Hartmans del skulle det lilla odjuret aldrig få högre status än en sanitär olägenhet, men för husfridens skull höll han masken.

"Du ser trött ut, Tomas." Marianne log milt och varmt. "Jag hörde på lokala radionyheterna om drunkningsolyckan. De sa att en äldre man nere i fiskeläget blivit nedslagen, troligtvis rånad av en knarkare. Det verkar ha varit en hel del på ditt arbete idag."

"Är det medias bild? Jag har inte hunnit ta del av några nyheter i kväll", suckade Hartman och log sedan mot Marianne. Blinkade lite med ena ögat. "Vad fint du har gjort. Jag är så glad att jag har dej", sa han och strök sin hustru över den bara bruna armen. "När man ser allt elände i stugorna bort ikring kan man verkligen skatta sig lycklig. Portvinsstek som jag älskar, klyftpotatis med dragon och en vacker hustru. Vad är det du har hittat på där i glasskålen?"

"Det är tsatsiki, grekisk gurksallad. Jag gör den på enprocentig kesella. Det är smalt och väldigt gott."

"Men gräddsåsen, var är den goda gräddsåsen?"

"Det är lika gott med tsatsiki. Prova får du se. Jag är rädd om dej, hjärtat mitt", sa Marianne och räckte fram skålen med gurksallad. "Lite rödvin är också bra för hjärtat. Kan du hjälpa mej öppna flaskan tror du?" Tomas Hartman kände sig genast lugnare. En del glädjeämnen fick tydligen bestå trots allt.

Just när Hartman skulle sätta tänderna i den underbart kryddiga portvinssteken öppnades ytterdörren med buller och brak och den yngsta dottern, under ett lass av smutstvätt, ramlade in. Utan att ens säga hej la hon ifrån sig sin börda, gick ett surmulet varv runt bordet och blängde på sin far. De svarta ögonen under tunga silvermålade ögonlock sa allt om hennes sinnesstämning.

"Fy va äckligt!! Det är en ko du äter. Ett stackars djur som någon har dödat, slaktat för att du ska slippa bloda ner dina egna händer. Skulle du kunna äta med samma aptit om du bankat ihjäl den, flått den och skurit ut biffen själv med kniv, skulle du det?"

"Nej, antagligen inte." Med trötta och mycket gamla ögon såg Hartman på sin dotter och lät gaffeln dala mot tallriken.

"Det finns potatis och tsatsiki till dej om du är hungrig", sa Marianne oberört.

"Nej tack, jag vill inte äta vid samma bord som en barbarisk köttätare. Får jag låna tvättmaskinen? Jag har inte hunnit boka tvättid. Det kan man ju inte veta flera dagar i förväg när man ska ha tid att tvätta! Men det fattar dom inte. Dom där pensionärerna skriver upp sig flera veckor i förväg. Den enda tvättiden som blir kvar är på lördagar när det är Bingolotto."

Sedan, när lugnet lagt sig, och dottern avlägsnat sig med sin tumlade tvätt, slog sig paret Hartman ner framför den falnande brasan med varsin kopp kaffe. Marianne lutade sig över schackspelet och gjorde en djärv öppning med vit häst. Hartman gungade vankelmodigt sin svarta bonde av och an medan tankarna vandrade på helt annat håll.

"Vad har Lena för vänner egentligen? Vet du vilka hon umgås med? Det var länge sedan hon tog hem några kamrater. Man kanske inte gör det när man flyttat hemifrån?"

"När jag var förbi med dammsugaren hon skulle få låna, satt det ett gäng ungdomar runt hennes köksbord. Jag tror inte det är någon fara. De såg så trevliga ut allihop. Fina naturintresserade ungdomar. Jag kan inte tänka mej att de håller på med droger eller något sådant. Du är nog lite yrkesskadad, Tomas. Det verkade som om de skulle ut och demonstrera. Det låg plakat över hela golvet. Det såg riktigt trevligt ut tyckte jag. Som i vår ungdom när vi var ute och demonstrerade. Jag tycker att det demonstreras alldeles för lite nu för tiden. När slutade vi gå ut på första maj, Tomas, minns du det?"

Hartman fingrade på en annan bonde för att sedan i ren uppgivenhet, mot bättre vetande, flytta ut svart häst.

20

En daggmask kämpade för sitt liv i en regnvattenpöl. Asfalten blänkte svart i skenet av gatlyktan vid parkeringen. Dofterna, som lösts upp av regnet, hängde tunga över jasminbuskarna och kring lindarna vid parkeringsautomaten. Maria böjde sig ner över den lilla varelsen och placerade den på jorden under ett buskage. Som en liten seger för livet denna dag så fylld av ond bråd död.

Att fara hem och sova kändes inte lockande. Det var nödvändigt att tala ut men Maria kände att hon behövde tid på sig att omformulera sina frågor. Och framför allt tid att förbereda sig på de svar Krister kunde tänkas ge. Maria beslutade sig för att fara ner till fiskeläget i stället. Säkert var Erika fortfarande kvar i Jacobs bod. En ingivelse, direkt från magsäckens ekande tomhet, fick Maria att fara ner till pizzerian och köpa två quattro stagioni. Erika hade säkert inte hunnit få sig något till livs under kvällen.

I väntan på pizzorna slog Maria sig ner vid ett bord och lyssnade på kvällens radionyheter. Storms stämma skar genom lokalen och fick pelargonierna att skaka sina bladöron. Med hög röst gav han sin syn på dagens händelser och polisens minskande resurser, då och då avbruten av reporterns: "Men ni kan väl garantera allmänhetens säkerhet?"

"Vi gör vårt yttersta." Storms stämma lät pressad nu. Maria kunde se hans ansikte framför sig, rött ända ut på örsnibbarna och fimpen nervöst rullad mellan tumme och pekfinger. Hon kunde också tänka sig reporterns illa dolda leende, när hon märkte att hon fått Ragnarsson-Storm ur balans. Den kvinnliga reportern och Storm var inte precis bästisar sen tidigare konfrontationer. Kanske skulle hon lyckas få honom att göra ett uttalande som det kunde bli rubriker av. Motvilligt måste Maria ändå beundra sin chefs förmåga att inte falla i de gropar som grävdes.

"Gärningsmannen är alltså inte känd. Polisen står maktlös", sammanfattade reportern och Storm replikerade snabbt.

"Vi arbetar utifrån väl beprövade strategier. Personalen är uthållig och mycket kompetent. Dock är vi underbemannade och det är ett spörsmål för våra politiker."

Heja Storm, tänkte Maria. Tänk om Ragnarsson-Storm bara ville strö en liten gnutta beröm omkring sig på arbetsplatsen, vilken klimatförändring det skulle innebära. Fast en klapp på axeln via radion fick väl duga i nödfall, som ett lysande undantag från de dagliga råsoporna. Redan första veckan i Kronköping hade Maria haft anledning att härskna till på Storm. "Jävligt dålig rapport, Wern! Jävligt dålig!" hade han skrikit henne mitt i ansiktet. Efter ett ögonblick av bestörtning hade Maria samlat sig och argumenterat för sin rapport. Punkt för punkt hade hon bevisat att den vilade på saklig grund, medan Storm studerade henne med en noshörnings misstänksamhet. De tätt sittande ögonen, halvt dolda under yviga ögonbryn, hade markerat fientlighet av tredje graden. Sedan hade han grymtat något ohörbart och skyndat ut till den väntande pressen, där han ordagrant hade använt sig av Marias material och argumenterat för det, som vore det hans eget.

"Kan polisen garantera allmänhetens säkerhet?" Maria kunde riktigt höra för sin inre röst hur Ragnarsson egentligen velat svara: Visst, vi hade tänkt oss en 6–7 beväpnade poliser per invånare, för att täcka upp dygnet runt, ifall någon fuling skulle dyka upp! Visserligen på bekostnad av all annan verksamhet i samhället, men säkert skulle det bli. Tvärsäkert! Idén med förändringar till närpolisområden och fokusering på förebyggande arbete var kanske inte så tokig, bara man fått resurser att bedriva verksamheten så som det varit menat. Det är alltid slitsamt att vara uppe i ett förändringsarbete, särskilt om resurserna tunnats ut i förväg.

Det var nog inte så enkelt att vara Storm trots allt. Maria avundades honom inte stunderna med media. Rappa ja- och nejsvar på komplicerade frågeställningar, ledande frågor och provocerande påståenden att bemöta med diplomati och fattning. Är det vad folk vill ha av beslutsfattare, rappa svar? Är ett svar med betänketid och i eftertanke mindre trovärdigt? Maria petade lite i pelargonkrukans jord med en tandpetare. Jorden var snustorr och hårt packad. Ingen vinprovning här inte. Här behövde det nog luckras och vattnas med en gnutta öl. Varför hade Clarence Haag eller hans middagssällskap hällt vin i blomjorden på restaurang Gyllene Druvan? Fanns det någon rimlig anledning? Att fylla någon och själv vara nykter ger ett visst övertag. Längre kom Maria inte i sina funderingar innan hon vinkades till kassan för att hämta pizzakartongerna och de små plastburkarna med vitkålssallad.

De bleka stjärnorna lyste klarare när Maria lämnat stadens gatubelysning och svängt av ringleden mot Kronviken. Bensinstationer och enstaka hus blänkte förbi som lanternor i natten. Radions nattmusik dränktes av Volvons motorljud när hon passerade nittiosträcket på hastighetsmätaren. Det vibrerade i ratten. Irriterat märkte Maria att hon hade bitit på naglarna igen. Bara tumnaglarna var något så när hela. Så blev det alltid när det körde ihop sig. När det var för mycket både hemma och på arbetet. Tanken på Kristers tänkbara otrohet gnagde ovälkommen och ful under pannbenet. Malde och malde. Hon ville inte tro det men kunde ändå inte mota bort bilderna: Krister och lilla jag tillsammans, omslingrade. Tänk om hon var med barn! Om Emil och Linda skulle få ett litet halvsyskon. Vilket stoff för svärmors syjunta! Himlars makter vad det skulle talas! Och inte nog med det – Majonnäsens förbaskade skrotbilar hade inte flyttats en millimeter. Maria kramade hårt om ratten och bet ihop käkarna. Långt borta skymtade Rosmaries örtagård. Det lyste svagt i lusthuset. Men boningshuset låg i mörker precis som restaurangen. Egentligen ganska märkligt. Om Rosmarie var rädd för någon, sin man eller en främling som smög omkring i trädgården, borde hon då inte ha låst in sig i boningshuset? Fast hon kanske inte var ensam? Det var möjligt att hon hade sällskap i lusthuset av sin far eller en väninna eller kanske Odd Molin, vem vet?

Fiskeläget låg som en grå spökstad i månljuset. En bred silvergata blänkte i det svarta vattnet, stilla vaggad av stora sömniga vågor som rullade in mot land, där vågen mattades av och blev till en stilla smekning runt stenar och brygga. Måsarna hade tystnat och lämnat plats för nattens egna ljud. Avspärrningen runt bodarna skymtade i mörkret. Det lyste inne hos gamle Jacob och i boden bredvid som var Mårten Normans. Erika tittade ut genom dörren just när Maria svängde av på gräsplanen. Hon såg bister ut.

"Pizza! Har du tid?" ropade Maria.

"Jag ska älska dej så länge jag lever!" sa Erika och sken upp något. Långsamt drog hon av sig gummihandskarna. Hon sköljde av händerna i havsvattnet och spritade sedan av dem. Tillsammans slog de sig ner på bryggan och åt med fingrarna, vitkålssalladen också. Maria hade inte tänkt på att be om plastbestick.

"Vet du hur man vet att en kvinna fyllt fyrtio år?"

"Nej", sa Maria i väntan på den utläggning som borde komma när Erika lämnats ensam med sina tankar en längre stund vid en brottsplatsundersökning.

"Hon blir osynlig. Fundera över vad som visas på teve. Medelålders kvinnor diskrimineras i reklamen. Kvinnor över fyrtio existerar inte utom möjligen när det gäller inkontinensskydd. Ska det drickas öl i teve, ska det vara grabbar som vill vara sig själva för en stund. För att inte tala om kvinnliga sångerskor. Hur många visas upp när de hunnit till medelåldern? Cher möjligen. Men inte utan att hon blivit opererad och korrigerad in på bara skelettet. Man tycker att det borde räcka med en fantastisk röst. Men det gör det inte. Det är nästan av underordnad betydelse. Se vilka som lanseras. Det är tonårskycklingar med halva rösten kvar i äggskalet. Det är vad gubbarna vill ha, unghöns", sa Erika bittert. Maria hade en svag aning om att Erika tidigare arbetat som dansbandssångerska och blivit petad av en yngre förmåga både privat och på scen. Ek hade nämnt det vid något tillfälle. Maria höll helhjärtat med. Tonårstjejer var ett ömtåligt ämne just nu. När stubinen väl tänts på briserade hela problemet med Ninni och Krister, kyssmärket och misstankarna som en krutdurk.

"Man känner det på sig långt innan det händer", sa Erika och hennes röst kom långt bortifrån en annan tid. "Plötsligt har han köpt nya kläder. Han som aldrig intresserat sig för hur han ser ut. Det blir sena kvällar. Han arbetar över. Hans ögon stirrar med avsmak på din slitna morgonrock. Han vill inte ha dina fötter i knät

när ni sitter i soffan framför teven. En ny sorts artighet, ett av-
ståndstagande, finns i hans sätt att tilltala dej när han ännu inte har
bestämt sej, men har dåligt samvete. När du känner hennes par-
fym på hans huvudkudde vet du hur nära de kommit varann. Hud
mot hud. Jag tordes aldrig ställa honom mot väggen. Jag visste att
slaget var förlorat när jag såg kvinnan på hans kontor. När jag såg
de underbara blickar de gav varann. Hon var 18 och jag var 38. Jag
höll kvar de sista dagarna med honom som om de var livet självt
och kanske var de det. De sista dagarna när hans kropp fanns i min
närhet fast hans tankar redan flugit ut som pilska vildkaniner och
lämnat boet tomt."

Maria kände hur det vände sig i magen. Orons svarta spindel
rörde sig i maggropen. Pizzan blev kvar i handen omöjlig att sväl-
ja ner. Vitkålen antog formen av oaptitliga maskar virade om var-
andra i sitt plastbo.

"Kanske är det bara ett dumt misstag. Det kanske finns en bra
förklaring till att Krister har hennes telefonnummer på en lapp i
fickan. Kyssmärket kan ha kommit dit vid ett annat tillfälle. Det
kan vara ett internt skämt av något slag. Jag kanske oroar mej i
onödan." Marias röst lät som om hon läste ur en bok, som om hon
inte själv stod bakom de ord hon sa.

"Så tänkte jag också i början." Erika svepte med handen i det
svarta vattnet. Ringen med ametist blänkte liksom hennes silver-
färgade naglar. "Nu sitter jag här med mina svettningar och vall-
ningar och mitt usla humör i en strandbod mitt i natten. Just i kväll
när jag skulle ha träffat mannen i mitt liv på golfbanan. Vi hade
bestämt att vi skulle ses igen, som någon sorts femtonårsjubileum,
vad vet jag. Han är ensam nu. Säkert har han åldrats en del. Tufft
att hålla jämna steg med en så ung kvinna. Jag tror inte han orka-
de med att bli småbarnsförälder igen. Han vill träffa mej. Jag hade
hoppats så mycket av den här kvällen. Fast det var skönt att du
kom hit. En pizza och lite sällskap är aldrig fel."

"Har du träffat Odd Molin nyligen?"

"Hur visste du det?"

"Säg det du!"

"Han bjöd mej på en segeltur med sin vidunderligt vackra Vik-
toria härom veckan. Och jag tänkte: varför inte? Man får väl ta vad

livet bjuder. Det var inte så tokigt. Vi ankrade upp i en liten bad-vik bortom skjutfältet. Sandåstrand heter det. En alldeles ostörd vik med sand len som sockerkakssmet. Det finns ett övergivet torp med en förvildad trädgård en bit upp på land. Det är så igen-växt att man inte ser det först för granskogen, men när man hittat stigen över stenbron så öppnar det sej snart i en glänta. Bron är ett riktigt hantverk, huggen med stor precision och alldeles mossbe-lupen. I det höga gräset vid torpet växer faktiskt jordgubbar. Du borde fara dit med barnen. Det är inte lätt att hitta dit men jag kan rita en karta åt dej."

"Jag har hört talas om platsen. De släpper brevduvor därifrån. Men jag hittar inte dit, så en karta vore bra. Hur har det gått med arbetet i bodarna? Har de varit här och hämtat kroppen ännu? Vet du att jag gick förbi honom tre gånger utan att förstå att han var död? Tre gånger!" sa Maria och bet frenetiskt på tumnageln.

"Han såg inte särskilt död ut på håll. Inte genom de genomlor-tiga fönstren. Egentligen inte förrän man lyfte på kepsen."

Maria drog en djup olycklig suck och lät blicken följa ett svan-par som simmade genom silvergatan, döpta i månljus, bländande vita.

"Säg inget mer, Maria. Vad skulle det ha hjälpt om du funnit honom en halv dag tidigare. Han har med stor sannolikhet varit död i en vecka. Fler än du har passerat här under den tiden. Det är två saker av intresse jag funnit, eller rättare sagt inte funnit. Det ena är nyckeln. Dörren var låst. Nyckeln är borta. Det andra är yxan. Den saknas också. Jacob har en vedhög ute på gårdsplan och en huggkubbe, men ingen yxa. Vi kan alltså tänka oss att han dräpts med sin egen yxa. Vilket kan tyda på att mordet på Jacob inte var planerat. Fingeravtryck finns överallt. Han hade tydligen ett stort umgänge, gamle Jacob. Mårten Normans bod har jag inte hunnit börja med ännu. Man kan undra om hans död var en olyckshändelse? Jag hörde av Hartman att Clarence Haag betalat Mårten Norman åtskilliga summor genom åren. Det är intressant. Tur att kroppen återfanns så snart."

"Hur menar du, hade han inte legat i ett tag?"

"Ja, men kroppen flyter inte upp direkt. Det är först när förrutt-nelseprocessen tagit fart och gas samlats under huden, som kroppen flyter upp till ytan. I den här värmen kan det nog gå på en vecka, men på vintern tar det tid. Det brukar bli så att en och annan förvunnen person dyker upp först på vårkanten. Förr i tiden hade de sina egna sätt att hitta drunknade. Ett sätt var att ro ut med en tupp. Där tuppen gol började man dragga. Ett annat sätt var att tända ett ljus och placera det på en brödkaka och sedan se efter vartåt brödkakan drev. Inte så illa tänkt faktiskt. På det sättet kunde man se hur strömmarna flöt."

Maria kände en rysning utefter ryggraden. Olustig skakade hon på sig. Det kändes som om hon flyttats tillbaka i tiden. När fisket betydde mat på bordet, liv eller död. Det var inte svårt att föreställa sig fiskarhustrun som ängsligt spanade ut över vattnet i väntan på båtarna med de vita seglen, som andades liv. De som blivit kvar där ute i havet måste vara en oräknelig skara. Varje avsked måste ha färgats av den vetskapen. Maria kände en tusenårig andedräkt i kvällsbrisen. Kvinnoängslan och kvinnosorg gick som en blå tråd genom tiden.

"Skönt att du kom förbi." Erika såg snällt och varmt på Maria. "Lite kusligt här ute, men nu känns det bättre. Borde du inte fara hem och sova nu? Du arbetar väl i morgon?"

Det lyste i köket. Ett kort ögonblick trodde Maria att Krister var vaken, att han satt uppe och väntade på henne. Men så var det inte. Tunga andetag hördes från sängkammaren och där låg Krister på mage och sov med täcket avsparkat från fötterna. Emil och Linda sov också sida vid sida i Marias säng. Linda hade tummen i munnen. Maria undrade var nappen kunde vara. Det var inte så lyckat om hon började använda tummen i stället. En napp är lättare att begränsa användningen av.

Maria kröp ner i sängen längst ut och försökte koppla bort tankarna, men de vägrade släppa taget. Som irriterande flugor surrade de i medvetandet. La Krister barnen med flit i dubbelsängen för att slippa konfrontation? Maria vände och vred sig i sängen. Det var omöjligt att komma till ro. Konrads berättelse levde sitt eget liv. Historien om Rosmaries älskare, den unge mannen som arbetat i handelsträdgården och sedan givit sig i väg till Cypern med Clarence. Kunde det ha varit Mårten Norman? Eller Odd?

Majonnäsen hade ju också varit på Cypern. Men att han skulle ha varit Rosmaries älskare föreföll föga troligt. Maria log för sig själv och anspänningen avtog. Med den tanken måste hon ha somnat, för nästa stund när hon slog upp ögonen badade sängkammaren i ljus. En envis fluga, en riktig bombflygare, vandrade av och an på täcket, inspekterande sina nya domäner.

Gryningstimmarna var alltid värst. Lakanens sura stank av svett. De hårt sammanpressade käkarnas bultande värk. I vitaste panik hade han vaknat, skrikit, krupit ihop i fosterställning och skyddat sitt huvud. Ingenstans kunde han vila sin oroliga ande, inte ens i sömnen. Den oändliga trötheten skar under pannbenet, dissekerade pannloben sektion för sektion. Skriket satt kvar i strupen, återhållet av viljans sköra trådar. Ögonen brände av sömnlöshetens syra. Han vågade inte ens tänka på att somna om och åter falla ner i avgrundens bottenlösa gap. Därför tvingade han kroppen att vandra, planlöst irrande, att inte vila, inte somna om. Starkt hett kaffe rann ner för den torra strupen och sved mot den bara magslemhinnan. Den ständiga värken strålade ut i ryggen, den hjälpte honom att kämpa mot sin fiende, sömnen.

Ändå hade han gjort sig av med allt som kunde påminna honom om ondskans tid. Fängslad i känslornas starka grepp hade han bränt sina minnen till en askhög, allt utom ringen. Den hade han släppt på tre famnars djup i havet. Det var de döda tingen. Nu återstod bara de levande påminnelserna om vad som hänt. Sen kanske han kunde komma till ro, om inte annat så i evigheten. Tanken på gamle Jacob malde i medvetandet. Ett misstag. Han borde ha tänkt på gamle Jacob som satt vid bodgaveln och lagade sina nät. Men trötheten hade grumlat hans skärpa. För sent hade han insett att den gamles ögon sett vad de inte borde. Jacob visste det inte då, men när frågor började ställas skulle den gamles synminnen bli en fara, ett trumfkort i fiendens hand. Den risken kunde han inte ta. Utan att hasta iväg hade han lugnt och metodiskt tänkt igenom den uppkomna situationen. Varför inte lämna mordvapnet där polisen skulle söka, plantera det med omsorg och låta det bli en del av hämnden? Än var det inte dags att kasta yxan i sjön.

21

Maria viftade undan flugan ur ansiktet och vände sig om mot Krister som andades långa tunga andetag i sängen bredvid. Om inte de här äckelflugorna försvann från sovrummet snart fick de nog överväga att sätta upp flugpapper. Fast å andra sidan var det nästan ändå snuskigare med fullparkerade klisterremsor i ansiktshöjd. Maria hade som tonåring trasslat in sitt långa hår i ett flugpapper och visste av egen erfarenhet hur vidrigt det kunde vara. Hon blev arg bara hon tänkte på det. Och där låg Krister och sov, oskyldig och fridfull som ett litet änglabarn. Hur kunde han ligga och sova som om ingenting hade hänt? Var han alldeles samvetslös?! Ju mer Maria tänkte på vad han kanske hade gjort, desto argare blev hon. Vad hade Karin sagt om sjukdomsvinst? Gick Krister omkring med ett jättebandage för att Maria skulle tycka synd om honom och låta honom vara ifred? Var det inte i så fall höjden av fräckhet?! Försiktigt lirkade Maria av Krister täcket. Lyfte upp hans blytunga högerarm och så den vänstra. Hon kände sig som Robin Hood när han tog guldpåsarna från den falske regenten, prins John, om man bortsåg från att Krister vuxit ifrån att suga på tummen och att Sir Väs inte låg på lur med för stor nattmössa i sin vagga. Bara Humpekatten lyfte lite på ena ögonlocket. Trött och sliten efter nattens jakt. "Kan man aldrig få en lugn stund?" sa hans anklagande min.

Ett halvsolkigt absorptionsförband löpte från höft till höft, i nederkant fasthållet med kalsongerna, i överkant fasttejpat med svart isoleringsband. Säkert något som blivit över när han tillfälligt lagat bandyklubban i vintras. Utan en gnutta medlidande ryckte Maria bort bandaget i ett enda kraftigt ryck så halva ryamattan på Kristers mage följde med.

"Aaaj!! Vad är det?" skrek en yrvaken Krister och försökte dölja magen med sina håriga spindelarmar. Humpe for förskräckt ut genom dörren.

"Är och är! Det borde väl du veta bäst!" Maria drog undan hans händer och letade efter operationsärren, men fann ingenting. Absolut ingenting. Inte den minsta lilla prick eller det minsta lilla märke som skulle kunna tyda på ett operativt ingrepp. Krister rusade ur sängen och in i badrummet. Maria for efter och fick tag i dörrhandtaget just när Krister skulle låsa. Efter en stunds dragkamp fick Krister igen låset. Maria riktigt hörde hur han andades ut.

"Erkänn, kom ut och erkänn, ditt fega elände!" Maria bankade på dörren med båda händerna. Emil och Linda som trodde att det var en alltigenom rolig lek kom stormande och hjälpte till med bankandet.

"Erkänn din fegis", ekade de utan att ha en aning om vad det hela handlade om. Maria brast ut i ett hysteriskt fnitter. Det här var bland det dummaste hon varit med om i sitt liv! Försiktigt gluttade Krister på badrumsdörren, yvig i håret och med ögon små som fluglortar tittade han sig närsynt omkring.

"Jag kände mej väl inte riktigt mogen", sa han med ynklig röst. "Vad som helst kan hända vid sådana operationer, man kan få blodförgiftning till exempel." Krister började sakta men säkert återfå sin forna hållning igen. "Eller HIV eller gulsot. Det kan bli fula ärr. De kan råka skära av magsäcken så man får äta välling med slang resten av livet eller en urinledare så man dränks i sitt eget spad." Barnen såg anklagande på Maria. Det borde hon ha tänkt på, inte sant?

"Vem har inbillat dej det? Är det Majonnäsen?" gissade Maria. Krister nickade.

"Vilket kvalificerat skitsnack!! Du skulle ha pratat med Karin i stället. Gick du överhuvudtaget till sjukhuset?"

"Neej."

"Burken i kylen då? Tapetklistret?"

"Majonnäsen sa att man var tvungen att lämna in ett spermaprov för att se om det fanns något liv, och det gör det inte i maizenaredning. Tapetklister skulle jag aldrig komma på tanken att använda. Fy så vulgärt!" sa Krister med en filmstjärneknyck på nacken.

"Vad har du att säga om lilla Ninni då, lilla jag som var så angelägen om att få träffa dej?" Maria hörde hur hård och gäll rösten blev.

"Va?"

"Ninni Holm!"

"Ninni Holm, vad har hon med det här att göra?" Kristers gapande mun hade säkert rymt fem pingisbollar om man hade försökt att trycka dit dem. "Vad menar du?"

"Hon ringde hit!"

"Jag förstår inte. Här talar vi om skaderisker i sjukvården och så säger du Ninni Holm. Ville hon att jag skulle ringa upp eller? Inte nu igen! Hon skulle ha behövt repetera grundkursen innan hon gav sig in på mer avancerade saker."

"Det är möjligt. Hur avancerade saker har hon givit sig in på, menar du?" Maria spände ögonen i Krister, naglade fast honom vid badrumsdörren, och krävde samförstånd på en vuxen nivå.

"Programmering bland annat. Varför vill du prata om det just nu? Jag förstår mej inte på dej. Har du blivit alldeles vriden? Mår du dåligt Maria? Du tror väl inte? Det kan du inte tro – neej Maria, nu är du alldeles ute i universums träskmarker. Aldrig att jag skulle vilja ha något ihop med Ninni Holm." Krister försökte slå armarna om sin fru, men hon duckade elegant och tog ett steg bakåt. Han gjorde ett nytt försök och fångade henne i famnen.

"Vad ska man tro när du går omkring med hennes telefonnummer i fickan: 'Vi ses!' Hon kunde lika gärna ha skrivit puss, puss."

"Vad ända in i... har du kollat i mina fickor?" Krister sköt Maria ifrån sig som om hon varit en portion kall gröt.

"Har du kollat i pappas fickor?" sa Emil som följt samtalet med lysande intresse.

"Vi får prata om det här senare", morrade Krister.

"Vi tar det när du känner dej MOGEN för det", sa Maria med ättiksröst och gick ut i köket för att sätta på kaffe.

På väggen bredvid kylskåpet satt något rosa uppspikat, något runt och rosa som omedelbart fångade Marias uppmärksamhet.

"Krister, vad har hänt här?"

"Åh det, Lindas napp ser du väl. Jag tyckte hon var lite stor för att ha napp och då kom jag på ett bra sätt att vänja henne av med den. Om nappen sitter fast i väggen så hon måste stå där med ansiktet platt tryckt intill när hon ska tutta är det inte lika kul längre, tänkte jag. En rent pedagogisk åtgärd. Ska ta patent på den." Linda, med gårdagens konflikt i tydligt minne, började illtjuta.

"Vad har jag gjort för att förtjäna en man som du", stönade Maria.

"Var inte så blygsam. Du är klok och vacker och stundtals riktigt mild till ditt väsen."

Krister verkade helt ha återfått fattningen. Maria, som kände sig både lättad, rasande arg och på något sätt lurad på den upprättelse och den allvarliga ånger som borde ha varit Kristers bot, började gråta av känslomässig turbulens.

"Du är inte så lätt att leva med Krister", viskade hon när han strök henne över håret. I detsamma hörde de en bil bromsa in på gårdsplanen.

"Är det Majonnäsen så häller jag kokande olja på honom från balkongen", sa Maria med skrovlig röst. Emil tyckte det lät intressant och la det på minnet; olja på Majonnäsen, kanske lite på Biffen också.

Gudrun Werns hårdpermanentade huvud blev synligt i hallen och bakom henne tornade Artur upp sig som de blå bergen. Ett ögonblick såg Krister riktigt villrådig ut, sen sken han upp.

"Så bra att ni kom. Jättefint!" Maria stirrade på sin man som om han var en förrädare, en överlöpare av oanade mått. "Så bra att ni kom. Barnen följer så gärna med er ner till stranden. Visst, Emil och Linda?! Vi kommer efter lite senare med en fikakorg." Gudrun Wern såg ut som om det inte var riktigt vad hon tänkt sig. Det var tidningens nyheter om yxmordet som lockat henne att hemsöka dem i gryningen. Artur verkade ha något på hjärtat men det tog, som alltid, tid för honom att komma fram med det om han inte blev direkt sufflerad. Eftersom hans fru alltid talade i långa sammanhängande haranger, endast med sekundsnabba avbrott när hon drog in luft, hade han tvingats anpassa sitt språk till hennes. Ofta blev det bara ett eller två väl valda ord i stöten, med samma precision som när man hoppar långrep och ska anpassa sitt inhopp till hur fort de andra vevar.

"Sorkar", sa han just när Gudrun drog in luft efter att ha kommenterat Kristers klädsel eller snarare brist på klädsel.

"Vad sa du pappa?" Krister la sin hand på Gudruns arm för att tysta henne.

"Sorkar vid uthusväggen", sa Artur sekundsnabbt och tittade vaksamt på sin fru.

Tillsammans klev karlarna ut för att göra upp med de vilda djuren. Motvilligt gick Gudrun Wern med barnen ner till stranden efter att ha ställt sina mest brännande frågor och fällt sina mest pockande kommentarer om MORDET och drunkningsolyckan.

"Den där Rosmarie Haag, fastighetsmäklarens fru, hon är allt ett vidlyftigt stycke. Jag kände genast igen henne på bilden i tidningen."

"Jaha", sa Maria, inte helt säker på vad vidlyftig betydde i sammanhanget. Gudrun nickade konspiratoriskt och eftertryckligt.

"När vi skulle fara hem från er sist, när Astrid och jag var här minns du, tog vi vägen om småbåtshamnen. Astrid tycker att det är så romantiskt med alla båtarna och ljusen. Hennes man var vid flottan. Jag tyckte det var lite onödigt. Det var ju sådant oväder och jag var lite trött. Det måste jag säga. Barnen är ju små änglar. Men vid min ålder blir man trött av alla ljud de gör. Vänta ska du få se. I alla fall, vi kunde ju inte gå ur bilen utan att bli alldeles genomblöta så vi parkerade ute på kajen och såg på båtarna som låg och guppade i vattnet. Då sa Astrid: Titta där! Och kan du tro, där kommer Rosmarie Haag ut ur en mahognybåt av värsta slag. Joho då! En man följer henne tätt i hälarna upp på kajen. Minsann! De omfamnar varann. Astrid sa att hon tyckte att det såg ut som om de kysste varann. Jag är lite osäker. De kanske bara pratade nära varann. Det är inte alldeles lätt att höra vad någon säger när det blåser hårt. De stod alldeles under gatlyktan. Astrid tyckte att det var så romantiskt. Precis som i Dimmornas bro. Sen klev de in i en bil och försvann. Tänka sej så fort maken är borta så dansar råttorna på bordet. För maken var det då inte. Det är jag säker på."

Gudrun snöpte på munnen och nickade eftertryckligt.

"Mannen i mahognybåten är en god vän till familjen Haag. Det är bara naturligt att Rosmarie söker stöd hos någon i sin oro."

"Naturligt. Jo, det kan tyckas. Men Astrid såg allt vad hon såg och det säger jag bara: ett vidlyftigt stycke det är hon."

När huset blivit tomt packade Maria en kaffekorg och ställde den på köksbordet, skrev en lapp, tog en snabb dusch och gick ut. Hon kände ett starkt behov av att få vara ensam. Garanterat ensam! Krister och svärfar var i full gång med att röka ut sorkar ur deras gångar. Artur såg riktigt entusiastisk ut. Krister också. Han måtte väl tacka sin lyckliga stjärna att han kom så lindrigt undan i hetluften. Men han skulle inte för ett ögonblick inbilla sig att det var färdigpratat. Hur ska man kunna lita på en man som låtsassteriliserar sig? Hur ska man kunna leva ihop med någon man inte kan lita på? Maria vinkade åt Krister och Artur innan hon tog stigen upp för Kronberget, men de var alltför upptagna för att lägga märke till henne.

22

Det är märkligt att växter kan klara sig under så karga förhållanden; fetknopp, rölleka och gulmåra, maskrosor och åkervädd överlevde i den magra jordmånen på bergsluttningen i små tynande exemplar. Pinade av vind, störtregn och soltorka höll de sig kvar med sina rottrådar. Maria strök håret ur ansiktet och promenerade raskt uppför. Egentligen hade hon tänkt sig att springa ett par kilometer längs stranden på morgonen, men med svärmor och polisens avspärrning nere vid fiskebodarna skulle det inte bli någon ensamtid, den tid för eftertanke hon så väl behövde.

Kronvikens kyrka låg högst upp på klippkanten. Stor och mäktig tornade den upp sig när man betraktade den från havssidan. När Maria gick över kyrkogården på landsidan såg den inte alls lika imponerande ut, men tornet var väl tilltaget. Som om man börjat i stor stil och sedan inte haft råd att fullfölja byggnationen i samma skala. En gammal kvinna med randigt förkläde och blommig duk på huvudet krattade grusgången. Hennes vackra gamla ansikte var tärt av väder och vind. Ett finmaskigt nät låg över ansiktet i skrattets symmetriska mönster. Med styrka och seghet drog hon den stora krattan genom gruset och böjde sig mödosamt för att dra upp en maskrosplanta eller en liten nässla. Det var lugnt och stilla på kyrkogården, förutom den lilla gumman syntes inte en människa till. De stora kastanjeträden gav skugga och svalka.

Alldeles vid ingången till kyrkan mellan två stora familjegravar fanns en gravsten, ett avhugget träd i vit marmor. Texten på stenen var halvt om halvt igenväxt av mossa och lav. Det som fångade Marias uppmärksamhet var en liten barrträdsliknande planta.

Försiktigt nöp hon av ett blad och gnuggade det mellan fingrarna. Rosmarin, rosmarin för hågkomst av de döda. Kvinnan med krattan närmade sig och Maria backade lätt skuldmedveten ut på grusgången igen. Det kanske fanns någon bestämmelse om att man inte fick beträda gräset som hon borde känt till. Kyrkporten stod öppen. Den stora nyckeln satt kvar i det rostiga järnlåset. Maria steg in under valven och lät ögonen vänja sig vid dunklet. De vitkalkade väggarna var fyllda av bilder och ornament ur kristendomens historia. Människan vägd på en våg och befunnen för lätt, sedan en klase smådjävlar tyngt ner den motsatta vågskålen. Ett Guds finger i den första vågskålen borde ha varit på sin plats, tyckte Maria. Madonnan och barnet. Jesus som frestas i öknen, även här av den hornbeklädde fienden. Apostlar och på något mystiskt vis ett par svenska kungar som smugit sig in i den heliga skaran. Någon vit yta att projicera sina egna bilder på fanns inte. Maria hade någonstans hört talas om den medeltida skräcken för tomrum. Att fylla väggarna med bilder hindrade de onda andarna från att ta sig in. Lite av den känslan kunde man få när man befann sig i Gudrun Werns överdekorerade vardagsrum. Vilka otyg hon försökte stänga ute kunde man bara gissa.

Svalkan var skön efter den ansträngande promenaden uppför berget. Längst fram i koret till vänster om altaret hängde ett skepp. Maria gick fram och läste på silverplåten under fartygsminiatyren. Överst med snirkliga bokstäver stod det: *Havet gav och havet tog.* Under den texten var ett trettiotal namn uppräknade på dem som omkommit i stormen 1931. Maria läste namnen ett och ett. Det var den vördnad de var värda, tänkte hon, att få bli ihågkomna: Arnold Jacobsson, Edvin Karlsson, Holger Modig och Ivan Nilsson. Maria kom att tänka på Ivan och blickade upp mot kyrkfönstrens blyinfattade rutor med färgat glas. Kanske hade han suttit här som liten och fantiserat om färgerna. Släppt helheten, föreställande madonnan och barnet, och i stället koncentrerat sig på färgerna, ruta för ruta. Kanske fanns glasfönstret där för att visa hur Gud ser på människorna. Inte i svart-vitt, mer fantasi än så borde han ha, Skaparen, inte i onda eller goda utan i färg, i nyanser rika och överraskande som livets skiftningar och årstidernas växlingar. Vad hade Ivan sagt? Att han kunde bestämma sin verklighet när han var barn, välja synsätt när han fortfarande ägde flexibilitet och fantasi. Men sedan, när han blev vuxen, hade valmöjligheterna krympt ihop som russin. Kanske är det så för en del. Men då gäller det att plocka russinen ur kakan. Att åtminstone välja när möjligheten ges. Vad skulle det vara för mening med livet om allt var ödesbestämt, om livets tråd bara var en marionettdockas lina? Om man var en fiatopp i ett förutbestämt spel? Varför skulle man då straffa mördare, om de var predestinerade att begå mord, utan någon valmöjlighet? Egentligen borde de åtnjuta största respekt och medkänsla, som fått en så grym roll att spela. En viss sanning kanske det fanns i Ivans tanke ändå. Vi föds under olika förutsättningar. Men en människa är aldrig utan val, hur små eller stora de än kan tyckas. Maria kastade en hastig blick på klockan och reste sig upp från kyrkbänken.

Den gamla kvinnan rensade ogräs på familjegraven intill den grav som fångat Marias intresse. Hon hälsade lite skyggt, nästan neg och såg ner i backen. Maria såg hur hon gömde sina jordiga händer bakom ryggen och tog ett par steg framåt med öppen mun. Det var som om hon tänkt säga något men ändrat sig.

23

Gudrun ropade att det var kaffedags. Redan hemma igen. Barnen kunde knappast ha tröttnat på att vara vid vattnet, även om det var lite kallt att bada. Linda berättade med munnen full av sockerkaka att hon faktiskt hade doppat sig men att Emil bara hade stoppat i tårna, så kunde man i alla fall tolka hennes berättelse med god vilja och en viss vana.

"Det var ju maneter!" skrek Emil.

"Vad är det med det då?" sa Linda försmädligt.

"Farbror Egil, som farmor blev arg på, sa att det var löstuttar som kommit flytande från Amerika. Det är jätteäckligt!" Emil riste i hela kroppen där han satt i trädgårdssoffan med badrocken på sig.

"Silikon!" sa Linda med allvetarmin.

"Ja, när tanterna badar i Amerika så rymmer silikonerna ut i havet och simmar till Sverige, fattar du väl!" Krister blev så full i skratt att han satte kaffet i vrångstrupen.

"Blev farmor arg för det?" undrade han.

"Nej, hon blev arg när farbror Egil kollade på henne när hon skulle byta om. Han blängde ögonen ur sig, sa farmor. Gustav glodde inte, han sov. Vet du vad farmor gjorde då?" Krister skakade på huvudet och såg till sin förvåning att Gudrun rodnade lite och att munnen drog ihop sig till oväder. Linda skrattade så hon nästan ramlade ur soffan.

"Jag visste inte att ni var bekanta. Jag skällde ut honom efter noter och frågade om han aldrig sett ett par yllebyxor förr."

"Det var nog det han undrade för sen gick han och Gustav hem. Han var nog hungrig", sa Emil. Den lilla grabbnäven sträckte sig snabbt efter en sockerkaksbit till. Linda kröp upp i Arturs knä. Hon var lite frusen. Det långa ljusa håret hade alldeles blött ner hennes klänning på ryggen. Emil kröp upp i Gudruns knä. Hans snaggade hår var torrt och han frös egentligen inte. Det var mer en rättvisedemonstration. Krister stönade högt. När upphör föräldrar att vara pinsamma?

Artur skulle just säga något när telefonen ringde inne i köket. Maria skyndade sig att svara innan Gudrun hann att resa sig. Den kvinnans nyfikenhet visste inga gränser. Med en förutsägbarhet som att dag kommer efter natt och sommar efter vår stod svärmor i köket på några sekunder med ett par kaffekoppar i handen som kamouflage för sitt intrång.

"Det är jag. Du måste komma på en gång! Snälla du!" snörvlade Rosmarie. De sa att du skulle komma till arbetet först på efter-middagen. Kan du inte komma hit in när du kör förbi? Det är ingen annan som lyssnar på mej."

"Vad är det som har hänt?" Maria viftade avvärjande mot svärmor som krupit närmare och gned på en obefintlig fläck på köks-bordet. Gudrun undvek skickligt hennes gest och plockade med tallrikarna i diskbaljan, tyst och fint för att inte gå miste om ett enda ord.

"Det här är ett privat samtal. Vill du lämna mej en stund?" sa Maria behärskat. Gudrun snörpte på mun och lommade motvilligt ut till de andra vid trädgårdsbordet. Ytterst på trädgårdssoffan satt hon sedan och vippade irriterat med foten, som en katta med svängande svans.

Rosmaries örtagård badade i solsken. Trädgården såg vacker och fridfullt ut i sin lugna grönska. Maria drog ett djupt andetag och lät havsluften smeka lungorna. Bina surrade i nyponroshäcken. Svalorna flög in och ut ur sina bon under taket på serveringen. En leende servitris i naturfärgad ärmlös linneklänning gick Maria till mötes.

"Rosmarie är i lusthuset. Konrad sitter där med henne. Hon är alldeles uppriven, stackarn. Jag tror den sista tidens händelser har tagit hårt på henne. Hon vill inte berätta för oss vad det är. Hon bara gråter. Det här kommer aldrig att sluta väl." Serveringsleendet försvann ur kvinnans ansikte och ersattes av en vädjan:

"Polisen måste väl kunna göra något? Det är hemskt att se en människa brytas ner så bara på några dagar. Har ni inget spår efter maken?"

"Vi arbetar oavbrutet på det. Hur skulle du vilja beskriva Clarence, som person?"

"Trevlig, en väldigt trevlig man och så mån om Rosmarie. Han följer med henne överallt. De är alltid tillsammans. Om hon är på fest hämtar han henne alltid. Det spelar ingen roll om det blir sent, han väntar i bilen och skjutsar henne hem. Och sist när hon hälsade på en väninna i Gävle så for han ända dit och överraskade henne när hon skulle stiga på tåget. Han hade köpt rosor. Där skulle min karl kunna lära sig en del."

De närmade sig lusthuset och kvinnan tog Maria i armen. "Lova mej att det blir ett slut på det här eländet. Hon klarar inte att leva i ovisshet hur länge som helst."

Rosmarie satt hopkurad i ett hörn av lusthuset i en korgstol. Konrad satt bredvid och höll hennes händer i sina. Hans ansikte speglade en sorg som fick Maria att nästan tappa fattningen.

"Följ med", sa Rosmarie och reste sig med tung kropp. "Följ med mej ner till bron så får du se. Hennes ansikte var lika förkrossat som Konrads. Rödflammig och svullen torkade hon sig med koftärmen i ögonen."

"Gå före ni, jag kommer efter i min egen takt", sa Konrad. De gick bortåt näckrosdammen med de hängande pilträden. När de närmade sig bron märkte Maria hur Rosmarie stelnade till i kroppen, att taget om armen hårdnade.

"På bron under pilträdet, se själv!" Maria vek undan grenarna och stirrade på den dyblöta tufsiga kattkroppen som låg slapp och utsträckt bredvid de mörkröda bokstäverna som bildade ordet HORA. "Katten låg under bron. Jag såg något vitt som lyste genom kaveldunet och så var det katten. Rösten bröts av en hes gråtattack. Jag tror det är blod." Rosmarie pekade på bokstäverna. Huttrande föll hon ner på knä och smekte katten över den våta pälsen. Det enda ljud som hördes var vindens stilla sus i pilträden. Maria satte sig på huk och la armen om henne. Länge satt de så tills Konrads stapplande steg hördes på grusgången.

"Vad tror du om det här?" undrade Maria. Rosmarie skakade på huvudet.

"Varför skulle Clarence döda katten som han är så fäst vid?" Plötsligt slog symboliken till i hela sin klarhet. "Kan han döda katten, så kan han döda mej. Är det vad han vill visa?" Rosmaries runda grå ögon såg vädjande på Maria, tiggde och bad om att hon skulle säga emot, säga att så kunde det inte vara.

"Vi har bytt ut låset på dörren", muttrade Konrad, "och vi sover i köket med dörren till sovrummet låst och persiennerna neddragna, i fall han skulle få för sej att ta sej in genom sovrumsfönstret. Det är som att leva i fångenskap. På kvällen har vi lampan i köket släckt och så sitter vi där i mörkret för att inte synas. Vi törs inte ha radion eller teven på ifall vi skulle missa något ljud som kan varna oss – steg i gruset, ett handtag som trycks ner. Från skymning till gryning sitter vi och vakar i skift vid köksbordet. Vi kokar kaffe för att hålla oss vakna. Hur länge ska det här pågå? Vi lever i ett fängelse! Vad gör polisen för att hitta honom? Hur lång tid tar det innan polisen kommer om vi larmar? Minst trettio minuter skulle jag säga. Vad kan inte hända på en halvtimme? Och sen, om ni får tag i honom, hur länge får han sitta inne då innan han kommer ut på permission och slår ihjäl min dotter?" Konrad fick tungt att andas. Ett väsande ljud följde varje andetag. Läpparna antog en blåaktig ton. Han trevade efter en burk i fickan och stoppade en nitroglycerintablett under tungan.

"Vi orkar inte länge till." Rosmarie såg ängsligt på sin far. Maria fick tårar i ögonen. Hon kände sig maktlös. Att leva i trygghet borde vara varje människas okränkbara rätt. Att en hjärtsjuk gammal man skulle behöva vaka på nätterna för att skydda sin misshandlade dotter mot fler övergrepp var alldeles oacceptabelt. Men resurserna fanns inte. Inte ens i de fall där männen blivit dömda och fått besöksförbud. Om och om igen hände det som aldrig borde få hända. Det effektivaste alternativet, med de resurser som stod till buds, skulle kanske vara att sätta elektronisk fotboja på män som slår kvinnor.

"Tills vi har fått tag i Clarence kanske ni vill ha kontakt med kvinnohuset? Det är det bästa jag kan komma på just nu", sa Maria olyckligt. "Är du medveten om att Clarence betalat ut stora summor varje månad till en man som heter Mårten Norman?"

"Jag har ingen insyn i Clarences ekonomi. Nej, det visste jag inte." Rosmarie reste sig upp och borstade av knäna. Fortfarande med blicken kvar på den döda katten.

"Mårten Norman och Clarence gjorde FN-tjänst på Cypern samtidigt. Den första måndagen i varje månad träffas FN-soldater på Engelen. Himberg for ner i går kväll. Han har inte ringt och meddelat hur det gick? Han lovade mej att göra det."

"Vi har inte hört ett dugg!"

"Då skulle jag vilja låna en telefon och kontrollera den saken. Himberg kanske blev kvar i Stockholm över natten?"

"Om Clarence inte kom dit, om de inte har honom, vad tänker ni göra då?" flämtade Konrad, fortfarande andfådd efter promenaden.

"Fortsätta att följa upp varje idé om var han kan befinna sig. Gå ut med hans foto i media och be allmänheten om hjälp. Ni känner inte till någon sommarstuga eller liknande där han kan hålla till? Något hotell han brukar besöka?"

"Nej, en gång talade vi om att köpa ett torp, men det blev inget av. Vi har inte så stort umgänge. Jag har kontaktat alla tänkbara och otänkbara människor. Odd har jag ringt säkert tio gånger och sekreteraren på Haags fastighetsbyrå ett otal gånger. De är lika undrande som jag.

Maria slog numret till Hartman och fick vänta en god stund innan hon hörde hans välbekanta röst i luren. I korta drag redogjorde hon för den döda katten och bokstäverna som tecknats på bron. Hartman lovade skicka över Erika för att göra en analys av den röda färgen. Himberg hade blivit kvar i Stockholm över natten, men var nu på väg hem. Ingen Clarence Haag hade visat sig på restaurang Engelen. Däremot hade Himberg haft ett ingående samtal med Odd Molin, enligt Hartman.

24

På väg till stationen lyssnade Maria med ett halvt öra på nyheterna. Nya neddragningar var på gång inom den offentliga sektorn på grund av den gigantiska utlandsskulden. Otroligt att Sverige så sent som på sjuttiotalet haft ett budgetöverskott. Nu gick man ut med nya besparingar för att klara det beting som vilade på kommunen. Vad händer när samhällets stöd till de mest utsatta vittrar sönder? Kostnaden upphör knappast för att stat och kommun inte längre betalar. Det är alltid någon som får betala på ena eller andra sättet. Maria tänkte på de människor hon träffat förra vintern, boende i husvagnar sedan mentalsjukhuset slog igen. Liknande villkor gällde för de psykiskt sjuka i Kronköping. Hur många som satt ensamma i sina lägenheter, instängda med sina hotfulla röster, oförmögna till ett socialt liv, hindrade av sin sjukdom att passa tider till läkare och socialen kunde man bara ana av de samtal polisen fick. Reformen skulle ge alla eget boende och tanken var nog god bara de fått stöd och hjälp i hemmet i den utsträckning som behövdes. Men pengarna som gick till kommunen för detta ändamål var inte öronmärkta och försvann i det allmänna underskottet. För en tid sedan hade Maria i ett teveinslag fått ta del av de senaste siffrorna. En tredjedel av de patienter som slussats ut i eget boende var inte längre vid liv! En tredjedel! Det finns alltid någon som betalar. Anhöriga – inte sällan gamla mammor – som får axla oket igen när deras vuxna barn lever i misär. Vad händer när det inte finns tillräckligt med platser på behandlingshem? Någon annan betalar. Mårten Normans mor, som satt sönderslagen på ortopedavdelningen, var en av dem. Det finns alltid någon som betalar, alltid.

Hartman såg trött och missmodig ut. Kanske berodde det på hans misslyckade försök att hålla sig till en magrare kost. Överkrav, helt enkelt, eller bristande inspiration, tänkte Maria och slog sig ner bland de andra i utsättningsrummet.

"Vi har fått Mårten Normans preliminära obduktionsresultat." Hartman bläddrade frenetiskt i pappershögen framför sig och ryckte irriterat på axlarna när han inte hittade vad han sökte. "Mårten Norman har inte drunknat!"

"Har han inte drunknat? Va fan gjorde han då med huvudet under vattnet?" sa Himberg och gnodde sin runda potatisnäsa.

"Lungvävnaden såg normal ut", inföll Erika. "Vid en drunkning fylls lungor och magsäck med vatten. Man kan se en sprängverkan på vävnaden. Mårten Normans lungor var normala. Han hade inte heller mycket vatten i magsäcken. Mårten Norman har alltså avlidit innan han hamnade i vattnet. Vilket självfallet stärker misstanken om brott. Om förruttnelseprocessen kommit längre hade man inte kunnat uttala sig om detta. Han dök upp i rättan tid, kan man säga. Kroppen har inga yttre tecken på våld, inga sår eller kulhål. Man kör just nu en giftanalys enligt standard. Som vi tidigare antog bedöms tiden för dödsfallet till för cirka en vecka sedan. Men detta är inte det underligaste. Det märkligaste är att han har svalt en ring. Vi fick den med posten i morse." Hon öppnade en plastpåse och hällde ut en pusselring på bordet. Maria lutade sig fram för att se ordentligt. En fyradelars pusselring i guld eller en guldliknande metall. En yxring som Majonnäsen skulle ha sagt.

"Vad är det för en sorts ring tror ni?"

"Vi kunde fråga juveleraren på Bredströms guld, han borde veta. Jag tror att FN-soldater brukar ha sådana ringar. Fast de kanske säljer dem över disk på Bredströms, vad vet jag." Maria visste säkert att Majonnäsen visat upp en sådan tingest.

"Mårten hade gjort FN-tjänst eller hur?" sa Hartman och gnodde sig på örat.

"Han, Majonnäsen också. Det framgick med all önskvärd tydlighet när jag hörde honom." Arvidsson rodnade lätt och studerade en spricka i sin kaffekopp. "Han berättade hela sitt livs historia för mej. Sedan försökte han pracka på mej en gammal Volvo 240."

"Köp den!" Maria tog vädjande tag i Arvidssons arm.

"Varför i all världen då? Det vet väl alla hur de där gamla Volvo-bilarna rostar." Arvidsson strök håret bakåt och knäppte händerna bakom nacken i ett försök att undkomma Marias försök till kroppskontakt.

"För att bilen står i min trädgård!"

"Det räcker inte som försäljningsargument, är jag rädd. Fru Majonnäsen låg tydligen i konflikt med Jacob Enman. Hon kalla-de honom tjyvgubbe, innan hon visste att han gått hädan. Jacob hade visst tagit sonen, den lille ängeln, i örat när han kastade sten på en åda som låg och ruvade i våras."

"Det förvånar mej inte ett dugg. Han är ett litet mögel", sa Maria med eftertryck.

Hartman harklade sig och krävde uppmärksamhet.

"Varför hade karln en ring i magsäcken? Varför i all världen väl-jer man en ring? På rättsmedicin anser de att ringen mycket väl kan ha suttit på Mårten Normans högra ringfinger. Storleken stämmer och han har en ljusare rand på fingret som tyder på att solen inte kommit åt att bränna huden just där."

"Han ville väl förvara sina skatter i kistan", skrattade Himberg. Ett kollektivt stönande hördes från hopen av de församlade. Hart-man bad om skärpning. Himberg bläddrade trumpen i sitt block och snurrade sin penna hårt mellan fingrarna. "Mårten var nog hungrig", muttrade han för sig själv.

"Han var väl rädd att bli rånad. Han kanske har stulit ringen och tänkt sig den som delbetalning till nästa tripp", föreslog Arvids-son.

"Eller också kände han sin baneman och ville ge oss en liten ledtråd." Erika såg inte ut som om hon trodde på det själv. "Fast vad han dog av är ännu oklart."

"Himberg, har du något att berätta från Engelen?"

"Clarence Haag kom aldrig dit. Visst fanns det en och annan som liknade honom, i fin kostym och så. Odd Molin satt vid mitt bord, alldeles vid dörren. Hade Clarence kommit in skulle Odd ha känt igen honom direkt. Vi satt där uppe på övervåningen, i res-taurangen alltså."

"Men du kom åt att tala en del med Odd?"

"Ja, en fantastiskt trevlig kille. Han kunde prata, du. Betalar polismyndigheten den öl jag tvingades dricka, som spaningsrekvisita", menar jag. Himberg plockade upp ett kvitto ur sin nötta plånbok. "Vi satt där bra länge och jag skulle ju sova över i Stockholm. Det skulle ha sett onaturligt ut om jag druckit Ramlösa." Hartman kastade ett snabbt öga på papperslappen.

"Du kunde ha tagit lättöl."

"Finns det?"

"Av spaningstekniska skäl är lättöl att föredra. Ansökan avslås. Kan vi hålla oss till ämnet", sa Hartman med en blick på klockan.

"Finns det någon möjlighet att ge Rosmarie Haag polisbevakning?" Maria berättade om morgonens händelser. "Det är inte omöjligt att Clarence söker sig till hemmet."

"Rosmarie Haag har fått ut ett larm. Jag förstår att de har det svårt, att de lever på helspänn. Men vi har inga möjligheter. Även om det inte varit semestertider skulle det varit omöjligt."

"Jag gjorde en snabbanalys av den röda färgen på bron, det var blod. Mänskligt blod eller djurblod är för tidigt att säga men testet gav utslag på hemoglobin."

"Det är otrevligt, vi får väl se vad juveleraren har att säga om ringen. Har du något att meddela oss om Jacob Enman, Erika?"

"Han har också varit död i cirka en vecka, plus minus en dag. Han har inga anhöriga i livet. Boden, torpet uppe i skogen och lägenheten i stan går till allmänna arvsfonden. Han var frisk som en nötkärna, sa obducenten. Skulle säkert ha kunnat leva i tio år till om han inte bragts om livet. Slaget, som träffade bakhuvudet snett från sidan, var omedelbart dödande. Han hade enligt vittnen god hörsel och borde ha reagerat, om någon främmande kommit in, med att resa sig upp eller vända sig mot dörren. Jag tror att vi kan anta att den som slog ner Jacob var någon han kände, någon i närmaste bekantskapskretsen. Ingen har sett någon obekant nere vid fiskeläget under hela midsommarhelgen. Det lutar alltså åt att det är någon som vanligtvis vistas där nere, som vi söker."

"Vad sa Odd Molin om fotot på Mårten Norman?" undrade Hartman.

"Det kanske inte blev så mycket rent konkret. Vi var ju tvungna att ha uppmärksamheten riktad mot dörren."

"Kände han igen Mårten Norman?"

"Det kan man väl egentligen inte säga. Han träffade flera andra grabbar han kände igen." Himberg talade snabbt och tyst medan han koncentrerad försökte skaka fram ett stift ur sin penna.

"Men du visade honom fotot?"

"Visst fan, fotot!"

"Ska jag tolka det som att du inte visade honom det? Hade du med dej fotot överhuvudtaget?"

"Jo, jag hade med det men..."

"Du visade det aldrig för honom."

"Så kan man nog säga. Va fan, man är väl bara människa! Det var dans och en annan blev uppbjuden av fina damer, du vet."

25

Ivan Sirén satt vid köksbordet med en noppig rödrutig filt omkring sig och huttrade när Maria ringde på dörrklockan. Sakta reste han sig och linkade iväg för att öppna. Håret hängde tovigt och grått utefter axlarna. Kinderna, under de feberglansiga ögonen, tycktes ännu mer insjunkna.

"Har ni tagit dem ännu, veganerna?" undrade han och en stank av aceton och surt kaffe lämnade hans mun.

"Vi gör vårt bästa men det kan ta lite tid. Vi har fått ett mord att utreda. Det har också inträffat en drunkningsolycka, nere i Kronviken. Orkar du med att jag ställer några frågor?" Ivan nickade tyst och kröp längre in i filten. Ena raggsockan hade ett hål på tån och Maria såg hur han försökte dölja det genom att placera fötterna på varann.

"Har du varit iväg till någon läkare med vristen?"

"Häggen skjutsade mej. Vi har hämtat ut penicillin på apoteket."

"Har du ätit något i dag?"

"Nej." Ivan drog sig fundersamt i mustaschen, "det tror jag inte."

"Vill du att jag lagar något åt dej medan vi pratar?"

"Ja tack." Ett leende letade sig ut genom skägget.

"Vad har du hemma? Är det här skafferiet?" Ivan nickade. Ögonlocken hängde blytunga.

"Gröt, mannagrynsgröt blir bra. Om du vill ha det förstås?"

"Tackar som bjuder", sa Maria och tog fram en kastrull ur det skinande blanka grytskåpet. Medan hon vispade gryn och mjölk tittade hon på sina händer. Varenda nagel var nerbiten och nagelbanden trasiga efter arbetet i jorden. Ivans naglar såg ännu värre ut. De var nästan obefintliga, såg Maria när han förde skeden till munnen. Om det nu var någon tröst i förfallet.

"Om du tänker dej tillbaka till söndagen i midsommarhelgen, var du nere vid fiskeläget då?"

"Vi la ut nät på söndagskvällen och drog dem igen i gryningen på måndagsmorgonen. Det blev just inte så mycket."

"Var du nere på stranden på lördagen?"

"Nej, då vaccinerade vi minkar. Jag får hjälp av skolungdomar. Det tar rätt mycket tid. Jag skulle önska att jag blev av med de där odjuren, minkarna alltså. Jag funderar allvarligt på att avveckla verksamheten till vintern."

"Men på söndagskvällen la ni ut nät. Var det du och Häggarna?"

"Jacob var också med."

"Vad kan klockan ha varit när ni skildes åt?"

"Tio, halv elva."

"Såg du någon annan nere vid fiskeläget så dags?"

"Ja det var ju han, Majonnäsen och frun. Grabben stod och kastade sten efter måsarna. Han kom i konflikt med Jacob och det undrar jag inte på. Biffen kallas han visst." Ivan log svagt och såg plötsligt mycket ung och pojkaktig ut.

"Var det fler båtar än Marion II som låg där ute?"

"Ja, han med mahognybåten, söndagsseglarn, som vi kallar han."

"Vet du vad han heter?"

"Molin, och så han fastighetsmäklarn som försvann sen. De var på väg mot Kronholmen. Frun var kvar på stranden. Det verkade som om de släppt av 'na. Hon satt på bryggan och grät."

"Kan du beskriva henne?" Ivan såg ut att fundera länge.

"Kan man beskriva en daggpärlas skönhet?" Han strök med handen över ögonen som glänste av feber. Maria bestämde sig för att bara ta de allra nödvändigaste uppgifterna och återkomma senare.

"Vad gjorde ni sedan ni gått i land på söndagen?"

"Vi tog en kopp kaffe hos Jacob, sen for vi hem till oss. Jag såg på 23-nyheterna och sen gick jag i säng. Vi skulle upp i ottan."

"På måndagsmorgonen drog ni näten. Vet du vad klockan var

när ni kom ner till fiskeläget?"

Ivan väntade en stund med att svara tills han svalt det lass med gröt han hade på skeden. Maria såg sig omkring i det sparsmakade köket där de enda väggprydnaderna var en kvicksilverbarometer och en gulnad plastram med ett tidningsfotografi av Ingemar Johansson, en stringhylla för dagstidningar och telefonen, som var av en gammal svart bakelitmodell med nummerskiva. Bredvid spisen stod en tevekanna med ett makraméliknande hölje i röda plastband. Säkert original. Kult på ett omedvetet plan?

"Vad kan klockan ha varit när ni kom ner till fiskeläget?" upprepade Maria.

"Vad kan hon ha varit, fem kanske?"

"Var Jacob med och drog näten?"

"Nej han kände sig lite krasslig, ville spara på krafterna. Han är dock nittio år fyllda. Men han var uppe. Det var han. Fast han låg och sov över köksbordet. Han är ändå rask för sin ålder, ska jag säga dej."

"Ivan, du vet väl att Jacob är död", sa Maria och såg tveksamt på Ivan.

"Hägg sa det. Vem kan ha gjort det? Vem kan ha velat Jacob så illa? Hägg trodde det kunde vara han knarkarn i boden bredvid."

"Såg du till Mårten Norman förra helgen?"

"Nej, jag såg han inte, men det lyste i hanses bod på söndagskvällen."

"På måndagsmorgonen när ni drog näten, var det någon mer på stranden då?"

"Nej."

"Såg du om det lyste i Mårten Normans bod?"

"Tänkte inte på det."

Ivan såg verkligen mycket blek och trött ut och Maria fann det bäst att låta honom krypa i säng igen.

"Är det någon mer som tittar till dej i dag?"

"Hägg skulle komma förbi med lite pannkaka när han varit nere till polisstation med sin redogörelse. Så får jag väl en blomma eller två av Gustav, kan tänkas."

Maria lämnade bilen på stationen och promenerade till Bredströms guld. Det kanske tog fem minuter längre att gå, men å andra sidan var det ont om parkeringsplatser i innerstaden. Rådhusets fasad var under renovering inför båtfestivalen kommande vecka. Maria väjde för byggställningar och stegar och fick ta en omväg runt ett räcke som hindrade allmänheten från att gå rakt in i en cementblandare. Halva gatan framför pressbyråkiosken var uppbruten för att ge plats åt charmiga kullerstenar i stället för den praktiska men föga estetiska asfalt som tidigare använts som marktäckare. Maria stannade till vid pressbyrån och köpte en chokladbit och en gräddglass, trekulors med nougat, choklad och romrussin. Med struten i hand kom hon på att det inte var alldeles uppskattat att äta glass inne i Bredströms juvelerarbutik. Det fanns till och med en lite skylt med glass och cigarett samt ett rött och myndigt kryss över båda, så ingen skulle gå miste om budskapet och spilla glass eller aska på den röda heltäckningsmattan. Därför lutade sig Maria en stund mot väggen till pressbyrån och lät solen värma ansiktet medan hon njutningsfullt åt upp sin glass.

"WERN!!" Rösten gick inte att ta miste på. "Är du i tjänst?" Det kunde hon inte neka till. Men när hon såg att Storm drog in luft för att påbörja sin attack och kände efter hur pinsamt det skulle bli om han ämnade tillrättavisa henne inför hela kioskkön, la hon handen på hans arm och viskade i hans öra:

"Inte här, Åke. Folk tittar ju. Tänk på vårt rykte." Storm kom av sig och såg sig lite generat omkring och värre än så blev det inte. Efteråt funderade Maria ibland på vad det var som satte stopp för utskällningen. Kanske hörde han sin mammas röst: "Skäm inte ut dej nu, Åke." Eller också var fräckheten så stor att han inte kunde hantera den när han på ett civilt och otillbörligt sätt blivit kallad vid förnamn. I den stunden försvann i alla fall något av den olust Maria känt för sin chef och hon kunde sedan se honom med en liten gnutta värme, vid enstaka tillfällen.

Ägaren till Bredströms guld var inte inne, men hans fru som ibland hjälpte till i butiken var mycket tillmötesgående och hjälpsam. Maria la upp ringen på bordet och fru Bredström visade på en monter i andra änden av lokalen där liknande ringar låg uppradade på mörkblå sammet efter det antal delar det gick att plocka isär dem i; fyra, sex eller tolv.

"Den kallas för Afrikaringen eller FN-ringen. Vi tillverkar den givetvis bara i 18 karats guld. Det grabbarna kommer hem med när de varit utomlands är bara 14 karat, yxguld, som de säger." Juvelerarens hustru fnittrade så hela bröstkorgen hoppade.

"Har ni möjlighet att kontrollera hur många karat den här ringen har?"

"Min make arbetar inte just nu, men om du lämnar den här kan vi titta på det tills i morgon. Hur var namnet?"

"Maria Wern, från polisen."

"Men då kanske jag ska säga till honom genast. Han ligger och vilar middag här innanför", sa fru Bredström och pekade mot det röda sammetsdraperiet som skilde affären från den privata delen av huset.

En mycket trött man med håret på ända gjorde entré genom sammetsdraperiet, när hustrun ropade ut honom. Hennes stämma, som kunde väckt gråsten till liv, följdes av ett guppande fnitter. Bredström tog i hand och letade efter sina glasögon i kavajfickan.

"Vi får se, vi får se, mumlade han för sig själv. "Det tar en liten stund att göra en strykning. Frun kanske vill se sig omkring i lokalen medan hon väntar. Kanske finns det något som kan intressera."

"Hon är från polisen", viskade hustrun. Juveleraren torkade sig med näven i örat och ryckte på axlarna. Maria följde rekommendationen och gjorde en lov i affären.

Örhängen och ringar gnistrade förbi i sina sammetslådor. I en monter alldeles för sig själv fanns precis ett sådant halsband som hon fått av Krister i julklapp och sedan dess burit varje dag. Det såg ut som ett keltiskt smycke eller ett järnåldersgravfynd, men var i rent guld. Fru Bredström hade lagt märke till det men inte givit någon kommentar. Med viss tillfredsställelse mindes Maria julafton hos svärmor och den beundran halsbandet väckt. Egentligen borde hon inte titta på prislappen. Det borde hon inte göra. Men samtidigt ville hon titta lite närmare för att se om det var exakt samma smycke och då kunde hon ju inte undgå att se prislappen. Det blev imma på glasrutan; 4 900:-, det kan man få en körduglig bil för med lite tur eller en tvättmaskin OCH en diskmaskin på annons. Hur i hela friden hade Krister haft råd att köpa ett halsband för 4 900 kronor? Hur hade han lyckats göra det utan att hon märkt att pengarna försvunnit från kontot? Antagligen hade de aldrig varit där. Så var det med Krister, man visste aldrig var haren hade sin gång.

I början hade Kristers vänner varnat henne för att ha gemensam ekonomi med den mannen. Köp inga dyra saker ihop, man vet inte hur länge det håller. Vänta ett tag med skinnsoffan, sa de. Men Maria hade inte lyssnat på dem. Skulle hon ge sig in i ett förhållande skulle det vara helhjärtat. Det är svårt nog ändå. Hon hade sett flera avskräckande exempel på motsatsen. Ett par i bekantskapskretsen som ständigt bråkade om vem som skulle betala vad. Höjden var när de hade köpt födelsedagspresent till Karin och förstörde hela festen med att bråka om vem som var mest vän till henne och i så fall vilken procentsats de borde betala var och en; 30–70 eller 40–60 eller kanske till och med 80–20. Detta överträffades endast av när kvinnan i förhållandet jagade sin make ett helt arbetspass på sjukhuset med påskfjädrar, eftersom han vägrade betala hälften, då han inte uppskattade påskpynt i samma utsträckning som sin fru. Vilket sannolikt blev den utlösande faktorn till deras separation. Nej, en gemensam ekonomi hade i det perspektivet framstått som det enda tänkbara alternativet. Clarence hade hela kontrollen över paret Haags ekonomi. Rosmarie hade fått be honom om pengar till det nödvändigaste. Var det möjligt att han under flera år hade kunnat betala ut tusentals kronor utan att Rosmarie haft en aning om det?

Juvelerare Bredström harklade sig och tog luppen från ögat.

"Jo, fru Wern. Den här ringen är bara i 14 karats guld. Den kan inte vara inhandlad i min butik. Som min hustru sa tidigare: Vi handlar endast med 18 och 24 karats guld."

26

"Följer du med ut till Kronholmen, Maria? Jag sa åt Hartman att jag ville ha dej med." Erika Lund stod beredd med bilnycklarna i handen. "Jag skulle vilja se var Mårten Normans kropp återfanns och ta en titt på själva Kronholmen. Odd Molin har lovat ta oss med i sin vidunderligt vackra Viktoria."

"Är det så klokt?"

"Vad menar du?"

"Han är väl inte helt utan misstanke?"

"Odd Molin, tror du verkligen att Odd Molin skulle slå någon med yxa i huvudet?"

"Jag låter den frågan stå öppen." Maria försökte skratta bort sin olust. "Vet Hartman att vi far ut med Odd?"

"Nej, men vi kan hälsa det i receptionen i fall han skulle enlevera oss", sa Erika lite spydigt.

Fiskaren som dragit upp Mårten Normans kropp ur havet satt surmulen och fåordig i aktern på Odd Molins skärgårdskryssare. Kapten själv polerade skeppsklockan. Mässingen blänkte förföriskt i solljuset. Mahognyns djupröda färg, utan en repa, låg skyddad under tolv omsorgsfulla lager av fernissa, kunde Odd berätta. Erika tog handstöd av ett vant och skulle just ta ett kliv ner på däck när Odd fångade hennes fot i luften.

"Stopp", vrålade han i otrevlig ton och hans min motsvarade gott och väl rösten.

"Av med skorna för helvete. På MITT däck går ni barfota." Erika hoppade lydigt ur skorna och Maria följde med illa kamouflerad ilska hennes exempel. När de slagit sig ner i sittbrunnen undrade Maria varför de inte tagit polisens egen båt, som låg inne i Kronköpings hamn.

"Odd ställer upp gratis. På det här sättet spar vi lite bränslepengar åt staten."

"Jag tycker inte det här är trevligt, det ska du veta, Erika."

"Vanligtvis torkar man av skorna på en liten matta på kajen. Men jag såg inte till någon och glömde mej. Kolla, nu lyfter han i hunden!"

Den lilla taxen såg ut som en korv med bröd i sin brandgula flytväst. Odd lyfte in henne i handtaget på ryggen och torkade omsorgsfullt av tassarna på en vit handduk.

"Viktoria är inte lätt att segla ensam. Välkomna ombord", sa Odd. "Och vad kan jag få bjuda damerna på. Lite jordgubbar kanske?" Rösten flöt nu som honung. Erika fnittrade förtjust och fick en vass armbåge i sidan av Maria.

"Hur vet du att han inte tänker droga oss?" väste hon.

"Maria tror att du tänker förgifta oss", sa Erika högt och skamlöst.

"Nej, jag är bara här för att förgylla er dag." Odd log sitt breda ekorrleende. En gnagares. Maria tänkte på hur ekorrar tar sig in i fågelbon, äter andras ungar och krossar äggen om de kommer åt. Ekorrar är rovdjur. Den här gången bar Odd inte kostym utan seglarjacka och vita byxor. Hur praktiskt är det med vita byxor när man seglar? tänkte Maria, fortfarande ovilligt inställd sedan den otrevliga åthutningen nyss. Fiskaren i aktern måste ha delat hennes åsikt för hans ogillande blick vilade också på Odd Molins ljusa byxor: söndagsseglare, uttryckte hans korslagda ben och de hårt flätade armarna över bröstkorgen. Jag följer med om jag måste men det ska alla veta att det är skillnad på folk och folk.

Sol och lagom vind. Måsarna lyfte från piren och följde dem i aktern med hungriga skrin. Vattnet forsade blågrönt och skummande utefter sidorna på Viktoria.

"Det blir en lugn överfart, vi länsar ut." Odd hissade segel. Maria såg fiskeläget krympa ihop. Den gula villan syntes inte mer, men kyrkan med sin stora malmklocka vilade majestätisk på klippkanten. Länge följde den dem som landmärke. Motvilligt njöt Maria av båtfärden, seglen fyllda av vind, solen som värmde kroppen. De åt jordgubbar och snittar med gravlax. Maria avböjde champagne, liksom fiskare Tord.

"Ta hem lite på storen, Erika", kommenderade Odd, som hela tiden följde seglen med blicken. Taxen stod längst fram i fören med nosen mot vinden. Liten men självsäker.

"Ett glas champagne är väl inte hela världen", skrattade Erika och smuttade med en flirtig blick på Odd.

"Här framme var det." Fiskaren tog av sig kepsen och höll den mot bröstet. Odd lät Viktoria gå upp i vind. Erika revade seglen. De ankrade upp.

"Vet du hur strömmarna går här ute", undrade Maria och slog sig ner i aktern, bredvid Tord, med sjökortet.

"Jag tror ju att han kan ha fallit i från Kronholmen och drivit längs farleden. Det är nog det troligaste", sa han, la in en redig prilla snus och slängde i snusdosan som mycket riktigt drev längs den angivna riktningen. Maria visslade högt och fick en rejäl åthutning av kapten Molin. Man visslar aldrig till havs! ALDRIG!! Hans blick var så ursinnig att Maria ett tag befarade att han tänkte kasta henne över bord.

"Varför? viskade Maria till Erika när Odd för ett ögonblick tycktes upptagen av sin tax som raglat omkull.

"Det betyder fara, att man kallar på vädrets onda makter, på stormen. Det är nog besläktat med myten om att man inte ska vissla när man sår persilja. Persilja ansågs förr vara djävulens egen ört. Det är därför den gror så långsamt, för att den far sju gånger ner till den onde som tar en tiondel av fröna. Nämner man sina fiender vid namn när man sår persilja kommer de att falla döda ner, sägs det. Jag har aldrig provat."

"Vore det så enkelt skulle väl hela krigsindustrin gå i konkurs. Jag har läst att romarna använde en krans av persilja mot baksmälla. De trodde att persiljan tog upp dryckesångorna." Maria himlade sig och Erika skrattade.

"Sjömän är ett skrockfullt släkte ska du veta, precis som man var i det gamla bondesamhället. Kanske för att fiskare och bönder, mer än andra, är beroende av väder och vind. Det finns många talesätt på sjön."

Odd måste ha stått och lyssnat på dem med öronen spetsade i

vinden. Vänder man öronen efter vinden följer kappan automatiskt med.

"Sunset in red is sailors dead", brukar vi säga. Han snäppte iväg cigarrstumpen ut i havet och tog en klunk champagne. "Det skålar vi på, flickor."

Maria undrade i sitt stilla sinne hur många glas champagne Odd druckit. I nödfall fick väl Tord ta över rodret på hemvägen. Det här företaget kändes inte bra. Odds lynniga humör och Erikas bristande omdöme. Maria kände sig kissnödig och gick ner under däck för att uträtta sitt ärende. Toalettutrymmet var så minimalt tilltaget att man nästan fick dra av sig byxorna utanför och backa in. Maria kände ett lätt illamående av de oförutsägbara rörelserna i skrovet.

"Du vet väl att du inte får spola ner papper eller andra saker i toaletten?" dundrade Odd. Båten krängde till och Maria tog tag i handtaget till badrumsskåpet för att inte tappa balansen. Dörren gick upp och hyllornas hela innehåll kom rakt i famnen på henne. Rakhyvel och after shave placerades godtyckligt tillbaka. Säkert skulle han misstänka henne för att ha rotat i skåpet.

"Hur går det där nere?" undrade Odd. "Du är väl inte sjösjuk? Ha ha! Kom upp i friska luften så blir det bättre."

Fiskaren drog handen över sin svettiga skult.

"Underströmmarna vid utsiktsklippan på Kronholmen leder hit och sedan följer strömmen farleden nästan fram till fiskeläget." Maria såg in i hans vattniga ögon och la märke till de små saltkristallerna i ögonbrynen och svettfläckarna som torkat in på blåskjortans sidor som vita ringar. Hans stoppade raggsockor var genomsura precis som Marias strumpor. Säkert var han inte heller van att behöva ta av sig om fötterna. Odd rökte en ny cigarr och såg belåten ut. Holmen närmade sig. De gick in i en liten skyddad naturvik.

"Fendra av", beordrade Odd och Erika lydde omedelbart som den väldresserade gast hon var. Fendrarna var instoppade i någon sorts invecklat makraméarbete.

"Högfärdsstrumpor!" sa Tord och spottade en välriktad loska över relingen.

De la till vid Kronholmens brygga, en gammal gisten träbrygga med stora hål i brädorna. En bod med flytvästar för utlåning var den enda byggnaden på ön bortsett från de två vindskydden på södersidan. Taket var av tjärpapp och hade släppt lite i hörnet mot bryggan. Märkligt ställe att låna ut flytvästar på, tänkte Maria. Har man väl kommit till Kronholmen har man ju redan korsat vattnet. Strandastern hade letat sig upp mellan stenarna på stranden, men de blå blommorna lät ännu vänta på sig. Längre in på ön vajade gräset knähögt. Maria försökte låta bli att tänka på ormar när hon såg röset med runda stenar som stack upp ur vegetationen. Om man blev ormbiten här ute på holmen skulle det ta en evighet att komma till sjukhuset i stan.

"Förr gick det får här ute på bete. Nu är det mest turister", upplyste mannen i blåblus. Odd lyfte ut taxen i sitt handtag och befriade henne från flytvästen. Lyckligt viftande på svansen sprang hon ut i skogen för att uträtta naturbehov, för att sedan lydigt infinna sig vid sin husses sida.

"Det var hyggligt av dej, Odd, att segla oss till ön", sa Erika och log mot kapten Molin med sina rödmålade läppar.

"Jag har inte sagt att det var gratis", sa Odd med flirtig röst. "Jag kanske hade tänkt mej en liten kompensation in natura." Tvi attan, tänkte Maria och kände sig allt mer säker på att det här var fel. Tord spottade på marken och såg ut att vara av samma åsikt. Men Erika bara log och tog Odd under armen. Helt naturligt blev det så att de delade upp sig två och två när stigen som löpte runt ön delade sig.

"Vi ses vid vindskydden", sa Erika bestämt och gjorde en avvisande gest med handen när Maria tenderade att följa efter dem. Alltså blev det så att Maria och Tord gick på västsidan av ön medan Erika och Odd tog den östra. Uppdelningen borde ha varit en annan och Maria kände sig alltmer konfunderad. Tord såg inte fullt så trumpen ut sedan Odd avlägsnat sig.

"Här på västsidan har vi utsiktsklippan. Man kan tänka sig att han fallit i härifrån om han varit oförsiktig. Det stämmer med strömmarna. Nedanför klippan är vattnet bråddjupt. Och underströmmarna kraftiga. En kropp som faller i skadas inte av stenar, den slår inte mot botten. Snabbt flyter den ut en bra bit och sedan driver den med strömmen längs farleden, som jag visade där ute. Tord skuggade med handen över ögonen och kisade mot havet.

En ännu smalare stig ledde genom hagtornssnår ut till klippan. De långa vassa taggarna inbjöd inte till något avsteg från stigen. Ingen återvändo, ingen flyktväg bakåt fanns om någon blockerade stigen. Med flit gick Maria tre steg bakom fiskaren, fast besluten att överleva dagen. Växtligheten avtog och lämnade yttersta delen av klippan bar. På behörigt avstånd från Tord klev Maria fram till kanten och stirrade ner i det gurglande svartgröna vattnet som sögs in och ner under klippan. Lockande och glitterkrusat på ytan med stråk av giftgrönt sjögräs som fäste vid havsytan på klippkanten. Och där nere, alldeles vid vattenytan böljade en mörkgrön kvist, av och an, vilande på sjögräset. En kvist av rosmarin. Maria kände en lätt yrsel och tog ett steg bakåt, rakt i en liten eldstad av enklaste sort. En ring av stenar runt blöt aska och förkolnade träpinnar. En svart plåtburk hade säkert använts som kokkärl. Det fanns rester av gröna tunna blad och en gulaktig vätska i den. Maria böjde sig ner och tog med ett prov på innehållet. Tord iakttog hennes förehavanden under tystnad. Rosmarin för håg-komst av de döda. Stunden vibrerade i solskenet. Tidlös och skör. En stark känsla av utsatthet smög sig på. Maria reste sig hastigt och skyndade sig att hinna först ut på stigen som ledde bort från utsiktsplatsen. En olustig bild av Jacobs kluvna skalle dök upp och vägrade att släppa sitt tag. Bakom sig hörde hon Tords ande-tag och skyndade på stegen. Småsprang genom buskaget. De blö-ta strumporna skavde i skorna. Grenar bröts av bakom henne. Stegen följde hennes egna i en allt snabbare takt.

"Hon behöver inte vara rädd för mej, jag tänkte inte putta ut 'na för kanten", flåsade Tord bakom hennes rygg. "De är inte att leka med de där strömmarna."

"Nej", sa Maria och försökte få rösten att låta stadig.

"Min farbror drunknade här ute när jag var grabb. Det var i maj månad och kallt i vattnet. Han var väl inte alldeles nykter, skulle visa sig stor och dök från utsiktsklippan. Det tog över en månad innan vi fann honom. Han hade nästan flutit i land. Det var hun-den som hittade honom. Fy sakran! Jag ska aldrig glömma hur han såg ut. Sen var det Toktilda, som tog livet av sig här ute under kriget. De hyste soldater från Stockholm under beredskapstiden. Hon blev med barn, stackarn. När vinden ligger på från havet hör man hur hon sjunger sina underliga sånger ute på klippan. Höga spruckna toner. Hon sjöng alltid, Toktilda, när hon inte tuggade kanelstång eller ingefära. Så en kväll stod hon där ute på klippan i bara nattsärken. Från land såg hon ut som ett vitt segel. Så hoppade hon."

När de kom fram till vindskyddden var Odd och Erika redan där. Erika med Odds vita mössa på sina mörka lockar och Odd med en krans av smörblommor i håret, vilande på armbågen som en Dionysos med champagneglas i handen. En snibb av skjortan hängde ut genom den halvöppna gylfen. Maria blundade och tänkte på återfärden. De slog sig ner på en stock vid eldstaden. Solen brände på kinderna. Flugorna surrade omkring dem. Maria längtade efter fast mark under fötterna, både för egen del och för Erikas.

"Känner du igen den här mannen?" Maria plockade fram fotot av Mårten Norman. Dionysos, säkert i behov av glasögon, höll fotot på armlängds avstånd.

"Nej du, inte en aning om vem det kan vara. Ta en jordgubbe till, lilla stumpan. Det finns flera snittar kvar i korgen", sa han och gav skrattande Erika en klatsch i baken. Maria blundade hårt och önskade sig mil därifrån. Bara de kom i land skulle hon ha en hel del att säga till Erika.

"Se efter ordentligt och ta god tid på dej. Är du helt säker på att du aldrig sett den här mannen tidigare?"

"Ja, du hör väl för helvete vad jag säger", fräste Odd hotfullt.

"Jag känner igen honom", sa Tord hjälpsamt.

27

Vinden hade tilltagit under kvällen. De fick kryssa hem i den röda solnedgången. Odd hade lämnat rodret till Erika för att själv kunna trimma seglen.

"Gamla Viktoria går högt i vind. Hon är den snabbaste båten i hela Kronviken", skroderade Odd och spottade tre gånger över relingen. "Skota hem mer på förseglet, Tord. Du ser väl att det är fladder i akterliket." Maria mådde illa. Båten skar genom vågorna, slog och dånade. Fören doppade djupare för var gång. En stor våg sköljde över hela fördäck och fyllde sittbrunnen. Erika jublade. Maria trodde att hon skulle dö. Att de skulle begravas i vågorna allihop. Illamåendet var outhärdligt. Kallsvettig och skakig reste hon sig för att kräkas över relingen och blev omilt nedtryckt av Tord.

"Vi slår, för sakran! Såg du inte bommen?!" Maria kräktes i sittbrunnen och missade taxen med ett par centimeter. Blir det värre tar jag hans flytväst, tänkte Maria innan hon tvingades byta sida igen. Det var oändligt långt till land. När hunden också kräktes visste Maria inom sig att detta var slutet. De skulle drunkna allihop och hon skulle inte få se sina barn mer.

"Kan du inte ta in ett rev och stötta med motorn, så vi går lite stadigare. Tösen mår dåligt", ropade Tord.

"Fan heller! Så länge det finns vind seglar vi", sa Odd och skotade hem ytterligare på storen.

Efter den gropiga hemfärden var Maria alldeles matt. Det hade inte blivit av att hon talat med Erika. När de kom i land kände hon bara tacksamhet för att hon överhuvudtaget var vid liv. Under bilresan hem hade hon hämtat sig något, men fortfarande gungade golvet. Livet är fullt av överraskningar och sällan kommer en olycka ensam, som Gyllene Druvans ägare plägade säga.

Vid familjen Werns köksbord satt Majonnäsen och bölade med sina svartoljiga händer framför ansiktet. Framför honom satt Krister, rastlöst snurrande sin kaffekopp i fatet. Gudrun Wern, som vädrat sensation och otvättad byk, cirkulerade runt, runt i allt snävare cirklar och passade upp den vildvuxne mannen vid bordet.

När Maria kom in genom köksdörren och hälsade gav han upp ett nytt oartikulerat bröl och vände sitt rödmosiga ansikte mot taket. Gudrun försökte peta i honom en kaka till och det lyckades över förväntan. Maria kände sig som om hon skulle kvävas av motstridiga känslor.

"Har vi någon extrasäng?" undrade Krister försiktigt och studerade sin hustrus blöta uppenbarelse med viss förundran.

"Manfreds fru har drivit honom på porten, så han har ingenstans att ta vägen", förtydligade Gudrun ivrigt.

"Det har snart inte jag heller. Han kanske kan bo hos dej och Artur?" föreslog Maria utan minsta hopp om utdelning. Hon fick en förebrående blick av Krister.

"Så du ser ut, Maria lilla. Kom och sätt dej så ska du få en kopp kaffe." Maria lät sig viljelöst ledas till bordet av sin svärmor.

"Ni får faktiskt sova i båthuset båda två. Jag orkar inte med det här", sa hon när hon druckit ur sitt kaffe och funderat en stund. Sen reste hon sig beslutsamt från bordet och gick till sängkammaren för att byta om. "Du vet väl att jag ska bort i kväll", ropade hon till Krister genom den stängda dörren.

"Nej vart då?"

"Till Jesper Ek, han som lärde dej laga kyckling, du vet. Mannen som med sin matlagningskonst la våldsroteln till marken efter en enda middag. Hela länskrim ska dit på grillfest."

"Var försiktig", skrattade Krister och stoppade fingrarna demonstrativt i halsen.

"Jag tar hand om barnen i kväll", sa Gudrun Wern och trugade i Majonnäsen en kaka till. "Du blir väl inte så sen, Maria?"

"Det kan jag inte lova. Krister är ju hemma och kan ta över när du tröttnar."

Jesper Ek var glad att se dem. Han dolde det inte. Maria fick stora kramen och Arvidsson med, fast han rodnade ända ner på halsen.

"Jag tänkte att vi skulle grilla. Vad sägs om helstekt lamm och potatisgratäng?" Ett kraftigt grillos, för att inte säga en stank av brandrök, letade sig ut genom lägenheten. "Behöver du inte vara där ute och passa steken?" undrade Erika.

"Nej, den sköter sig själv. Var så god och ta en välkomstdrink; en Jesper special, suverän drink!"

"Ungefär som gröna hissen då. Först åker den ner, sen kommer den upp. Suverän drink det också", replikerade Arvidsson och allt kändes som förr i tiden när de högg efter varandras ord som ystra kommunalpolitiker.

"Jag tycker att det luktar bränt", sa Hartman och tog några raska kliv genom Eks vardagsrum ut till altanen.

"Det är lugnt."

"Har du något att släcka med, Jesper. En vattenspruta eller något. Det brinner i köttet."

"Bra, då är det nog klart", sa Ek obekymrat. "Vill du hjälpa mej att bära ut tallrikar, Himberg. Vi sitter väl ute."

Kvällen var ljum. Solen gick ner bakom bergen. Maria lutade sig tillbaka och njöt av sin öl. Ännu gungade tillvaron lite men hon hade överlevt dagen. "Sunset in red is sailors dead." Solnedgången var intensiv i sina färger från blodrött och orange till citrongult som övergick i blått.

"Vad sa Odd om fotot på Mårten Norman?" undrade Hartman.

"Han hade aldrig sett honom förut. Det var han säker på, fast han inte gjorde sig något besvär att titta efter, det måste jag säga."

"Märkligt, mycket märkligt. Jag bläddrade igenom det fotoalbum du tagit med dej från Rosmarie Haag. Det finns ett foto där med tre granna gossar i blå baskrar: Clarence, Odd och Mårten Norman. Det är taget den dag när de muckade. 'På väg hem till Sverige', står det på baksidan. Du berättade att din granne, Manfred Magnusson, också gjort FN-tjänst på Cypern. Han kanske vet om de kände varann?"

"Tveksamt, Majonnäsen blev hemskickad efter två månader."

"Varför då?"

"Säg det du!"

"Om man kommer från samma lilla ort i Sverige och gör FN-tjänst samtidigt på samma ställe, är det då inte märkligt om man inte känner igen varann?" undrade Hartman.

"Det har gått tjugo år sedan dess", sa Maria och petade tankfullt skummet från sin öl.

"Jag kunde se att bilden i albumet föreställde Mårten Norman fast det fotot är tjugo år äldre än den legitimation han hade i rockfickan i fiskeboden. Dessutom finns han med på flera foton. Det ser ut som att Clarence, Mårten och Odd hängde ihop. Vi bör höra honom igen i morgon. Du kanske till och med skulle kunna hitta Majonnäsen bland de där fotona?"

"Jag är glad om jag slipper. Jag ser mer än jag vill av honom ändå. Han praktiskt taget bor hos oss och skulle säkert ha legat skavfötters med Krister i min säng om jag inte rekommenderat båthuset för natten. Majonnäsens fru har slängt ut honom, så både Krister och Majonnäsen sover ute i natt." Hartman såg lite fundersam ut, men han sa inget.

Med en handduk i byxlinningen och en slängd över axeln skar Ek upp steken, lika stolt leende som Gyllene Druvans ägare när han trancherade oxfilé på husets vis. Skillnaden var bara den att Eks kreation var flamberad, rejält flamberad på gränsen till det odefinierbara. Arvidsson stirrade hypnotiserat på sin kolsvarta bit med rött och blodigt innanmäte.

"Ännu ett argument för att bli vegetarian", sa han och tog en försvarlig portion potatisgratäng. Maria petade också i sin bit i hopp om att finna någon liten ätbar remsa mellan det svarta och det röda.

"Suveränt käk", sa Jesper Ek och stoppade en rejäl bit i munnen, nedsköljt av en stor klunk öl. "Det är svenskt kött så ni behöver inte vara rädda för kadaversmitta! Jag har fått lammet av bror min, Arne, i födelsedagspresent. Hon hette Berta. Som litet lamm blev hon av med sin mor, så Arne födde upp henne med flaska. Berta var som en i huset. Hon sov vid hans säng och väckte honom med sitt rara bräkande på mornarna. Överallt följde hon Arne. Han grät när han slaktade henne. Aldrig att han skulle fått ner en bit av det här köttet", sa Ek och såg sig tårögd omkring. Hartman smugglade in sin köttbit i servetten och tog grönsallad i en mängd som skulle ha förvånat hans hustru.

Det är märkligt hur en så kaxig man som Örjan Himberg bara efter ett par öl kan förvandlas till en snyftande mjukis, för att inte säga mental blottare. Alla samlivets intimare detaljer la han upp på bordet utan knussel. Eftersom ingen orkade med hans självrannsakelser blev hans bordshörn undan för undan allt mera glest befolkat.

"Jag kliver av 'na och jag kliver på 'na och hon känner ingenting, ingenting alls. Kan du förstå det Arvidsson? Är den för liten tror du?" sa Örjan Himberg och drog sig tankfullt i grenen på de vida gabardinbyxorna, medan han lutade sig över de två tomma stolar som skiljde honom och Arvidsson åt. "Vad tror du? Du måste ju ha sett i bastun. Är den för liten?"

"Jag tror att jag ska hjälpa Ek med disken." Arvidsson reste sig besvärad och lämnade sin stol till förfogande. "Här kan ingen njuta av sin öl."

Kvar vid bordet blev således Maria och Erika sedan alla herrar dragit sig tillbaka för att diska i en renlighetsiver som inte förekommit i mannaminne. Kvinnor kanske har större tolerans på det emotionella området.

"Vad tror du Erika?" upprepade Himberg medan han halvlåg över de tre tomma stolar som nu markerade de andras avståndstagande. "Sussi säger till folk att det där med sex är överreklamerat. Jag hörde när hon sa det till han som läser av elmätaren."

"Låt mej säga så här: Om ett konsertstycke berör känslan beror inte på taktpinnens storlek. Det handlar om att slå an rätt strängar, om samstämmighet, harmoni och om inlevelse."

"Jag fattar inte nåt! Vad har det med Sussi att göra?" undrade Himberg.

"Det gör jag", sa Maria, "men bara en varg förstår en varg. Jag tror inte att Örjan är i fas för några omskrivningar även om det var vackert formulerat. Alltså Örjan, se på mej. Är du med? Har du provat att ge henne en bukett rosor samtidigt som du på fullaste allvar säger att du älskar henne? Det låter enkelt och trivialt, men vi kvinnor går på det varje gång."

"Sist jag köpte rosor mosade hon in dem rakt i snoken på mej. Hon skulle bara tro att jag varit otrogen om jag köpte blommor."

"Hade du varit otrogen?" undrade Erika med uppriktig nyfikenhet.

"Ja, va fan man är ju bara människa."

"Då kanske den metoden kan anses som förverkad", sa Maria.
"Okey, vad tycker Sussi om? Vill hon gå på bio? Gillar hon chok-
lad eller musik kanske? Använd din fantasi. Visa att du verkligen
bryr dig om vem hon är och vad hon vill. Ta reda på vad hon öns-
kar sig av livet."

"Fan, hon tänder bara på postorderkataloger."

"Då får du väl ta med henne till Ullared och pröva din lycka på
något romantiskt motell utefter vägen", sa Erika med ett snett
leende.

"Postorderfetischist, hon är en postorderfetischist", sa Örjan
tankfullt och sjönk ner över bordet med huvudet vilande i han-
den. "Kanske man skulle köpa henne en liten snabbispremie."
Vid det laget tyckte även Maria att hon fyllt sin kvot av godhet och
reste sig för att förenas med de andra över diskbaljan.

"Hur blir det Jesper, du kommer väl tillbaka?" sa Maria när hon
fick Ek för sig själv en stund.

"Jag gör nog det", sa Ek. "Vad skulle jag annars göra? Jag har
tänkt efter och jag vill vara polis. Vad skulle jag annars göra med
mitt liv?"

Maria gav Jesper en kram just när Arvidsson passerade dörren
till köket. Hon hann se hans min av bestörtning. Det slog henne
att Arvidsson inte hade någon flickvän. Han hade aldrig ens nämnt
någon före detta.

Erika satt ute i trädgården och flamsade med Himberg. Det skor-
rade falskt efter den bekännelse Erika gjort i går kväll på bryggan
vid fiskeläget. Hon hade sagt att hon fortfarande älskade sin före
detta man. Kanske var det här karltokeriet ett sätt att ge igen, ett
sätt att kämpa mot smärtan. Ville hon visa för sig själv att det gick
att leva utan karln? Att hon fortfarande var attraktiv eller hade hon
tagit en överdos av sitt östrogen? Om det var så bedrövligt att
komma i klimakteriet som Erika ville mena, så var det ingen tid
att se fram emot, tänkte Maria. Progressiva glasögon och svett-
ningar. Ryck upp dej Erika! Jag behöver en förebild. Erika hade
berättat att ordet klimakterium kommer av det grekiska ordet för

stegpinne, medan det på arabiska betyder åldern utan hopp. Stegpinne lät definitivt bättre. En ålder när man klättrar uppåt, gör karriär. Ett rejält lyft när man slipper mens och andra barnsjukdomar. När äpplet mognar talar man också om klimakterium, hade Konrad berättat. Maria tyckte att det var en vacker bild. Dessutom hade hon läst att kraftiga kvinnor klarar klimakteriet bättre. Bukfettet fungerar som östrogendepå när äggstockarna tappar greppet. Vilket oerhört användbart argument för att få äta obegränsat med choklad! Nej, Erika, inte blir du lyckligare av att trassla till det med Himberg. Maria gick ut i trädgården för att rädda sin väninna från att göra fler dumheter.

Den gula villan vilade i mörker, men ett svagt ljus sipprade ut mellan brädorna i det otäta båthuset. Vinden hade lagt sig. På långt håll kunde Maria höra de välbekanta tonerna av Balladen om briggen Blue Bird. Hon kunde inte låta bli att skratta. Det hela var patetiskt. Majonnäsen klämde i då och då högt och falskt medan Krister hyfsat höll sig till den rena skalan. "Sa ni Blue Bird, kapten, briggen Blue Bird av Hull? Gud i himlen! Var är då min son?" Där bröts rösten. Antagligen hade de druckit öl. Krister kunde aldrig sjunga Briggen Blue Bird av Hull utan att gråta när han druckit. Det var en effektiv och tillförlitlig alkoholmätare. Två ensamma män i ett båthus, utslängda av sina fruar, sjungandes smäktande sånger till gitarr i natten. Maria drogs dit som en magnet till järnskrot. Hon måste bara se dem.

"Hej, här sitter ni", konstaterade hon.

"Ja", Krister torkade sig om näsan.

"Har ni det bra? Ni fryser inte här ute?"

"Nej, vi är rätt så svettiga", sa Majonnäsen.

I ljuset från fotogenlampan kunde Maria se att det var alldeles sant. Svetten dröp om karln. Håret låg bakåtslickat och stora mörka fläckar syntes i armhålorna på hans t-shirt. Krister såg inte alldeles sval ut han heller.

"Vad har ni gjort? Har ni styrketränat?" frågade Maria misstroget.

"Det kan man nästan säga. Kom får du se." Krister hakade ner den osande fotogenlampan från väggen och gick före ut i natten.

"Vad är det? Vill du att jag ska titta på sorkhålen så följer jag inte med. Sorkarna syns inte ordentligt i mörkret. Man kan bli fruktansvärt sjuk om man blir biten! Jag går inte dit, Krister! Om ni rökt ut dem ur sina hålor kan de finnas var som helst i gräset", sa Maria och hoppade runt i sina sandaler.

"Lugna dej, det är något helt annat."

"Har Majonnäsen flyttat sina bilar?!"

"Jag flyttade hem en bil i morse. Det var därför jag åkte ut. Vad ska jag göra?" sa Majonnäsen med ynklig röst.

"Det finns något som heter bilskrot", suckade Maria uppgivet. "Man kan också sätta in en annons under skänkes."

"Vi har flyttat bilarna lite", sa Krister och höll upp lampan. Maria spanade ut i månljuset och såg den svarta jorden ligga slät som kaffesump så långt ögat kunde nå. Ett mullvadarnas paradis.

"Vi har grävt ett kryddland åt dej, en egen örtagård. Där borta har vi spikat upp en spaljé för ärtor eller humle. Och där", Krister lät ljuset falla åt ett annan håll, "där har vi ställt en bänk så du kan vila dina trötta fötter."

"Jag blir alldeles varm om hjärtat." Maria gav Krister en stor kram och klappade den genomsvettiga Majonnäsen på armen. "Tack, tack så mycket. Jag ska väl gå in och byta av Gudrun?"

"Hon har farit för länge sedan. Såg du inte barnen? De ligger längst in i båthuset som små kåldolmar i sina sovtäcken."

Månen lyste stor och rund över taket på den gula villan vid havet. Det prasslade i vinbärsbuskarna och en stilla fläkt drog, som ett nattens eget andetag, genom päronträdens lövverk och gräsmattans vita klöverblom. En mörk gestalt smög över gårdsplanen och ned för stigen med ett stort bylte i famnen. Gräset var daggvått och blötte nederkanten på vandrarens vita byxor. Steg för steg närmade sig den ljusgrå skuggan båthuset och tryckte försiktigt upp dörren, som öppnade sig med ett utdraget gnällande ljud.

"Krister är du vaken?"

"Ja."

"Det blev lite ensamt där inne."

"Jag ska maka på mej så får du plats mellan mej och Linda." Maria kände med handen över Kristers ansikte för att vara säker på att det var han. Hon rullade ut madrassen och täcket och kröp ner. Hon kände Kristers ögon på sig i mörkret.

"Vad är det?"

"Du, det var en man här och värderade vårt hus och sa att ni talat om en lägenhet i stan. Han kom strax efter att du farit in till Ek i kväll. Han berättade att ni varit ute och seglat tillsammans, ätit jordgubbar och druckit champagne. Har du funderat på att flytta ifrån mej, Maria?" Kristers röst var ovanligt dov. Han talade långsamt och behärskat.

"Odd Molin?"

"Ja, Odd Molin hette han." Maria hörde rädslan i Kristers röst.

"Var det därför ni grävde trädgårdsland, du och Majonnäsen?" fnittrade hon.

"Tänker du lämna mej?" Kristers röst sprack mitt i meningen.

"Nej, jag följer dej till världens ände om du vill. Just nu befinner jag mej vid din sida i ett dragit båthus tillsammans med en snarkande Manfred Magnusson. Om inte det är jordens ände, så vet jag inte var det är. Förresten är det så HARMONISKT med havet rakt in i sängkammaren, så man kan somna till ljudet av vågorna och vakna med våta strumpor", fnittrade Maria.

I den flimrande tevebelysningen såg han konturen av hennes kropp när hon rörde sig i rummet. Hårsvallet, ansiktets nästan barnsligt runda profil, den fylliga bysten och de mjukt rundade höfterna. Hon snurrade ihop håret till en fläta. Ängsliga rörelser styrde hennes vandring från fönster till fönster. Det var som om hon anat hans närvaro. De kattungerunda grå ögonen spanade med stora pupiller ut i mörkret. Hon såg rakt på honom utan att se. Bländad av sitt eget ljus. Varför plågade han sig med att se henne, åtrå henne, horan? Varför tillät han minnena att komma? Minnen som gjorde så ont. Hon hade sprungit honom till mötes med utsträckta armar. Den tunna vita klänningen, som en brudklänning i vitaste oskuld, hade flutit som regnvatten utmed kroppen. Bröstvårtorna som styvnat i nattens svalka avtecknade sig genom tyget. Hon hade kastat sig i hans famn. Utan förbehåll, utan rädsla. Hon hade lyft upp sitt ansikte och väntat på hans kyss. Hennes ögon hade speglat hans egen längtan, simmande grå som smält bly. De varsamma händerna som oblygt rörde vid hans kropp, fanns kvar inom honom som ett minne i huden. Hon hade leende men mycket allvarlig räckt honom en kvist av basilika. Han hade dragit in doften av pepparkakskryddor. "Det finns en gammal ukrainsk sed som säger att om en kvinna ger en man en kvist av basilika och han tar emot den, så kommer han att älska henne för evigt." Kanske var det sant, men ibland är kärlek så förvillande likt hat. Gränsen mellan längtan och smärta så trådfin. Om han vridit nacken av henne då, i den stunden, skulle han ha sluppit dela henne med någon annan man. Men han hade tagit emot kvisten, som en högtidlig fåne, drogad av åtrå, trollbunden och förblindad. "Kom" hade hon sagt och tagit honom vid handen. De levande ljusen i lusthuset hade fladdrat i vinddraget. Varsamt hade han öppnat hennes kronblad, känt hennes nektar mot sin hud när paradisets port öppnade sig för honom och hon blev hans.

På Cypern hade han köpt en kvist basilika av en gammal svartklädd kvinna. Han ville känna örtens doft och minnas. Dagen vibrerade av hetta. Cikadorna i olivträden nästan överröstade dem med sin sång. En lång stund hade han fått truga henne. Hon ville inte sälja kvisten till honom. "Det är dödens egen kryddväxt" hade hon sagt på sin stapplande engelska. Han hade skrattat åt hennes vidskeplighet. Då hade hon spottat på marken och lyft sina händer mot himlen, som för att avbörda sig ansvaret. "Var försiktig unge man", hade hon sagt och lagt sin beniga hand på hans arm, sedan hon tagit emot slanten. Skärpan i de brunsvarta ögonen hade fått honom att rysa lite av obehag. Kanske var det slumpen, kanske ett omen. En vecka senare hade helvetet slukat honom i sitt vidriga gap. Som en levande utan liv hade han bidat sin tid i dödsriket. Bara hatet hade hållit honom uppe. Tanken på hämnd givit honom styrkan att härda ut.

28

"Hörde du hur det small ute över havet i natt? Det lät nästan som när isarna går upp", sa Krister och vred sig ett halvt varv i sovsäcken så han kunde få ner dragkedjan.

"Nej, jag har sovit så gott. Jag har inte ens hört Majonnäsens snarkningar."

"Han är inte kvar." Maria såg sig omkring. Barnen sov insvepta i sina sovtäcken, men platsen där Majonnäsen legat var tom.

"Jonna kom och hämtade hem honom vid ettiden. Hon kunde inte få av kran i köket och vattnet bara sprutade."

"Och då blev han tagen till nåder?"

"Ja, tills vidare. Hörde du verkligen inte den där knallen i natt? Det lät som en explosion. Du måste verkligen ha sovit hårt. Vart tog du vägen i går förmiddags förresten, då när du bara försvann? Vi trodde att du gått ner till stranden. Jag blev nästan orolig."

"Jag gick upp för kyrkberget. Jag tänkte att där får jag i alla fall vara i fred för Majonnäsen. Jag kan inte tänka mej något annat än egen begravning, som skulle locka honom till en sådan plats av stillhet."

"Det kan man aldrig veta. Vad gjorde du där?"

"Det var en gravsten utanför kyrkan som fångade mitt intresse, alldeles invid porten. Det var så märkligt. Det fanns ingen blomma på graven, bara en liten kryddplanta. Stenen ser ut som ett avhugget träd."

"Varför tycker du att det var märkligt?"

"Det var rosmarin, rosmarin för håkomst av de döda är en gammal egyptisk sed. Man lät rosmarin följa den döde i graven. Jag kan inte gå in på några detaljer, men rosmarin har förekommit på ett märkligt sätt i den här mordutredningen. Fast det kanske bara är tillfälligheter. Jag är lite kryddögd just nu."

"Vems var graven?"

"Vet inte. Jag tyckte det kändes lite penibelt att kliva fram och skrapa mossa. Det gick en gammal kvinna där uppe och krattade på gruset. Tänk om stenen tillhörde någon av hennes släktingar och jag stod där och petade med en pinne. Det kan man bara inte göra. Hon såg så blyg ut, lite folkskygg. Jag kunde inte besvära henne med att fråga, tyckte jag."

"Ser du soluppgången över havet?" sa Krister och öppnade dörren ut mot havet. Den är alldeles röd. Då blir det oväder.

"Jag trodde det var när solnedgången var röd som det blev oväder." Maria kisade mot ljuset.

"Säkert det också, det röda ljuset är väl naturens egen stoppsignal, stanna och sök skydd. Det blir oväder!"

Utan att väcka barnen smög Maria ut till sitt nygrävda kryddland. Framför sig såg hon växterna planterade i prydliga rutor med gångar emellan. Pepparmynta skulle hon ha att koka te på eller en myntasås till lammstek. Dill till kräftorna var naturligtvis nödvändigt. Citronmeliss, som även kallas hjärtansfröjd, var trevlig att ha på jordgubbstårtor eller till glassuppläggningar. Maria riktigt kände hur fingrarna blev gröna av klorofyll. I klorofyllan och villan planterade hon ut de växter hon köpt av Rosmarie, innan hon tog en snabb dusch och for till arbetet.

Polisstationen sjöd av aktivitet trots den tidiga timmen. Storm var på plats. Hartman, Himberg och Arvidsson arbetade för högtryck.

"Du svarade inte i telefon. Hade du dragit ur jacket?" undrade Hartman.

"Jag sov i båthuset." Hartman höjde ett ögonbryn, men han kommenterade det inte.

"Då har du inte hört om nattens händelser. En båt har sprängts i luften vid tvåtiden i natt. Det hände strax hitom Kronholmen. Kustbevakningen gick ut direkt. Skenet från explosionen syntes ända in till hamnen här i stan. Det verkar vara Odd Molins mahognybåt som gått upp i rök."

"Odd är han... lever han?"

"Det vet vi inte ännu. Man har funnit en tax simmande i farleden. Det var nära att båten rammat henne. Som tur var hade hon flytväst. Odds hund, enligt Erika. Odd Molin finns inte i sitt hem. Arvidsson har varit där. Han blev insläppt av bostadsrättsföreningens ordförande och sitter just nu i förhör med den mannen."

Maria tryckte handflatorna mot ögonen för att jaga bort sina inre bilder.

"Kroppen kan ha sprängts i bitar eller ha drivit iväg. Dykare är på plats men man har ännu inget att redovisa. En annan möjlighet är ju att Odd befinner sig på resande fot. Vi har försökt att kontakta firmans sekreterare. Kanske är hon just nu på väg till arbetet. Vi ska samlas om 15 minuter. Ta dej en kopp kaffe så länge, det lär du behöva", sa Hartman och drog händerna genom sitt vilda hår på det oroväckande sätt han brukade göra när situationen inte var helt under kontroll.

Maria stirrade uppgivet på högarna av papper som tornade upp sig på skrivbordet. Semestern närmade sig. Som arbetssituationen såg ut just nu var datumet för ledigheten inte längre något faktum. Det skulle behövas en del övertid om inte hela traven med ärenden skulle bli liggande över sommaren. Maria tog två mappar överst i bunten och gick över till åklagarmyndigheten på andra sidan gatan. Hettan var tryckande, himlen full av mörka moln. Det verkade som solen la ner hela sin värmekraft på ytan mellan molnen. Som ett brännglas över det redan svedda gräset. Snart skulle ovädret vara här.

När hon kom tillbaka hade de andra redan samlats. Maria fångade Erikas blick en kort stund innan teknikern rodnande försvann in i sina papper. Det mörka, annars så välfönade håret låg platt och otrimmat som en hjälm över huvudet. Ögonen hade mörka skuggor. Erika såg eländig ut.

"På kort tid har vi nu ett försvinnande, en drunkningsolycka där brott inte kan uteslutas och ett ovanligt groteskt yxmord. Detta plus nattens händelser ställer stora krav på oss. Vi får alla räkna med att arbeta övertid. Ingen ledighet kan beviljas. Det är inte omöjligt att vi får ringa in folk från semester och andra ledigheter.

Ek har avbrutit sin sjukskrivning och kommer att hjälpa till på ledningscentralen. Vi hälsar dej välkommen tillbaka. Du är efterlängtad", sa Hartman hjärtligt. Ek såg sig belåten omkring. Han hade saknat sina arbetskamrater.

"Längtade efter Hartmans kanelbullar", sa han och tog en bulle från det rågade fatet. Storm lämnade rummet för att möta pressen och Hartman tog till orda.

"Arvidsson och jag har sammanställt de förhör vi gjort med fiskare och småbåtsägare i Kronviken. Den sammantagna bilden ser ut så här", Hartman vek undan det översta bladet på blädderblocket, som visade var explosionen under natten inträffat, och ritade en noggrann tidslinje. "Natten till måndagen efter midsommarhelgen inträffar två dödsfall. Jacob Enman får ett dödligt slag med en yxa i huvudet. Den tekniska undersökningen tyder på att även Mårten Norman avled samma natt. Flera vittnen har sett gamle Jacob vid liv så sent som vid 23-tiden söndag kväll. På måndagsmorgonen ligger han över köksbordet i den ställning han hittades av polisen. Mårten Norman har ingen sett sedan 21-tiden på söndagen, då han uppmärksammades av Rosmarie Haag. Vid 23-tiden lär det ha varit tänt i hans bod. Det har vi samstämmiga vittnesmål om. Morgonen därpå var ljuset släckt. Ingen har sett Norman sedan dess. Odd Molin och Clarence Haag seglade tillsammans den helgen. Rosmarie Haag var enligt utsago kvar i fiskeläget. Jag har kallat in henne och fadern Konrad Hultgren för ytterligare förhör. Enligt de uppgifter Wern fick av Odd seglade herrarna Kronholmen runt, som ett övningstillfälle inför regattan i helgen. När de skulle hämta upp Rosmarie med båten var hon försvunnen. Odd hade inte funderat mer över det. "Hon är lite knepig", menade han. Clarence Haag har vi av naturliga skäl inte kunnat höra. Inget av de vittnesmål vi fått av fiskare och fritidsseglare avviker från de andras. Erika har nyheter åt oss från SKL. Var så god."

Erika tittade upp från sin pappersbunt med något skyggt i blicken. Hennes händer lämnade knät och smög över bordet till pappershögen.

"Mårten Normans magsäck innehöll inte bara en pusselring, den innehöll också växtdelar. Standardtesten av gifter gav inga nyheter. Spår av heroin, inga mängder. Alkohol, i ringa omfattning; 0,84 promille. Inga spår av sömnmedel. Utifrån maginnehållet gjordes därför en ny test med inriktning på andra ämnen. Man fann då rikligt med alkaloider i blodet, bland annat koniin. Vilket stämmer överens med de växtdelar man påträffat. Dödsorsaken är utan all tvekan intag av odört i letal dos."

"Rosmarie Haag anmälde för en dryg månad sedan att odört och stormhatt grävts upp i hennes trädgård." Maria sökte ögonkontakt med Himberg för att få bekräftelse. Himberg bläddrade i sitt block och mötte inte hennes blick.

"Ja, det stämmer väl."

"Det är bland annat därför hon kallats hit i dag", vidtog Hartman.

"Jag undrar om fingeravtrycken jag säkrade hemma hos Haag gav något?" sa Maria.

"Förutom Rosmaries och Konrads finns ytterligare ett avtryck vi inte kunnat identifiera. Det är inte Clarences. Om fingeravtrycken stämmer med Odd Molins får vi ta reda på när Erika går igenom hans lägenhet."

"Jag kom att tänka på något som jag la märke till när jag var hos Rosmarie. De har alldeles nu i dagarna anlagt en ny altan, med plattor i markplanet. Jordhögen bredvid flyttades bort bara för några dagar sedan."

"Bra, vi ska undersöka den saken medan de är kvar hos oss. Arvidsson ordnar klartecken för en husrannsakan. Tyvärr är det en hel del som talar för att hon skulle vara skyldig till morden. Kanske också till makens försvinnande. Hon har motiv att döda Clarence efter den misshandel hon utsatts för. Mårten Norman pressade sannolikt pengar av Clarence, säkert kände han till något han inte borde. Rosmarie Haag var den sista som såg honom vid liv. Gamle Jacob kan ha lagt märke till något som var till nackdel för mördaren att han visste om. Rosmarie befann sig vid fiskeläget på kvällen. Ingen kan bekräfta att hon kom hem alls den natten. Odd och Clarence kom i hamn vid 24- tiden. Det verifieras av flera personer i småbåtshamnen." Hartman drog handen genom håret och lutade sig med armbågen mot bordet.

"Jag har funderat på det här med pusselringen. Är det en slump

att tre av de inblandade gjort FN-tjänst på Cypern samtidigt?"
Arvidsson slängde undan luggen och såg stint på Hartman, som
hejdade sin tredje kanelbulle på väg till munnen.

"Det är intressant att Odd Molin nekar till att han kände Mår-
ten Norman. Bevisligen umgicks de en hel del. Man kan också
spekulera i varför Mårten Norman svalt sin pusselring. Om det var
en gärning utförd under drogpåverkan, ett meningslöst påhitt el-
ler om det är av betydelse, en ledtråd utplacerad när ingen nåd
fanns att vänta? Samtidigt verkar det långsökt. För tjugo år sedan
for ett gäng killar härifrån till Cypern. Varför skulle något hända i
den gruppen nu, tjugo år senare? Om något hänt därute borde det
väl fått konsekvenser direkt eller?" Hartman såg sig omkring i
hopp om ett svar på sin fråga.

"Vill någon förklara för mej vad Cypernkonflikten gick ut på?
Jag antar att vi gick igenom det i skolan men det har inte fastnat",
erkände Maria. "Jag skulle behöva en repetition. Vad gjorde de på
Cypern?" Alla tittade på Arvidsson, som rodnade lätt och försökte
svälja den bullbit han hade i munnen. Han harklade sig besvärat.

"Det började 1967 med palatskuppen i Grekland. Georgios
Papadopoulos, överste i artilleriet, och hans junta tog över makten
i landet. Kung Konstantin gjorde en motkupp i december samma
år men misslyckades. Vänsteranhängare och intellektuella fängs-
lades. Yttrandefriheten upphörde och anhängare till oppositionen
fängslades, torterades och förvisades. Som kuriosa kan nämnas att
juntan till och med försökte förbjuda 60-talsmodet med långt hår
och minikjolar. Överkänsligheten satt i högsätet. När Mick Jagger
stod på scen och kastade blommor under en konsert i Aten greps
han för att ha visat kommunisterna sitt stöd.

1974 tvingade grekiska officerare presidenten och ärkebisko-
pen Makarios att fly från Cypern. Då invaderade turkarna ön. Två
dagar efter invasionen ingicks vapenvila efter en resolution i FN:s
säkerhetsråd. Detta ledde till den grekiska militärjuntans fall.
Konstantin Karamanlis övertog makten och demokratin återinför-
des. FN-soldaterna rörde sig på båda sidor om gränsen, utplacera-
de på särskilda observationsplatser, checkpoints exempelvis utan-
för affärer, banker och hotell." Arvidsson lutade sig tillbaka för att
markera att anförandet var slut.

"Det var själva huggan", utbrast Hartman imponerad.

"Har läst på", sa Arvidsson.

"Så du är inne på spåret med FN-tjänstgöring?" Hartman tog upp sina glasögon ur bröstfickan och gjorde en anteckning på sitt block.

"Jag vill undersöka det, men som du säger verkar det lite avlägset. Jag skulle kunna höra med SWEDINT. De har hand om rekryteringen av FN-soldater. Själva utbildningen är i Södertälje. Frågan är vad de minns efter tjugo år, om det finns någon dokumentation? Den där Manfred Magnusson som jag hörde verkar inte ha någon större reda på sig. Han berättar gärna om sina egna bedrifter, men i övrigt är minnet kort. Han blev hemskickad efter två månader. Normalt stannar de en sexmånadersperiod. En del önskar förlängning med ytterligare någon tid, och kan då efter ansökan få stanna en mission till. Manfred Magnusson, hans sambo och son lämnade stranden också de vid 22.30-tiden, högljutt grälande sedan säkert en timme tillbaka. Det gällde tydligen en omfattande beställning ur Clas Ohlson-katalogen kontra en semesterresa.

"Wern, du har varit hemma hos Clarence Haag, hittade du något av intresse?" Hartman vek ihop sina glasögon och kliade sig med skalmen i hörselgången.

"Han hade en hel vägg med Cyperntroféer. Medalj, Zippotändare, kniv, tygmärken. Det man kan förvänta sig, inget konstigt. Fotoalbumet tog jag med till station. Jag tror du har det på ditt rum."

29

Rosmarie Haag satt i förhörsrummet hopkrupen i besöksstolen. Den gräddvita hyn var sjukligt blek. Hon tvinnade nervöst händerna i knät. Maria räckte fram en mugg med rykande varmt kaffe. Rosmarie tog den mellan sina båda händer och höll den mot bröstet, som för att värma kroppen. Regnet, som länge hängt och vägt i de mörka molnen, föll utanför fönstret i stora tunga droppar. Maria kände lågtrycket pressa bakom sina ögonglober.

"Du ser mycket trött ut. Har du kunnat få någon sömn i natt?"

"Jag satt uppe vid tvåtiden och hörde explosionen. De säger att det var Odds båt, Viktoria", svarade hon tonlöst.

"Det stämmer nog tyvärr", sa Hartman. "Som du förstår har vi en del frågor att ställa dej. Jag vill att du tar god tid på dej och svarar så noggrant du kan." Rosmarie såg förskräckt ut. De stora grå ögonen var alldeles svarta, dagsljuset till trots.

"Vill du berätta vad du gjorde i söndags kväll, i midsommarhelgen?"

"Jag är så trött. Jag kommer att svara fel och säga emot mej själv. Jag orkar inte."

"Vi har gott om tid. Försök! Vi ska ordna så du får vila sedan." Hartman log varmt och uppmuntrande. Maria var oändligt tacksam att det inte var Storm som ledde förhöret.

"Clarence ville att jag skulle följa med honom och Odd ut med Viktoria. De tänkte segla Kronholmen runt. Kanske ville han se Odd och mej tillsammans och hitta bevis för att det var något mellan oss. Clarence var full och odräglig. Odd skrek och kommenderade. Jag vet aldrig vilket snöre man ska dra i eller tamp heter det ju. Jag råkade slänga en cigarettfimp i motvind som hamnade på Odds fläckfria däck. Den glödde ett litet märke i träet. Odd slutade aldrig bråka om det där." Maria nickade. Hon kunde mycket väl föreställa sig kapten Molins vrede i en sådan situation. "Odd drack hela tiden av sin fåniga låtsaschampagne. Det är bara billigt mousserande vin som han häller över på finare flaskor när han vill imponera. Lika fånigt som hans Roleximitation. Clarence var så elak. Allt jag sa och gjorde var fel. Jag grät tills de släppte av mej vid fiskeläget. Jag hatar att segla! Clarence viskade i mitt öra att jag var den fulaste jävla slyna han sett och att han skulle göra upp med mej när vi kom hem."

"I så fall borde han genomgå en ordentlig synundersökning", menade Hartman. "Vad kan klockan ha varit när du sattes iland?"

"Åtta kanske."

"Såg du några andra där på stranden?"

"Gustav Hägg och hans pappa. De skulle lägga ut nät. Jag pratade lite med Gustav. Han är så rar. Han hade plockat en bukett med små blåklockor och satte en blomma i mitt hår. En del av stjälkarna var stukade. Han hade ramlat med dem i handen. Gustav vet precis vad en kvinna behöver höra. Han förstår sig på oss kvinnor." Rosmarie kostade på sig ett blekt leende.

"Ja, han kanske har en del att lära ut", medgav Hartman. Maria tänkte att man har kommit en bit om man inser det.

"Såg du om de var fler i båten?"

"Jag vet inte. Jag tänkte inte på det. Jag är så trött och okoncentrerad. Måste den där bandspelaren vara på?"

"Inspelningen hjälper oss att komma ihåg. Om jag ska sitta här och anteckna med min långsamma höger tar det mycket längre tid och så blir det min tolkning av vad du säger, inte dina egna ord. Vet du vad deras båt heter?"

"Maria II, Marta II kanske. Nej, jag vet inte. Det är en vanlig fiskebåt."

"Vad hände sen?" Hartman lutade sig tillbaka för att med sitt kroppsspråk visa att han var beredd att lyssna länge. Han tog av sig glasögonen och petade sig omsorgsfullt med skalmen i hårfästet, så håret kom att stå rakt upp.

"Jag satt på bryggan och tänkte på vad det var för mening med att leva. För vems skull det var värt att leva. För min far är jag ett bekymmer och för min make en black om foten. Jag kände att allt var fullständigt meningslöst." Rosmarie stirrade ut genom fönstret på blodlönnen som svajade i blåsten, oroligt vevande med sina blad i ett ständigt pågående skuggspel. "Jag funderade på hur det skulle kännas att drunkna. Hur lång tid det tar innan man förlorar medvetandet och hur det känns om man ångrar sej när det är för sent."

"När började du få sådana funderingar?" Hartman studerade Rosmaries ansikte med ny intensitet.

"Inte första gången Clarence slog mej, då tänkte jag att det var en olyckshändelse, att han inte kunde rå över det. Han fick en hel del stryk när han växte upp. Det är svårt att gå opåverkad ur en sådan barndom. Jag ville förstå och förlåta. Att han slog mej var nästan reflexmässigt, tänkte jag. Det var inte så han ville göra. Han klarade inte av att förlora kontrollen. Jag ville leva i en normal relation och ha någon att dela min vardag med. Jag trodde att om jag brydde mej om honom tillräckligt mycket, om jag gav honom den värme han saknat i sin uppväxt så skulle allt bli bra."

"Men det blev det inte?"

"Nej, det blev värre", viskade Rosmarie och hennes röst dränktes av slagregnet mot fönsterrutan. Maria såg hur hon kämpade mot gråten. "Jag tror att det är nu det senaste året jag tänkt på döden. Hur man går över gränsen med minsta möjliga smärta. Jag funderade ett tag på digitalis. Men jag är osäker på vilken dos som behövs. Det vore vidrigt att bli hittad, att vakna upp på sjukhus och höra att man bara vill få uppmärksamhet. Clarence skulle ha spelat den omtänksamme maken och duperat dem allihop. Sen skulle jag ha blivit ensam med honom igen i det värsta av helveten. Han skulle aldrig ha förlåtit mitt svek."

"Vi ska hjälpa dej så att du får någon att tala med, någon som tar dej på allvar och har tillräcklig erfarenhet av det du gått igenom. Kvinnohuset har möjlighet att rekommendera en bra psykolog. Det vet jag."

"Så du tycker att jag är ett psykfall då? En besvärlig hysterika?"

"Jag tror att du har haft det omänskligt svårt och att du kan behöva hjälp att bearbeta det. Under de omständigheter du har levt, är det inte konstigt om man får tankar på att lämna livet. Jag tror att du behöver hjälp att hitta tillbaka till meningen, att hitta ditt eget värde igen. Det försvann odört och stormhatt ur din trädgård, vet jag." Maria kunde inte låta bli att beundra Hartmans lugn och smidighet.

"Ja, men odört lär smaka alldeles vidrigt och stormhatt ger en långsam plågsam död i ångest och slutligen andningsförlamning. Jag skulle aldrig använda mej av dem."

"Vad tänkte du när växterna försvunnit? Misstänkte du någon särskild? Till Himberg sa du att det oroade dej att växterna grävts upp och att du var rädd för att den som tagit dem visste vad det var för plantor. De växte inte på samma ställe."

"Vi har en ständig genomströmning av kunder i handelsträdgården. Jag tror inte att plantorna kan ha grävts upp dagtid utan att någon lagt märke till det."

"Har det hänt tidigare att växter försvunnit?"

"Nej, ibland kan man se att någon knipit av ett skott eller så, men att något grävts upp har aldrig hänt."

"Skulle Clarence ha känt igen växterna?"

"Absolut inte. Som jag sa till Maria, Clarence skulle inte kunna skilja på en ros och en tulpan ens i dagsljus. Nej, jag tror inte att Clarence har gjort det."

"Vad hände sedan när du suttit en stund på bryggan?"

"Jag såg den där knarkarn, fast bara på håll. Han var på väg mot bryggan och jag tyckte det skulle vara obehagligt om han kom dit när jag satt där ensam, så jag reste mej upp."

"Hur visste du att det var han? Hade ni träffats tidigare?"

"Nej, Gustav sa det: 'I den där boden bor knarkarn.' Det är nog så han tituleras i familjen Hägg. Jag skulle inte kunna peka ut honom om jag såg honom igen. Det var på långt håll och jag är ganska närsynt. Clarence vill inte att jag bär glasögon. Han bröt sönder dem."

"Du reste dej alltså från bryggan. Vad var klockan då?"

"Jag vet inte alls. Jag kunde se Häggs båt långt ute till havs. De hade inte vänt tillbaka. De var fortfarande på väg ut. Jag bestämde mej för att fara hem och promenerade upp mot landsvägen. Där fick jag lift med en gammal dam i en röd Renault. Hon skjutsade mej hem. Jag tog en het dusch och gick och la mej."

"Kan du säga något mer om damen som gav dej skjuts?"

"Hon var så där en sjuttiofem år. Hade grått kortklippt hår och en röd jacka. Vi pratade nästan inte alls. Hon försökte men jag orkade inte småprata om vädret och potatispriserna med gråten i halsen. Hennes ansikte var väldigt smalt. Ögonen tätt sittande. Näsan var spetsig och hakan böjd som en månskära. Hon hade stora omoderna glasögon med ljusblå bågar."

"Ett utmärkt signalement. När kom Clarence hem?"

"Det vet jag inte. Jag sov till morgonen. Jag vaknade inte förrän vid åttatiden och då var han hemma."

"Var det inte svårt att somna, om du visste att han skulle komma hem och kanske göra dej illa?"

"Jag drack vin tills jag somnade. Jag kan aldrig somna av mej själv."

"Använder du sömntabletter?"

"Nej, då skulle jag behöva gå till en läkare. Kanske bli beroende av sömnmedel och tvingas stå där med mössan i hand, utlämnad till läkarens bedömning. Då styr jag hellre själv över mitt intag av lugnande medel. Jag dricker te på johannesört och rölleka varje kväll."

"Mötte du någon annan när du var på väg hem?"

"Nej."

"Inte din far?" Rosmarie tvekade en stund. "Nej det tror jag inte." De avbröts av en hård knackning. Erika blev synlig i dörröppningen.

"Jag vill ha ett ord med dej, Hartman." De gick bort en bit i korridoren utom hörhåll.

"Vi har funnit en yxa under plattorna på Rosmarie Haags altan. Det fanns blod och gråa hårstrån på den. Yxan låg i en vanlig plastkasse."

30

"Een sån där båt måste ju vara försäkrad för dyra pengar", menade Himberg.

"Vi får kontrollera det." Hartman torkade bort lite pärlsocker som fastnat i mustaschen och rev sig tankfullt över örat.

"Vi har fått tag i Odds sekreterare. Enligt henne skulle han fara ner till Stockholm nu på morgonen. Han har ett möte klockan två. Odd tänkte inte komma förbi kontoret utan bege sig dit direkt hemifrån. Det visste hon säkert. Vi har bett kunden i Stockholm kontakta oss omedelbart om Odd Molin anländer", rapporterade Maria.

"Inget tyder på att han var i Stockholm när båten sprängdes", konstaterade Hartman och sökte bekräftelse av Arvidsson.

"Han skulle resa dit nu på morgonen vid femtiden. Bilen står kvar på parkeringen. Han kan ha tagit tåget. Vi håller på att kontrollera den möjligheten." Arvidsson gjorde en notering i sitt block.

"Jag såg hur rädd han var om sin båt. Jag kan inte tänka mej att han sprängt den i luften själv. Däremot har han gasolkök. Det kan ju ha exploderat. Jag menar att det kan ha varit en olyckshändelse", sa Maria.

"Det är klart, om tuben läcker, om man glömt att stänga av så samlas gasen nere i kölsvinet. Det kan nog blåsa ur hela härligheten", menade Arvidsson.

"Sen tänkte jag på den där taxen. Jag tror inte att Odd skulle lämnat hunden ensam. Förresten är det märkligt att den kunde klara en sådan explosion. Hunden kanske inte var med på båten? Om den inte var det måste någon ha ställt av den på Kronholmen eller placerat ut den i vattnet. Vilket ändå pekar på att det inte var en olyckshändelse. Kanske har vi att göra med en djurvän?" Maria såg frågande på Arvidsson och irriterade sig lätt på hans bristande respons.

I samma stund brakade Storm in genom dörren och vräkte sig ner på en stol, blöt i håret och med regnvatten droppande från kläderna.

"Livet är surt för oss rökare", mumlade han med fimpen fortfarande hängande i mungipan. "Vi har ju årets begivenhet 'Kronholmen runt' nu i helgen. Hur gör vi med det?" Girigt grabbade han tag i den sista bullen och svepte ut med handen i en uppgiven gest mot Hartman. "Småbåtshamnen kommer att krylla av folk. Det blir säkert en del fylla och bråk, något annat kan vi inte räkna med. Inte tar allmänheten hänsyn till att vi har mordutredningar på gång. Blåser vi av tävlingen kommer det att ge rubriker och händer det något allvarligt och vi inte har fullgod beredskap så blir det ännu större rabalder. Vad säger du Hartman?"

"Först och främst måste vi strunta i trycket från media och använda våra resurser så klokt vi kan. Jag kommer givetvis att skjuta på min semester och jag är glad om fler kan tänka sig att göra det. I första hand på frivillig väg."

"Pressen undrar om vi kan garantera allmänhetens säkerhet."

"Då får du väl svara som du brukar att vi håller den standard på bevakningen som vi har fått resurser till."

"Är risken för allmänheten ökad? Finns någon allmän hotbild eller verkar det vara någon sorts intern uppgörelse vi utreder?" Storm hällde upp en skvätt kallt kaffe, tog en klunk och grimaserade magsurt.

"Det enda jag kan tänka mej som skulle äventyra den allmänna säkerheten är om någon vill spränga korvvagnarna i luften. Jag ser ingen allmän hotbild, men evenemanget kräver resurser vi egentligen inte kan avvara."

"Åklagaren godkände husrannsakan hos Rosmarie Haag, hörde jag. Tror man att hon ensam är skyldig? Jag hörde om yxan, och den vita näsduk man fann på Gyllene Druvans parkering var också hennes. Det har hon erkänt enligt rapporten."

"Jag är inte så säker på att hon är skyldig."

"Va fan menar du? Klart att hon är skyldig. Jag har precis gått ut till pressen med att vi anhållit en misstänkt."

"Jag är inte övertygad. Kvinnan verkar inte heller ha förstått allvaret i situationen. Hon grät av lättnad när hon fick höra att vi ville ha henne kvar över natten. Hon var glad över att få sova utan att hennes far behövde sitta uppe och vaka över henne."

"Vilket jävla nonsens! Damen får lite tårar i ögonen och Hartman, gentlemannen, kroknar direkt."

"Vi får väl se", sa Hartman lugnt och sammanbitet.

"Jag tror inte heller att hon är skyldig", sa Maria. "Inte till mordet på Jacob Enman i alla fall. Möjligen till dråp på sin make, men aldrig till yxmordet."

"Vadå, tror du inte hon är skyldig? Här håller vi oss till fakta. Allting pekar ju på att hon är skyldig. Hon har haft tillfälle att ta livet av både Mårten Norman och Jacob Enman. Säkert ramlar makens lik fram ur någon garderob endera dan. Jag ska säga dej att det är en jädra lättnad att kunna meddela pressen att vi tagit en mordmisstänkt. Frågan är bara om hon gjorde det ensam eller om hon hade hjälp av gubben?"

"Hon fick lift hem av en dam i röd Renault. Får vi tag i det vittnet kommer saken i ett annat läge."

"Om damen alls existerar. Tillåt mej att betvivla det! Hon var tydligen namnlös." Storm letade upprörd efter sin tändare i fickan innan han kom på att han inte fick röka inomhus längre.

"Jag har inte sagt att hon inte hade anledning att ta livet av sin make, inte alls. Sådant kallas motiv", sa Storm med ett sötsurt leende som blottade de långa bara tandhalsarna och fick Maria att illvilligt tänka på åkersorkar och sorkfeber igen.

"Gå inte ut för hårt till pressen bara. Det bli trist för dej att behöva återkomma och dementera. Det ger ett minskat förtroende för polisens arbete." Hartmans ansikte var som gjutet i cement. Erika som kände att positionerna låst sig försökte få dem att komma vidare.

"Har Rosmarie Haag något alibi för i natt, under tiden för sprängningen?"

"Hon sa att hon satt uppe och hörde när det small ute över Kronviken vid tvåtiden. Fadern sov. Hade de haft något att dölja kunde hon ha sagt att de satt vid köksbordet båda två. Sen tycker jag att det är märkligt att man gräver ner ett mordvapen i en plastpåse. Det verkar som om någon till varje pris vill bevara fingeravtryck och blodspår."

Hartman tog på sig sin kavaj och gick hemåt i den svala kvällsluften. Doften av regn hängde ännu kvar mellan träden. Men himlen hade klarnat upp. Månen rullade rund och gul på hustaken, som om den bara lekte och inte alls förstod stundens allvar. Full och glad gömde den sig bakom tornet på S:ta Maria och följde med svalt intresse Hartmans steg när han svängde av över torget.

Hartman tänkte på Rosmarie Haag. Hon verkade varken ha insikt eller ens vilja att försvara sig. Hela hans intuition talade för att hon var oskyldig medan bevisen för hennes skuld hopade sig på hans bord. Tänk om Clarence Haag var vid liv. Visst hade Rosmarie all anledning att göra sig av med sin plågoande, men det var inte samma sak som att hon gjort det. Kanske hade Clarence iscensatt det hela, eller Odd Molin. Vem vet om inte Odd hade ett horn i sidan till sin kompanjon, eller tvärt om. I synnerhet om Odd hade ett gott öga till Clarences hustru. Det var nästan klassiskt. Eller var det kanske Konrad? Vad är inte en far mäktig att göra om hans dotter far illa. Vad skulle han själv ha gjort om hans dotter blivit misshandlad? Litat på att rättvisan skulle ha sin gång eller tagit saken i egna händer? Hartman rös till vid tanken. Han ville inte tänka för mycket på svaret.

Hungrig och mycket trött öppnade Hartman dörren till sin bostad, ett litet tegelhus centralt beläget mellan kyrkan och biblioteket. Det lyste i vardagsrummet. Bordet var dukat för en person med kristallglas och bruten servett. Marianne hade säkert ätit för flera timmar sedan, konstaterade Hartman med en blick på klockan. Månen kikade nyfiket in genom rutan när Tomas Hartman hällde upp vin i sitt vackra handslipade glas. Schackspelet stod framställt. Hustrun hade flyttat vit bonde till C3 innan hon gick till sängs, något mindre djärv efter sista omgångens förlust. Hartman funderade en stund, gjorde ett drag och väckte sedan sin hustru med en kyss på pannan. I en bur på golvet satt Peggy internerad. Hemlivet hade denna kväll fått en ny och säregen glans.

Marianne slog sig ner vid schackbrädet och fingrade vankelmodigt på sin vita springare.

”Jag ska komma på hur man gjorde”, sa hon envist.

”Det blir som sist, du målar in dej i ett hörn.”

”Tror du att någon har gjort det?”

”Vad menar du då?”

”Målat in sej i ett hörn på riktigt.”

”Varför inte? Begreppet måste ju ha kommit någonstans ifrån.”

”Eller sågat av den gren man satt på?”

” ’Inget mänskligt är mej främmande’.”

”Det är nästan som i Guinness rekordbok, att göra en dumhet som är så enastående att den får ett eget talesätt. En sorts kvitto på att den är absolut dummast i sitt slag.”

”På jobbet säger vi ’suveränt käk’, då vet alla att det föreligger en stor risk för förgiftning.”

”Du menar när Ek lagade Kalifens levergryta. Du får inte vara så långsint. Lite magsjuka råkar vi alla ut för då och då. Förresten är det inget riksomfattande begrepp.”

”Inte än.”

”Är du helt säker på att du måste skjuta på din semester, Tomas? Det är så tråkigt. Men västkusten då? Måste det alltid vara du som tar semester sist?”

”Jag tycker också det är tråkigt men just nu har jag inget annat val. Det är bara så. Kan du inte ta din syster med dej på en restresa så länge, så hittar vi på något tillsammans sen?”

”Jag vill helst resa med dej, så här blev det förra semestern också. Det är inte lätt att leva med kriminalinspektör Hartman, ska jag säga. Men gjort är gjort.”

”Erkänn att du tog mej för pengarna, för mitt tjocka lönekuverts skull”, sa Tomas med spelat allvar.

”Nej, det var din kropp jag ville åt”, log Marianne och klappade maken på kalaskulan.

De drog ner persiennerna i sovrummet och kröp i säng. Kriminalinspektör Hartman, som var helt slutkörd efter dagens händelser, gled snabbt mot sömngränsen. I ett tillstånd av halvdvala hörde han sin hustrus röst långt bortifrån. Först svagt mumlande och sedan allt mer pockande.

"Tomas, hur tror du Lena har det egentligen?" Hartman rycktes upp till ytan som en abborre på krok.

"Vad sa du?" kraxade han yrvaket.

"Men du lyssnar ju inte. Jag funderar på hur Lena har det med kamrater och så. Tror du att hon trivs med sitt liv som det är just nu?" Tomas Hartman tänkte febrilt. Var Lena i fara på något vis? Vad var det han borde förstå? Vad förväntade sig Marianne att han skulle göra?

"Har hon det inte bra? Har hon sagt något till dej?"

"Nej inget direkt. Jag låg och tänkte bara."

"Så det har inte hänt något då?" sa Tomas uppgivet.

"Inget som jag vet. Nu sover vi, tycker jag." Marianne la sig på sidan och somnade snart med lugna djupa andetag. Men Hartman kunde inte slappna av. Så här var det ofta. Just när han skulle till att somna började hustrun att sammanfatta dagen med sina glädjeämnen och farhågor. Gärna med en fråga eller två på slutet som triggade igång hela utredningsverksamheten. Sen fick han ligga där och våndas när hon avbördat sig sina funderingar och somnat gott.

En lång stund stod han gömd bakom jasminbusken och såg skymningen falla. De vita blommorna doftade inte mer. Gulnade och livlösa klamrade de sig kvar på kvisten, eller föll till marken i ett överblommat regn. Nu var tiden inne. Snart skulle allt vara fullbordat.

Han kände hennes vanor. Om kvällarna satt hon i mörkret vid sitt köksbord. Han hade varit mer försiktig sedan Konrad flyttat in i huvudbyggnaden. Men i kväll var det annorlunda. Den gamle hade stannat kvar i sitt eget hus. Rosmarie var inte längre på sin vakt. Ljudlöst smög han intill huskroppen i det fuktiga gräset. Månljuset var förödande starkt. Stjärnornas ögon glödde. Han tryckte ryggen mot husväggens skugga och såg på dem. En annan stjärnhimmel än den han sett från sitt fängelse. Han låste upp ytterdörren. Ett knappt hörbart klickande och handtaget trycktes ner. Huset andades tomhet. Dofterna var inte dagens av nykokt kaffe och matos. Han spände sina sinnen till det yttersta. Men tystnaden låg tung och orörlig i rummen. Hon fanns inte i köket, men ett vinglas stod kvar på hennes plats vid fönstret. Plommonvin som i oskuldens tid. Han kunde se märket efter hennes läppar och förde varsamt gla-

set till munnen med sina behandskade händer. Lät kanten på glaset snud-
da vid läpparna i en kyss lika död som den lycka han en gång känt. För-
siktigt strök han med fingret över glasets fot där hon hållit sin hand.

Nästan ljudlöst gled han genom rummen, genom havet av änglar till
sängkammaren. Tryckte hennes doft mot sitt ansikte. Hennes lakan mot
sin hud. Känslorna kom starkare än han kunnat ana. Hotade att grum-
la hans avsikt. Som ett sårat djur kröp han ihop runt sin smärta. Anda-
des djupt. Rosmarinkvisten var borta. Säkert hade hon förstått budska-
pet. Med ett rasande tag om kniven skar han ut hennes hjärta ur
madrassen. Hon skulle inte svika honom igen, horan. Förr eller senare
skulle de mötas i avskildhet. Då skulle allt bli fullbordat. Sedan skulle
den åtråvärda vilan bli hans rättmätiga belöning.

31

"Ut på plan igen! Det här är jädrar i mej inget saftkalas!" vrålade Majonnäsen. Maria, som hade ledig dag för att sedan gå in i en gigantisk arbetsvecka, hade följt med sin femårige son på fotbollsskola. Tydligen hade Kronviken inte lyckats ragga någon bättre ledare än Majonnäsen. Manfred Magnusson härjade och levde med de små fem- och sexåringarna, som om han ensam skulle avgöra världens fortsatta öde i och med detta fältslag mot Kronköping. Den lilla mörkhårige knatte som blivit törstig och sprungit av plan för att få en klunk vatten lydde med tårar i ögonen och en tjurig blick under lugg.

"Det här är jädrar i mej inget saftkalas!" upprepade Majonnäsen som om han själv var nöjd med sin formulering och ville smaka på den en gång till.

"Nu får du faktiskt lugna ner dej, Maffe. Det är BARN du tränar. De är här för att ha ROLIGT", sa Maria och spände ögonen i sin granne.

"Helvete heller! Dom är här för att ge Kronköpingsglina en rejäl omgång. Men för fan, på bollen då! Stå inte och sov! Ge dom jävlarna! Var är målvakten? Var fan är Biffen?" En mycket liten och mycket lycklig Kronköpingsspelare fick sin chans framför det alldeles tomma målet. Efter två tre missar fick han in en tåfjutt och bollen rullade över mållinjen. Jubel i publiken! Biffen stod femton meter bort i gräset med byxorna nere. Majonnäsen ömsom rodnade och ömsom bleknade av motstridiga känslor.

"Varför gjorde du så?" kved han alldeles förkrossad när grabben återvände till plan.

"Jag var pinknödig, fattar du väl!" Efter det målet lugnade

Majonnäsen ner sig något. Skammens rodnad brände länge på hans kinder. Maria såg det tydligt fastän skägget dolde det mesta. Inte ett ord kom över hans läppar. Inte ens när en liten knatte skrapade upp ena knät och hela matchen avstannade för att alla ville se på BLODET. Det tog sedan närmare fem minuter innan alla hittat tillbaka på rätt planhalva igen och intagit sina ursprungs-positioner. Emil syntes inte till överhuvudtaget. Maria hittade honom först efter en bra stund. Han satt ute på ängen i gräset och tittade på en fjäril som han följt efter.

"Fotboll är inte min grej", sa han.

"Kanske, kanske inte. Vi kan spela du och jag och pappa när vi kommer hem. I alla fall är det inte Majonnäsens grej. Det är då säkert!"

Krister stod och väntade på parkeringen utanför klubbstugan. Linda satt på hans axlar och fixade till hans frisyr med sina kletiga små nävar.

"Jag har packat matsäck så vi far direkt. Har du kartan du fick av Erika Lund i bilen?"

"I handskfacket."

"Vart ska vi? Ska vi bada?" sa Emil.

"Vi ska försöka hitta genom skogen till Sandåstrand. Stället som Gustav kallar för Trollets bro. Det var därifrån Gustavs duva, Arrak, flög när vi hjälpte dem på tävlingen, minns ni?"

"Va kul!" Emil hoppade runt i en cirkel på ett ben.

"Ja, fast det finns inga duvor där nu. Men det finns en badstrand med sand lika len som sockerkakssmet."

"Säg inte så där. Linda äter sand ändå, utan att du särskilt måste uppmana henne till det."

Vägen över skjutfältet genom skogen var slingrig och gropig. Linda blev bilsjuk och kräktes trots att de körde med bilrutorna nervevade. Mer än en gång fick de stanna och låta henne gå ur för att få luft.

"Vi kanske skulle ha stannat hemma och badat i Kronviken i stället", sa Maria missmodigt.

"Det är väl roligt att få se något nytt. Jag tänkte att du ville hålla dej därifrån för att få känna dej riktigt ledig." Krister log uppmuntrande och klappade Linda på kinden. "När vi kommer fram ska vi bygga hargångar i sanden."

Kartan var svårtydd och vägen genom skogen, som ibland bara var ett par hjulspår över gräs och småbuskar, förenade sig med andra små stigar mot okända mål. Vid ett tillfälle svängde de för tidigt vid en bäck och fick backa tillbaka ett långt stycke. Detta var inte en väg där man tänkt sig dubbelriktad trafik. Alla överraskningar i det slaget skulle definitivt varit dåliga. Linda ulkade i baksätet. Till slut öppnade sig skogen i en glänta med en äng ner mot havet. Där stod torpet och portalen med en flagad skylt, som berättade att detta en gång varit Gideons handelsträdgård.

"Titta pappa, det är en kulle nere på ängen, en sorts grotta nästan."

"Det är en bunker."

"Vad är en bunker?"

"Militären hade den att ta skydd i under kriget. Så de kunde se ut genom springorna och skjuta utan att bli träffade själva."

"Va fisigt. Jag vill klättra upp på den." Emil sprang så fort hans små korta ben bar honom och Linda tultade efter. De stannade en stund på stenbron och tittade fascinerat ner på det svarta vattnet som flöt ut mot havet. Emil slängde i en pinne. Vinden var ljum och full av dofter; pors och mynta, ängsblommor och salt tång. Milt smekte den gräset och lekte sig fram bland blåklockor och prästkragar på strandängen, som en skälvning i alarnas blad och i darrgräsets stänglar. Havet glittrade, som dolde det ett överflöd av ädelstenar, mångfacetterat och färgrikt i sin lätta krusning. Långt ut vid horisonten skymtade Kronholmen genom det lätta diset. Utsiktsklippan reste sig ur havet, mörk och mäktig.

"Jag älskar dej", viskade Krister med munnen i Marias hår.

"Jag älskar dej med", sa hon och lät handen följa kroppens konturer innanför hans skjorta längs med ryggen och ner över baken. Han böjde sig fram och kysste henne. Han kysste hennes hals och örsnibbar. De gled ner bakom ett enrissnår i vilda kyssars blindhet. Inte kände de gräsets gula strävhet eller fjorårsbarrens stickande nålar. Krister makade upp hennes kjol över höfterna, smekte de bruna låren. En kort sekund kämpade han innan lusten helt

tagit herravälde över förnuftet. Mumlande bad han sitt bättre jag
om absolution. Maria log retsamt och tryckte sig närmare honom.
Befriade honom från byxans stasande grepp. Varmt välkommen
sökte han sig in, oförmögen att tänka på eventuella konsekvenser.
På några blixtrande ögonblick var det över. Krister kysste flämtan-
de hennes panna och ögon.

"Var det så klokt det här?"

"Det vet man inte förrän efteråt, säkra perioder är ett lotteri.
Som tur är blir det inte vinst varje gång, men man kan aldrig veta."

"Det blir nog tvillingar", sa han med spelad dysterhet.

Tätt omslingrade gick de ner mot stranden. Emil stod högst
uppe på bunkern, stolt och glad som om det var Mount Everest
han bestigit.

"Man kan ha den här bunkern som ett fängelse. Du kan ha den
att låsa in bovarna i, mamma."

"Va bra", skrattade Maria.

"Fast man kan inte komma in för det sitter ett lås på dörren."

"Det är nog bara fångvaktaren som har nyckel."

"Ja, och han har redan låst in en bov", sa Emil och kikade in
mellan brädorna.

"Är det Dunderkarlsson eller Blom?" skojade Maria.

"Det är nog Blom", sa Emil och kikade in igen.

De gick ner till stranden och badade. Krister och Linda grävde
hargångar, långa gångar under sanden där händerna kunde mötas
som kaniner. Linda skrattade kluckande och kvillrande som bara
ett barn kan skratta, innan livet blivit för vuxet och komplicerat.

"Biffen kan släppa händerna från styret när han cyklar, och hans
pappa har ett gevär som är jättefarligt."

"Vad är det för bra med att släppa händerna från styret? Det har
man väl ingen större nytta av att kunna", tröstade Maria när hon
hörde ett stänk av mindervärde i sin sons röst.

"Och pappa vet du vad? Biffen har sagt något som är JÄTTE-
SNUSKIGT!"

"Va då?" sa Krister nyfiket. Det förvånar mej inte alls, tänkte
Maria.

"Säg att det inte är sant pappa. Du måste säga att det inte är
sant!"

"Va då?"

"Hur det blir bebisar. Det är JÄTTESNUSKIGT!"

"Maria hjälp!"

"Nej du. Klara dej själv nu. Jag tänker bada." Linda som kände spänningen i luften började skratta, gapskratta. Hon skrattade så benen vek sig och hon blev liggande i sanden som en sprattlande skalbagge på rygg och bara fnittrade. Ju mer besvärade Krister och Emil såg ut, desto mer flabbade hon.

"Säg att det inte är sant pappa! Så kan man väl inte göra? Så kan ni väl inte ha gjort?" Emils ögon stod fulla av misstro och anklagelse.

Maria klev i den långgrunda viken och fick gå en bit innan hon kunde börja simma. Vattnet var svalare längre ut. Håret, som en utspänd solfjäder, följde efter ryckvis för varje simtag. Undrar hur det känns att drunkna? Hur lång tid det tar att mista medvetandet. Rosmarie Haags bleka ansikte med de stora sorgsna ögonen fanns på Marias näthinna när hon slöt ögonen och dök mot botten. Ett par kraftiga simtag och så öppnade hon dem. En liten sandflundra sökte skydd i sjögräset. Tänk om man ångrar sig när det är för sent. När man inte orkar kämpa längre. Om meningen finns just där, på gränsen till döden. Maria simmade upp till ytan och hämtade luft. Instinktivt kände hon på sig att Rosmarie Haag var oskyldig. Men vad gav Storm för primitiva funktioner som instinkt, inte ett jota. Instinkt var till för lägre stående varelser som inte hade fått ett förstånd, menade han. Maria tyckte det var lika intelligent som att avstå från sin hörsel för att man även har syn. De måste få tag i Clarence Haag. Död eller levande. Någonstans måste han befinna sig. Och med honom fanns säkert svaret på mycket av det som inträffat i Kronviken den senaste tiden. Huttrande klev Maria upp ur vattnet och gick i den lätta motvinden upp på stranden för att svepa in sig i sin badrock.

"Min pappa har en påse med frön, bebisfrön", meddelade Emil när han balanserade ut på de runda stenarna vid strandkanten.

"Jag får gratulera", sa Maria och bugade artigt åt sin make som låg utvräkt på sin badrock som en strandad säl, med ett mycket underligt ansiktsuttryck. "Kom så ser vi om det finns jordgubbar. Erika sa att de hittat jordgubbar i gräset uppe vid torpet." Maria lät sitt långa plaskvåta hår glida över Kristers rygg och sälen kom på fötter. Barnen sprang genom det höga gräset. Då och då var de försvunna och så möttes de och sprang i nya cirklar. På ställen där solen kommit åt växte det jordgubbar, små och söta var de. Emil trädde upp sina på ett strå som snart släppte igenom de tunga bären. Alldeles invid resterna av ett uthus som fallit ihop och delvis multnat ner fann Maria flera klena exemplar av kryddväxter som kämpade om utrymmet med kvickrot, åkervinda och mållor. Citronmeliss och oregano kände hon genast igen. Lite mera tveksamt var det med en hundkexliknande växt med kryddig doft. Kanske kummin eller anis. Det finns många växter som liknar hundkex, en del giftiga som odört.

"Är det här ett spökhus?" undrade Emil och kisade mot Gideons torp.

"Det var en trädgårdsmästare som bodde i det här huset."

"Var är han nu?"

"Han är död, men hans hus står kvar. Han ville inte sälja det till någon så det bara finns för dem som vill vara här."

"Va snällt. Då är han ett trevligt spöke. Jag vill gå in och titta." Emil galopperade före och gnäggade som en häst.

Trappan upp till det gamla torpet var trasig och murken. De oklippta fruktträdens vilda grenar skuggade ingången med sitt bladverk. Stammarna var täckta med mossa och murgröna. Små kart, dockäpplen, satt glest på de många skotten. Alldeles invid husknuten slingrade violer på långa rankor upp mot ljuset tillsammans med bladlusangripna Pinocchiorosor. Stockrosorna reste sig majestätiskt mot söderväggen och överallt växte kvickrot och nässlor. Krister gick först och kände på ytterdörren. Den saknade lås och var haspad från utsidan. Säkert hade låset rostat ihop och ersatts av haspen för att inte blåsa sönder. Maria smålog åt barnens nyfikna ansikten. Man kunde riktigt se fantasins spindeltrådar klibba samman till ett nät. Krister måste ha känt detsamma och fått en obetvinglig lust att vara med i fabulerandet.

"Här i detta torp bodde en gång en sjörövare som hette Gideon

Wilhelm Järnfot." Linda flämtade till och stirrade som förhäxad på sin fars ansikte. "Hela sitt liv var han ute på de sju haven och rövade guld. Jag vet att han gömde sin skatt här i huset."

"Hur vet du det?" viskade Emil andäktigt.

"Jag hörde en fågel viska det. En förtrollad fågel i äppelträdet utanför."

"Jag hörde ingenting", viskade Linda. "Vad sa fågeln?"

"Att vi skulle leta i huset. Det var på vers. Jag tror det var på hexameter", sa Krister med en blick på Maria.

Det luktade instängt och lortigt. Under fönstren hade fuktrosor bildats i tapeten av kondensvatten. En påträngande muslukt steg upp från golvet och Maria befarade att de när som helst kunde stå öga mot öga med en fullsatt råttfälla.

"Gideon Järnfot kanske har grävt ner sin skatt på stranden?" föreslog hon.

"Nej då", sa Krister tvärsäkert. "Den skulle finnas här i huset."

En trasig brun spetsgardin hängde för fönstret i vardagsrummet. Fönsterbrädan var dammig och full av döda flugor. I den ljusgröna och fuktfläckade soffan låg en hoprullad sovsäck.

"Det ser ut som herr Sjörövare skaffat sig lite modernare utrustning." Maria pekade, men Krister hade redan lett sin expedition vidare in i köket.

"Tänk om Gideonspöket kommer och frågar vad vi gör i hans hus." Emil kastade en hastig blick på ytterdörren. "Han kanske låser in oss tills vi svälter ihjäl."

"Verkar inte vara så stor risk." Krister öppnade skafferidörren. "Här finns gott om konserver." En stor plastlåda med texten Andelsslakteriet, en såg av äldre modell och en rostig yxa låg på diskbänken, som var märkvärdigt ren i förhållande till sin omgivning. Alldeles blank!

"Krister, jag tycker att vi ska gå ut härifrån. Kommunen kan ju ha sålt stället till någon utan att Erika vet om det. Jag vill inte bli instämd för olaga intrång och hemfridsbrott."

"När jag tänker efter sa nog fågeln att han hade gömt skatten på stranden", sa Krister och följde blyertsstrecken på Erika Lunds karta med fingret. "Jo, det här måste betyda stranden." Emil rusade i förväg och Krister lyfte ner Linda från den murkna trappan för att hon inte skulle falla igenom. Maria var noga med att haspa på igen innan de lämnade huset. Hur förargligt skulle det inte ha varit att möta husets ägare öga mot öga i köket. Säkert skulle Krister ha kommit på något dräpande att säga, men det skulle ändå ha känts pinsamt.

Krister sprang som en älg över strandängen och nådde sanden före barnen. Han kastade sig över matsäckskorgen och började sedan gräva som en utsvulten hund i hargångarna.

"Här, här någonstans var det. Känn efter här, Linda och Emil, om ni sticker in handen från andra hållet."

"Jag har något", sa Emil och drog ut ett kexpaket ur jordens innandöme.

"Jag med", sa Linda och drog ut Kristers ena strumpa ur sin gång och gapskrattade.

"Det här var väl ingen skatt", sa Emil förtörnad.

"Det står Guld Marie på paketet, det kanske var sånt guld han lyckades komma över på de sju haven och det var tur, för kex kan man äta. Guld är lite hårt att bita i. Jag ska berätta för er om en kung som hette Midas. Han önskade sig en gång gåvan att allt han rörde vid skulle bli guld och vet ni vad som hände?"

"Han blev rik", sa Emil.

"Nej, han bad att få lämna tillbaka sin gåva. Han ville inte ha den. När han tog sin macka blev den stenhård och gick inte att äta. ALLT han tog i blev guld. Han skulle ha svultit ihjäl."

"'När ska den vite mannen lära sig att guld inte går att äta'", citerade Maria.

Linda grävde ner tårna i sanden och lekte att de kom upp som svampar. Krister slumrade till i solen och Maria ångrade att hon inte tagit akvarellfärgerna med sig. Det varma ljuset låg över strandängens prunkande färger och gav dem en ny mättnad och intensitet. Havet glimmade i grönt mot den gulvita sanden. Maria vände blicken upp mot den varmgröna granskogen och la märke till den smala djupa vik där bäckens vatten leddes ut i havet. Väl dold i vassruggar fanns en brygga. I bäckfåran kunde man säkert gå in med en båt, i alla fall med en liten jolle. En ekorre rusade över strandängen. Maria kom att tänka på Odd Molin, men motade bort tanken. I dag var hon ledig.

"Ska vi fara hem nu?" undrade Krister.

"Vi måste släppa ut boven först", sa Emil allvarligt och drog sin mor i ärmen.

"Nej, det är nog tryggast att han sitter där i natt så får fångvaktarn släppa ut honom i morgon. Kom nu e-mail", skrattade datanörden Krister och rufsade om sin son i håret.

"Jag ska säga det till honom så han vet", sa Emil och galopperade över gräset. Tanke och handling var ett. Tigern var på språng!

"Gick det bra", undrade Maria när de möttes igen på stenbron.

"Han bara ligger och sover. Han hör ju ingenting", sa Emil.

32

Hartman såg trött och grå ut när han kom från åklagarmyndigheten. Utan att hälsa på någon gick han in i sitt rum och stängde dörren. Maria gick fundersam in till sig och ringde några samtal. Hela tiden med en känsla av att saker inte var som de borde. Det stod inte rätt till med Hartman. Men han hade stängt dörren för att få vara ifred och det måste respekteras. Maria kontaktade åklagarmyndigheten för att få klartecken till en husrannsakan hos Odd Molin. Enligt Arvidsson hade Odd inte kommit till sitt möte klockan 14 i Stockholm. Den siste som sett honom under kvällen var Majonnäsen, av alla människor. Sedan Odd mer eller mindre blivit utkastad av Krister, när han försökte värdera familjen Werns fastighet i Kronviken, hade Majonnäsen följt honom ett stycke på väg för att förvissa sig om att han inte gick in till Jonna och satte griller i huvudet på henne. Det var inte läge för det just då. Längtansfullt hade Majonnäsen kikat in genom fönstret. Där satt Jonna och Biffen och åt hamburgare framför teven. Hennes syster var också där, den ödlelika skatan. Skulle systern sova över och underblåsa konflikten visste Majonnäsen med säkerhet att han inte skulle bli insläppt på hela natten. Odd hade dunkat honom i ryggen. "Det är sånt som händer, grabben. Om det blir så att ni ska sälja, kan jag ordna kunder. Ni ska inte behöva gå ekonomiskt lottlösa ur ett sådant hus." Majonnäsen hade hört honom mumla något om havsutsikt och tyskar. Sen hade ingen sett Odd. Ingen av de tillfrågade småbåtsägarna hade märkt när Odds båt la ut från hamnen mot Kronholmen på natten. Först på morgonen upptäckte man att båtplatsen var tom. Många hade uppmärksammat explosionen vid tvåtiden, en del hade sett ljusskenet när båten sprang i luften. Trots massiva insatser hade ingen kropp återfunnits. Varken hel eller i delar, som Arvidsson valde att uttrycka sig. Dykarna var i full gång där ute. Fortfarande var det osäkert vad som orsakat explosionen. Kanske kunde en husrannsakan ge någon ledtråd om det inträffade.

Maria hade talat med Odds sekreterare under förmiddagen. Kvinnan var alldeles uppriven. Mest över sin egen anställningstrygghet, som såg ut att vackla i grunden. Hon skulle infinna sig för förhör efter lunch. Maria hade bett henne kontrollera om något av de objekt som var till försäljning stod obebott. Det var en vild chansning att herrarna Clarence och Odd kunde befinna sig på en sådan plats. Men inte helt otrolig. Maria gick över med några ärenden till åklagarmyndigheten.

Blomsteraffären snett över gatan hade ställt ut stora lådor med petunior och lobelior. Hängiga och halvvissna, men till fyndpris. Violplantorna såg närmast döende ut och skulle säkert få sin nådastöt av sommarhettan som absorberades av den svarta asfalten där lådorna stod som på en jättelik stekhäll. I övrigt var utbudet av växter tunt. Maria motstod med en viljeansträngning att köpa en låda petunior och tog trappan upp till åklagare Stefan Bergs kontor.

Åklagare Berg var alltid strikt klädd i mörk kostym men i dag hade han lättat upp sin klädsel med en somrig slips i ljusgrönt. En minimal golfare i nederkant antydde ägarens stora passion i livet. Maria la fram sina ärenden men kände att åklagaren inte riktigt var närvarande, som om hans tankar befann sig på annan ort. Hållningen var en aning mer kylig och tillknäppt än vanligt. Glimten var borta. Inte för att åklagare Stefan Berg någonsin kunnat anklagas för att vara flamsig, sådana kontraster erbjöd inte hans personlighet. Han var korrekt och välartikulerad även privat. Men i dag var något på tok. Det kände Maria på sig. Precis som hon intuitivt visste att hon borde gå in och tala med Hartman.

Maria återgick till sitt rum och tog tag i ett ärende där den anklagade enligt uppgift hade tryckt upp egna böteslappar med sitt eget postgironummer och placerat ut på bilar lite var stans i stan,

där det rådde fri parkering. Uppfinningsrikt, men föga inkomst-
bringande då en av de första blanketterna hamnat på en vindruta
tillhörande vägverkets vice vd. Hela tiden med Hartman i tankar-
na knappade hon in anmälan på datorn. När han sedan inte visade
sig med de andra i fikarummet blev hon allvarligt oroad. Därför
gick hon in på sitt rum och ringde på snabben. "Vi fikar nu." Ing-
et svar. Försiktigt knackade hon på Hartmans dörr. Inte ett ljud
hördes. Objuden klev hon in. Vid skrivbordet med huvudet vilan-
de på armarna, i samma pose som man funnit gamle Jacob, låg
Hartman. Ögonblicket frös till is. Maria kände adrenalinets ström-
mar sticka ut i fingertopparna. Rösten ville inte lyda. Ett flämtan-
de läte var allt som kom över hennes läppar. Då rörde han lite på
sig. Vände på huvudet.

"Jag vill nog vara i fred", sa han med stor tveksamhet i rösten.

"Om du inte uttryckligen ber mej att gå så slår jag mej ner en
stund." Hartman bemödade sig om ett leende som mest av allt lik-
nade en grimas.

"Var så god. Slå dej ner du." Maria satte sig bredvid och sökte
Hartmans blick.

"Vad är det?" Tomas Hartman skakade sitt grålockiga huvud
och suckade tungt.

"Berätta för mej. Jag ser ju att något tynger dej. Vi arbetskam-
rater måste ju hålla ihop. Du har stöttat mej så många gånger, i
rättvisans namn är det min tur att lyssna nu. Vad är det som har
hänt?"

"Min dotter Lena..." Hartman gjorde en paus för att bli herre
över sin röst. "Min dotter sitter anhållen. Hon riskerar att få fäng-
else." En våg av ängslan slog emot Maria.

"Varför? Vad har hon gjort?"

"Hon vill inte tala med mej överhuvudtaget." Hartman knep
sig i kinden så huden vitnade. "Hon greps nu i morse med en
sprayburk i handen. Hon och hennes vänner var inne på Kronkö-
pings läder & skinn. De har färgat kläder för närmare 100 000 kro-
nor. Hon har också erkänt att hon var med ute hos den där mink-
farmaren. Vad han heter har jag glömt."

"Ivan Sirén."

"Just det, det var min dotter som sprayade ner hans vägg. Hon erkände det när det visade sig att Erika Lund tagit fingeravtryck på burken ni fann där ute under en buske."

"Skadegörelse och klotter, det kan bli en dyr historia, men inte får hon fängelse för det? Hon är väl inte ens fyllda arton?"

"Jo, hon är nitton år. Men det är inte skadegörelsen som oroar mej mest, även om det är illa. Det värsta är sprängningen av andelsslakteriets kontor vid nyår. Du minns det säkert."

"Ja, var hon med då?" sa Maria klentroget. Framför sig såg hon Hartmans Lena, som hon sett ut på Hartmans födelsedag, en intelligent och välanpassad ung dam med gott självförtroende och humor.

"Hon vägrar att uttala sig om det. Antingen är hon delaktig eller också skyddar hon sina kamrater. Jag befarar det värsta. Om hon är delaktig anses det som mordbrand. Då räcker det inte med skyddstillsyn och samhällstjänst. Det enda jag vet med säkerhet är att det inte var hon som gillrade rävsaxen. Det sa hon. Och jag tror att hon talar sanning. Hon har aldrig ljugit för mej. De här aktionerna handlar om moral. Ett avståndstagande till den kultur vi lever i. Jag borde ha lyssnat på henne och tagit hennes åsikter på allvar när jag hade chansen att diskutera med henne. Jag borde nog inte ha kommit till arbetet idag. Det blir inte mycket gjort", sa Hartman och reste sig beslutsamt upp ur stolen. Maria gav honom en vänskaplig kram.

"Tack för att du berättade det för mej."

I detsamma öppnades dörren utan föregående knackning.

"Oj då, oj då! Lammkött smakar inte kofta. Skäms på dej, Hartman!" Storm log stort och brett, ett av sina ytterst sällsynta helljusleenden, och slätade till sitt redan platta hår med handflatan i små fåniga rörelser.

Vreden rusade röd i Marias ådror. På en sekund hade hon stängt dörren bakom Storm och tryckt på knappen för upptaget. En häpen Ragnarsson-Storm fann sig plötsligt nedknuffad i besöksstolen.

"Genom sig själv känner man andra. Hartman har vad kvinna han behöver där hemma och söker inte kompensation på sin arbetsplats, som en del andra medelålders män här i huset. Om du inte vore en sån känslomässig dvärg skulle du kunna förstå vad

196

kamratskap och vanlig vänlighet innebär!"

Storm såg alldeles chockad ut där han satt nedtryckt och dubbelvikt i fåtöljen. Var hade den lilla polisassistenten tagit vägen? Tog hon sig ton nu när hon blivit befordrad till kriminalinspektör? Inte var det som förr när man skulle förtjäna sin befordran. Nu för tiden kunde då vem som helst bli kriminalinspektör. Tio år i tjänsten och så tog de sig ton.

"Min dotter sitter anhållen. Jag är inte riktigt i slag just nu", förklarade Hartman.

Storms stenansikte vacklade lite innan han återfick sin normala fysionomi. Han rätade upp sig i stolen och såg Maria försvinna ut genom dörren.

"Vadå dvärg? Vad menar hon med att säga att jag är en dvärg? Jag är väl inte kortare än Ek till exempel. Kan du förstå det Hartman? Kan man förstå kvinnor överhuvudtaget? Nog var det bättre när en karl var en karl och en polisman var en man?!" muttrade han och lämnade rummet utan att kommentera sin kollegas olycka.

Odd Molins sekreterare var av det reptilsnabba slaget som kvickt biter av en diskussion och får folk att komma till sak. En utmärkt sekreterare och vakthund för en man som vill vara ifred. Definitivt inte älskarinnetypen. Snarare en helkonserv som surnat i sitt eget spad. Det var för Maria en gåta hur en så liten människa kunde ha en så vanvettig armsvett. Kvinnans personliga doft blev kvar i tapeten långt efter det att hon lämnat rummet. Orden blev också kvar som vore de fastnitade med häftpistol. Haags fastighetsbyrå var tömd på likvida medel. Helt rensad! Clarence var försvunnen. Odd hade också han gått upp i rök, men det märkligaste av allt var ringen, Odds ring, som skramlade ner på skrivbordet.

"Om något hände Odd skulle jag gå med den här till polisen. Det sa han innan vi skildes åt i går kväll. Han knarkarn, som drunknade, hade en ring i magen, sa Odd."

"Hur hade han fått den uppgiften? Vet du det?"

"Det var väl någon av hans flammor, Erika, tror jag att hon hette. Odd sa att han skulle söka upp polisen och säga som det var. Jag vet inte vad han kan ha menat med det. Han ville tala med dej, sa han."

"Och nu är firmans konton tömda?"

"Jag började ana oråd redan i förrgår. När Clarence försvann upptäckte jag att han tagit ut en större summa pengar. Sedan måste Odd ha tömt kontot på resten i går. Jag har inget att betala med! Firman är konkursmässig och jag står snart utan arbete. Jag har arbetat för den här fastighetsbyrån i hela mitt liv! Vem anställer en 55-årig kvinna i dag?" Plötsligt brast hon i gråt. Maria tyckte att det såg ut som gråt. Men det kom inga tårar.

"De kanske är döda båda två! Vem ska jag då få arbete hos?"

"Vem äger firman om Odd och Clarence inte längre skulle vara i livet?" undrade Maria samtidigt som hon nästan kunde gissa sig till svaret.

"Frun, Rosmarie Haag. Som det är skrivet går Odd Molins del också till henne. Han har inga släktingar i livet."

"Men firman är helt konkursmässig, säger du?"

"Ja, det var därför jag inte hörde av mej redan i går kväll. Jag fick besked om att kontot var övertrasserat och trodde att det var ett misstag. Jag har räknat hela natten. När jag sedan inte fick tag i Odd tänkte jag att det var riktigt allvarligt. Det var då jag kom på att han tänkt att gå till polisen, och just då ringde ni."

"Har du kontrollerat om det finns några obebodda fastigheter i ert utbud?"

"Ja, det har jag. Alla objekt är bebodda för närvarande."

33

Arvidsson och Himberg hade åter gjort ett besök på Videvägen, denna gång inte på jakt efter inköpare av eter utan för att om möjligt höra några av Mårten Normans medmissbrukare. Inte vänner, som Per Trägen påpekat när Norman vid ett tidigare tillfälle hämtats till förhör. "Horsare är blåsare", de har inga andra lojaliteter än sin drog.

"Han rökte brunt oraffinerat heroin nu sista året", berättade Arvidsson. "Mårten Norman passade sig för sprutor. För att finansiera sitt missbruk langade han."

"Det fanstyget har börjat breda ut sig till och med i Kronköping. Det är sådana jävlar, som Mårten Norman, som söker upp skolungarna och drar ner dem i skiten. Man törs fan inte skicka ungarna till skolan snart! De tror att de är vuxna när de sitter där med sitt foliepapper och eldar. Rökheroin är på stark ingång. Enligt EU:s narkotikapolis är tillgången på heroin större än någonsin. Jag kan inte tycka att det är annat än en välgärning att dräpa en langare!" Himberg slog näven i bordet så kaffemuggarna skallrade.

"Om de redan nått så långt i sitt missbruk har de egentligen inget val. Det är de stora spelarna, som går över lik för att tjäna pengar utan att själva sitta fast i ett missbruk, som man skulle vilja klämma åt", sa Hartman. En rysning gick genom hans kropp när han tänkte på sin dotter och vilka bekantskaper hon skulle kunna få i fängelset.

"Var kommer skiten ifrån? Sydostasien?"

"Ja, tidigare kom den från Gyllene triangeln i Sydostasien. Nu är det andra regioner som gör sig gällande. Gyllene halvmånen genom Iran, Afganistan och Pakistan kommer starkt och Latinamerika inte minst," upplyste Arvidsson.

"Fick ni ur dem något mer än att Norman gick på heroin? Visste de om han hade någon koppling till Odd Molin? Molin förnekade ju det."

"Jag ska säga dej att det var inte helt lätt att kommunicera med dem. Per Trägen låg redlöst berusad på vardagsrumsgolvet medan hans sambo ogenerat kopulerade med en av familjens bekanta i soffan bredvid i syfte att komma i åtnjutande av en flaska rödtjut."

"Kopulerade?" undrade Maria, och Arvidsson som rapporterat på kanslisvenska för att överhuvudtaget kunna bemästra sin blygsel, rodnade ända ner på halsen. Himberg fann situationen obeskrivligt lustig.

"De parade sig", sa han med ett stort flin. "De andra var höga som hus. Vi plockade in ett par av dem till förhör. Bland andra Per Trägen. Han brukar vilja få det undanstökat om han får skjuts. Ibland kan han vara riktigt vettig. Jag var nere hos honom för en stund sedan, då trodde han att Arvidsson var Robert Redford, så vi får nog vänta ett tag till. Troligen har han också rökt heroin. Han sitter där nere och kliar skinnet av sig som en apa med löss."

Odd Molins lägenhet låg på stans gräddhylla med utsikt över ån, alldeles intill Parken. Maria Wern och Erika Lund hade valt att ta bussen och promenera sista biten. Svalkan efter morgonens störtskur hade inte varat länge. Sedan ett par timmar strålade solen från klarblå himmel. Tanken på att sätta sig i en kokhet bil var inte lockande alls. Kollektivtrafiken var förhoppningsvis ett luftigare alternativ. Trodde de, tills det visade sig att den halvfulla bussen inte erbjöd några platser på skuggsidan. Bussens galonklädsel brände när de slog sig ner. I stolsryggen framför hade någon dragit en djup repa med kniv och skrivit diverse könsord. Ovanför bussens främsta säte, alldeles bakom chauffören, hade någon person med ohämmad kreativitet gjort om förbjudet-att-äta-glasskylten till en fallossymbol. Erika Lund var fortfarande vrång på Maria för att hon krävt att Hartman skulle få ta del av den olämpliga information Erika delat med sig av till Odd Molin. Att inte känna till alla fakta skulle kunna försvåra utredningen. Det var viktigt att

Odd känt till Mårten Normans ring, innan han lämnade in sin egen. Det begrep Erika, men hon tyckte att det var pinsamt. Maria å sin sida var förbryllad. Erika var en mycket skicklig och noggrann tekniker. Sitt arbete brukade hon ta på största allvar.

"Säger du det inte själv så måste jag göra det." Maria hade inte gett sig en tum på den punkten och till sist hade Erika fått krypa till korset. Hartman var tacksam att han hade fått veta sanningen och ställde inte till med något rabalder. Ändå var Erika purken. Trevligare hade de haft än denna eftermiddag när de skumpade på stadsbussen mot ån. De klev av vid storbron och vandrade utmed vattnet. Längs sluttningen låg lediga och semestrande människor och solade i små familjära flockar. En och annan lyckligt lottad varelse hade en bok uppslagen, utan att bli antastad av några ungar. Ett gäng flickor i gymnasieåldern solade topplöss.

"Passa på ni. Snart kommer taxöronens tid", muttrade Erika.

"Hur gick det med golfrundan? Har du träffat din före detta man ännu?" Erika ryckte på axlarna och såg plötsligt mycket osäker ut.

"Jag vet inte om det blir något av. Han har inte hört av sej."

"Har du hört av dej? Det var faktiskt du som hade förhinder."

"Jag törs inte. Tänk om HON är där eller om han inte alls vill träffa mej. Jag känner mej svettig och nervös som en tonåring. Du tror väl inte att det är möjligt. Men precis så känns det när man är femtio år och förälskad. Man blir inte ett dugg mognare och klokare med åren. Han kommer att tycka att jag blivit gammal och ful. Om han kunde överge mej när jag var yngre och vackrare så tycker han nog inte att jag är särskilt attraktiv nu heller."

"Eller också är det inte alls det, som det handlar om. Han kanske längtar efter dej som person. Längtar efter det som ni hade tillsammans, den han var när han var med dej."

"Det var en vacker saga."

"Det där med Odd, vad var det då?"

"Ett sätt att stärka jaget, kanske. Ett ömsesidigt utnyttjande. Jag behövde få lite uppskattning och mod inför den verkliga utmaningen. Han behövde ytterligare bekräftelse på att han är Guds gåva till kvinnan. Jag känner inga samvetsförebråelser, om du tror det."

"Du är duktig på att segla. Jag trodde att vi skulle drunkna allihop."

"Är man uppvuxen här vid kusten, så är man. Dessutom drunknar man inte automatiskt för att man hamnar i vattnet."

"Jo, om man blir så sjösjuk så man vill dö. Jag tänkte faktiskt ta flytvästen av hunden. Använder du aldrig flytväst?"

"Jag räknar med att jag flyter på hullet."

"Sluta att vara så kroppsfixerad. Går du med håven och vill att jag ska säga att du är mager som en gräsallergisk bergsget?"

"Ja, tack. Hemskt gärna, men det satt hårt åt. Hörde du att de hittat rester av sprängämnen där ute."

"Nej."

"Teorin om gasläcka kan nog uteslutas. Explosionen var väl förberedd. Rester av sprängdeg och pentylstubin har påträffats. Laddningen var kopplad till ett tidur. Absolut ingen olyckshändelse. Jag tycker det är fruktansvärt. Ska det analyseras likdelar efter Odd Molin ställer jag inte upp. Jag klarar det inte! Där går gränsen för mej."

"Det kan du inte behöva göra. Om Odd skulle vara vid liv kan han då få ut något på en försäkring utomlands, tror du?"

"Inte utan att vi får möjlighet att plocka in honom för förhör. Han hade visst något han ville berätta för dej, sa hans sekreterare. Vad kan det ha varit?"

Så stod de då framför den nyrenoverade fasaden till Odd Molins bostad. En lägenhet på tredje våningen med stor bred balkong och parabolantenn. Trappuppgången var välstädad och doftade lätt av citron. På en av dörrarna i körsbärsträ fanns en mässingsskylt med texten Odd Molin i svart. De steg in i den rymliga hallen efter att ha blivit insläppta av bostadsrättsföreningens ordförande i egen hög person. Alla inredningsdetaljer i Odd Molins lägenhet var påkostade och båtmässiga, alltifrån köksbordet i mahogny, barometern och skeppsklockan i mässing till lanternorna som dolde högtalarna ovanför stereon. Den oxblodsfärgade skinnmöbeln i vardagsrummet matchades av en exklusiv handknuten matta och teven med tillbehör var säkert det senaste och dyraste i sitt slag. Erika drog handen över bokhyllan och visslade.

"Du kommer inte att tro det!"

"Vadå?"

"Se på böckerna, det är bokattrapper!" Erika lyfte ut en sektion om sex bokryggar. Hela vägen var det likadant, utom högst upp till höger där boktitlarna handlade om segling. Svenska kryssarklubbens matrikel fanns med sedan 1982.

Maria gick vidare in i sovrummet med den imponerande sängen, givetvis byggd som en koj i mahogny. Träet blänkte i eftermiddagssolen som sken in genom den runda fönstergluggen. Maria gick fram till fönstret och såg ut på balkongen som prunkade av engelska pelargonior i amplar. Erika drog på sig handskar och började systematiskt att gräva igenom smutstvätten i tvättkorgen. Så gav hon till ett förtjust litet rop.

"Han har ingen fantasi, ingen fantasi alls! Det finns inget annat ställe utom möjligen under madrassen, som det är så vanligt att gömma sina pengar på." Erika visade sedelbunten som låg inrullad i ett par svarta kalsonger.

"Hur mycket är det?"

"Ett par årslöner för dej. Om vi inte berättar för någon att vi hittat dem skulle vi kunna ge oss ut på en längre kryssning eller kosta på en helrenovering hos en plastikkirurg eller varför inte bada i champagne."

"Det perfekta brottet. Ingen saknar pengarna. Det är tur att vi är två", sa Maria med en grimas.

"Och vad har vi här då?" Erika drog upp en grå fyrkantig strumpa. "Här har vi passet. Jag hade faktiskt väntat mej mera uppfinningsrikedom av en man som Odd."

"Hartman brukar säga att man blir dum av stress. Odd kanske hade bråttom. Här har vi en lågprisröja med ett påsytt La Costemärke. Varför gör han så?"

Maria lät blicken vandra över vardagsrummet igen. Ovanför soffgruppen hängde en stor tavla, i träram med mässingsbeslag, föreställande den vidunderligt vackra Viktoria som gått till sällare fiskevatten.

"Jag har svårt att tänka mej att Odd själv sprängde sin båt. Det skulle han aldrig klarat av att göra. Du såg hur han led av varje liten repa. Det var nog den mest fernissade båten i hela Kronviken."

"Håller med dej. Jag tänkte på taxen. Visst är det konstigt att den klarade sig?"

"Med den kraftiga explosionen kan den knappast ha varit i närheten av båten. Hunden var helt oskadd."

Systematiskt gick Erika igenom lådor och skåp, kröp runt på golvet och kände på heltäckningsmattan i sovrummet. Hon lyfte upp en bit som låg lös under dubbelsängen.

"Du gör mej besviken, Odd."

"Vad har du hittat?"

"Herrtidningar, för att inte rent ut säga pornografiska tidskrifter, som det kommer att stå i rapporten, och ett foto av Rosmarie Haag i bikini."

"Det ser ut att vara taget för länge sedan. Färgen börjar ge sig. Så vacker hon var."

"Barnrumpa!" replikerade Erika och granskade fotot.

"Så måste hon ha sett ut när hennes älskare for till Cypern. Om hon var gravid när fotot togs så syns det inte", sa Maria.

"Vem var det? Hennes älskare, menar jag?"

"Vet inte. I alla fall var det inte Clarence."

"Så han har anledning att vara retroaktivt svartsjuk då?"

"Kanske det."

"Vad tror du, har Rosmarie dödat Clarence?"

"Förgiftat Mårten Norman och sprängt Odd Molins båt, för att inte tala om yxmordet på gamle Jacob. Nej, jag kan inte tro det. Hon verkar inte ha den styrkan, inte det hat som krävs för att göra något sådant. Hon är alldeles för vek och kuvad. Har hon dräpt Clarence är det nog just precis dråp det handlar om. Jag tror hon skulle vara typen som själv ringer och berättar för polisen vad hon har gjort. Men säg det till Storm får du se. Han är helt inriktad på Rosmarie. Möjligen kan han tänka sej att hon haft en medhjälpare."

"Eller också spelar hon teater och gör det mycket skickligt", sa Erika och såg forskande på den unga leende damen på fotografiet. Maria betraktade tavlan som dominerade rummet igen.

"Har du ett förstoringsglas, Erika?"

"Visst, allt ni önskar, Sherlock Holmes." Erika rotade runt i sin väska och överräckte förstoringsglaset till Maria som ställde sig i soffan och kröp inpå tavlan.

"Se här, se Erika!" Erika klev också upp i soffan, men lämnade skorna på golvet, väluppfostrad som hon var.

"Vem är det?"

"Det är Egil Hägg. Han är rörmokare och har en son som heter Gustav. De har en fiskebåt i Kronviken."

"Vad är det med det?" undrade Erika.

"Det var bara en överraskning att se någon man känner igen. Lite konstigt."

"Det är väl inte så konstigt om de seglat ihop någon gång, om båda håller till i Kronviken."

"Nej, kanske inte. Det kunde lika gärna ha varit du eller jag på fotot. Vi har ju också seglat med Odd. Det ska jag inte glömma så länge jag lever", sa Maria med eftertryck.

"Vart tror du att Odd tänkte ta vägen med sina pengar och sitt pass?"

"Den stora frågan är väl var han befinner sig just nu, utan pengar eller pass."

"Vi kan inte ta någonting för givet vad det gäller de här herrarna. De kan lika gärna vara på okänd ort tillsammans, som avlidna."

Maria lät förstoringsglaset dala och klev ur soffan. Erikas överdrivna glättighet förvånade henne. Den skorrade falskt i sitt sammanhang. Kanske var den en nödvändighet för att behålla fattningen. Lite skamsen tittade Maria på de dammiga märken hon åstadkommit i Odds blänkande skinnsoffa med sina nötta pumps. Det var nästan så hon kunde höra Odds röst: "Av med skorna för helvete. På MITT däck går ni barfota!"

34

Maria Wern satt mittemot Per Trägen i förhörsrummet. Mannen var i ett bedrövligt skick. Hartman hade bänkat sig på skrivbordet vid bandspelaren. Möbleringen av förhörsrummet var egentligen inte särskilt genomtänkt. Besöksstolen var närmast dörren och blockerade nästan utgången. Skulle den som kallats till förhör löpa amok kunde man bli instängd utan flyktmöjlighet. Stora starka karlar kanske inte tänkte på den möjligheten, men Maria hade mer än en gång känt sig trängd. Åtminstone borde man investera i en larmknapp. Storm pikade henne ofta för att hon såg faror överallt. Maria hade kontrat med att det krävs fantasi och inlevelseförmåga för att förebygga risker. Att arbeta smart är att vara steget före. Ett typexempel på bristande fantasi var den nya skyddsutrustningen som Storm beställt, där skyddsvästarna på intet sätt tog hänsyn till de kvinnliga formerna och var alldeles för stora för den som bara är en och sextio i strumplästen. Den väst Maria provat hade gott och väl täckt näsan. Antagligen lever människor med fantasi längre, fast tillbakalutade optimister har ett behagligare liv. Det ansåg i alla fall Ek.

Per Trägen rev sig på låren och armarna och ruskade till i hela kroppen av obehag när han blev tilltalad. Pupillerna var fortfarande små som knappnålshuvuden.

"Du kände alltså Mårten Norman. Han har tidigare hämtats till förhör då han befunnit sig i din lägenhet."

"Ja, det kanske han har", sa Per irriterad.

"Känner du igen den här mannen?" Per Trägen nickade åt Clarence Haags bild som landade framför honom på bordet.

"Det är Mårtens arvtant."

"Vill du utveckla det lite?"

"Mårten hade en hake på fastighetsmäklaren. Han avslöjade aldrig vad det var, fast det var en och annan som försökte få honom att sjunga."

"Vet du om Mårten fick pengar på något annat sätt?"

"Som alla andra. Han langade väl, inbrott? Men det har han väl redan suttit inne för?"

"Vet du om han kände sig hotad av någon?"

"Han talade ibland om Lejonriddaren. Han var rädd för Lejonriddaren. Utom när han var påtänd, då var de vänner."

"Fick han pengar av Lejonriddaren, tror du?"

"Nej, det sa han inte."

"Hur vet du att han var rädd? Vad sa han?"

"Jag minns inte så noga." Per rev sig på kinden med sina långa naglar, så det blev röda blodstrimmor. Maria tänkte på HIV och gulsot. "Han sa att Lejonriddaren skulle döda honom. Han skulle glida över himlen i en rymdfarkost med sina lejon och förinta människorna i ett radioaktivt sken. Sen skulle han och hans bestar tugga i sig de döda med sina järntänder. Han blev vettskrämd av sina hallisar."

"Jag förstår det. Talade han om Lejonriddaren också när han inte hallucinerade?"

"Vet inte så noga. Det var nog mest månsnack. Får man gå på toaletten?"

"Strax."

"Hade Mårten Norman några fiender? Någon annan som ville åt honom? Var han skyldig pengar?"

"Av och till. Men det löste sig alltid. Jag vet inte hur han gjorde. Om han blåste någon annan än Clarence och sin morsa vet jag inte. Hon kanske var tät. Får jag gå och pinka?!"

"Vi gör ett avbrott och fortsätter om cirka tio minuter."

Storm skruvade på sig i stolen. Uppmärksamheten var riktad åt hans håll. Dröjande tog han en klunk kaffe, grimaserade ogillande och såg sig omkring i konferensrummet.

"Vem vill börja?" Hartman gned sig över hakan så skäggstubben rasslade.

"Förhöret med Per Trägen gav inget säkert. Vi har släppt honom. Det han kunde berätta var att Mårten var rädd att någon som kallas Lejonriddaren skulle döda honom. Vilken förankring det har i verkligheten vet vi inte. Mårten hade sina hallucinationer."

"Jag tror att någon av riddarna vid kung Arturs hov kallades Lejonriddaren", menade Arvidsson. "Han gjorde stordåd med hjälp av lejon. Det låter som ett bra stoff till en hallucination." Erika drog handen genom sitt mörka lockiga hår och ställde ifrån sig kaffemuggen.

"Det sprängämne som hittades vid vraket av Viktoria kan sättas i samband med en stöld ur ett vapenförråd för fyra månader sedan, möjligen. Man kan också tänka sig att det försvunnit från någon byggarbetsplats. Jag läste nyligen ett reportage där man räknat ut att i genomsnitt 20 kilo sprängämne kan försvinna från ett större bygge innan polisen kontaktas. Man räknar alltså med ett svinn. Det är inte alltid dynamiten blir inlåst i sprängkistan när man går hem för kvällen. Barackerna har dåliga lås. Det är inget större problem att skaffa sig sprängmedel om man har kontakter i branschen. Vi har också fått svar på en del prover. Den substans Wern tog ur en plåtburk vid en eldstad på Kronholmen är analyserad. Vad sägs om öl och odört? Inte kokt som en brygd utan blandat kall öl och växtdelar. Sväljs bladen hela smakar det kanske inte lika illa. Mårten Norman kan ha intagit drogen frivilligt, det vet vi inte. Var han i desperat behov av ett rus kanske han var villig att prova något nytt. Frågan kvarstår dock, hur han hamnade i vattnet efter sin död och varför han svalt en ring. Vi har också gjort ett heroinbeslag på 1,2 kg. Gissa var? I taxens flytväst. Med stor säkerhet är Odd husse även till den varan."

"Har du något nytt att säga om fingeravtrycken på familjen Haags fönsterbleck?"

"Nej, inget. Konrads fingeravtryck finns med och Rosmaries. Det tredje avtrycket har vi inte kunnat identifiera. Konrad berättade ju att han ställt tillbaka stolen eftersom det såg slarvigt ut att ha den stående under fönstret. Medan vi talar om fingeravtryck kan jag också meddela att yxan endast hade Jacobs egna fingeravtryck. Hårstrån och blod överensstämmer också med Jacob Enman. Vad gäller blodet på bron, så var det djurblod. Det är väl allt jag har att tillägga."

"Jag har talat med dykarna. Man tror att det kan ta tid att få upp Odd Molins kropp, om den alls finns där ute. Vattnet är väldigt strömt", menade Hartman.

"Och någon dam i röd Renault har inte hört av sig?" undrade Storm och snurrade teskeden framför sig på bordet. Maria sökte i hans ansikte och fann en glimt av triumf.

"Nej, inget nytt på den fronten", medgav Ek.

"Undrar om hon inte haft hjälp av gubben i alla fall?" Storm gnodde sin grovporiga näsa mot handflatan och nös kraftigt. "Konrad kanske till och med var den som tittade in genom sovrumsfönstret?"

"Konrad Hultgren är svårt hjärtsjuk. Jag kan inte tro att han skulle ha orkat med de här morden rent fysiskt. Han kan knappast heller ha varit kepsmannen utan att bli igenkänd av Clarence", menade Maria.

"Hur vet vi att han är hjärtsjuk? Har vi upplysningsvis hört hans läkare? Eller har Wern någon sjukvårdsutbildning vi andra svävar i okunnighet om?"

"Nej, men det var ganska uppenbart även för en amatör. Han tog nitroglycerintabletter. När han skulle gå en kortare sträcka blev han blå om munnen."

"Du tyckte att han blev blå om munnen. Det kan givetvis ha berott på dina egna förväntningar när han stoppade i sig piller, eller hur?" Storm tog på sig den sötsura min han alltid hade när han kritiserade Marias arbete.

"Visst vi kan upplysningsvis höra hans läkare om du tvivlar", sa Maria generöst. "Men det är slöseri med tid", mumlade hon till Erika.

"Var befann sej Konrad natten då morden begicks?"

"Han var och hälsade på sin syster i stan. Han sov över där. Det bekräftar både systern och hennes väninna i samma trappuppgång. Natten då Odd Molins båt sprängdes sov han enligt Rosmarie i familjen Haags kökssoffa." Ek lutade sig fram och bläddrade i sitt block. "Han sticker inte under stol med sitt agg till svärsonen. Vill man leta långt ut i periferin kan man till och med tänka sej att Konrad lejt någon. Vad kostar ett mord i dagens läge? Om han betalat ut någon större summa har han haft den i madrassen.

Det finns inga konstigheter på hans konton."

"Vad säger Rosmarie?" Storm snöt sig kraftigt i en lindrigt ren näsduk. Han såg inte alldeles kry ut. Ögonen var trötta och blanka.

"Hon hävdar som tidigare att hon är oskyldig. Hon har tilldelats en advokat här under förmiddagen. Om hon fick skjuts av den äldre damen kan hon ha varit hemma vid 23-tiden på mordkvällen. Hon kan redogöra för 23-nyheterna, samma kväll. Clarence och Odd kom i hamn vid 23.30. Det intygar flera vittnen i småbåtshamnen. Clarence bör alltså ha hunnit hem till midnatt. Två vittnen säger att han direkt efter att de kommit i land tog sin blå BMW och körde i riktning mot örtagården. Att Rosmarie var hemma, när Clarence kom hem, har vi bara hennes eget ord på. Men vi kan ju fundera över motsatsen. Vad hade Clarence gjort om hon inte legat i sin säng? Hade han då inte rivit upp himmel och jord? Kontaktat Konrad i stan, ringt tänkbara och otänkbara väninnor, slagit larm till polisen eller kanske till och med farit hem till Odd? Allt tyder på att de båda var hemma under mordnatten."

"Såvida de inte mördade Mårten och Jacob tillsammans?" snörvlade Storm och försvann i en attack av nysningar. "Det kanske var Clarences idé? Förmoda att Rosmarie var medbrottsling, mer rädd för sin make än för rättvisans gång?"

"Då återkommer vi till ursprungsfrågan: Var är Clarence Haag?" Hartman hällde upp mera kaffe i sin mugg och räckte över kannan till Ek. Magen protesterade ljudligt när den frätande vätskan rann ner för hans strupe. Någon lunch hade Hartman inte hunnit med och det gjorde honom lättirriterad och vresig.

35

Krister hade under högljudda protester hämtat barnen på dagis då Maria låtit meddela att hon var tvungen att arbeta över. När hon sedan kom hem efter nio på kvällen satt svärmor i soffan och broderade på en korsstygnstavla med en älg i månljus. Om axlarna hade hon Ivans fleecejacka, som Krister glömt att lämna tillbaka.

"Krister är hos Manfred. Han hjälper honom med flytten."

"Ska Majonnäsen flytta? Är det sant?"

"Jaa, han ska flytta till en lägenhet i stan. De tänker sälja huset. Pojken ska bo hos sin mor. Stackars Manfred, han är alldeles över sig given. Frun är hos sin syster medan Manfred packar sina saker. Pojken är visst bara hennes, sägs det. Vad ska det bli av Manfred? Frun hade visst ordnat en lägenhet åt honom på Grönsångargatan, det sa han. Joho då! Hon måste alltså ha planerat det länge, det otäcka stycket. Minsann!" Maria funderade på vad Ek skulle komma att tycka om sin nye granne, Majonnäsen. Vem vet om de skulle komma att hamna vägg i vägg.

"Gå du över en stund om du vill. Jag stannar här tills klockan tio, då kommer Astrid och hämtar mej." Gudrun återtog sitt arbete med älgens högerskånk och Maria tog en titt in i barnkammaren. Hon strök Linda över håret och stoppade om Emil som sparkat av sig täcket, innan hon gick ut i månskenet på stigen som ledde till Majonnäsens stuga. Stackars man, säkert var han odräglig att leva med men det var Jonna också, misstänkte Maria.

"Jag skulle ta de saker jag behövde. Egentligen behöver jag inget annat än Jonna och Biffen. Va fan ska man med alla prylar till?"

snörvlade Majonnäsen. "Säg att hon kommer tillbaka, Krister."

"En säng och ett par kastruller behöver du i alla fall."

"Var det bilarna ni blev osams om?" undrade Maria och kände sig på något vis skyldig till den olycka hon såg, även om det föll på sin orimlighet att hon skulle behöva hysa skrotbilar i sin trädgård för att rädda grannarnas äktenskap.

"Nej, hon har träffat en annan. En snubbe som kan ge henne allt hon pekar på. En blek liten revisorskit med glasögon. Som jag garvade när jag fick se han. Fan vilken mes! Hon får väl bädda åt han i strumplådan så han inte kommer bort. Men hon menar tydligen allvar. Hon tänker ta grabben med sej och flytta dit."

Krister bar ut den sista kartongen och spände kapellet över släpkärran. Maria kände tydligt att detta inte var rätta stunden att fråga Majonnäsen om han hade några fotografier sedan Cyperntiden. Men i förbifarten ställde hon ändå en fråga:

"Hur många var ni härifrån som for till Cypern?"

Majonnäsen såg förvånad ut. Tankarna hade lång väg att färdas. Han tänkte så det knakade.

"Det var Clarence, Odd, Mårten, Lejonriddaren och jag. Vi skämtade om att vi var riddarna vid kung Arturs hov. Man höjde sin lans för damerna." Majonnäsen visade med en väl så tydlig gest.

"Lejonriddaren?"

"Jag kommer inte ihåg vad han hette, just nu. Vi kallade han för Lejonriddaren. Trevlig kille!"

"Han muckade inte med de andra, va?"

"Nej, jag vet inte vart han tog vägen. Jag tror att han fick sitta inne för narkotikabrott. I Turkiet! Det sa en kille jag träffade på Engelen. Men det är länge sedan nu. Varför undrar du det?"

"Nyfiken bara."

"Jag orkar inte prata om det nu." Majonnäsens ansikte hängde, som på en blodhund. "Fan vad jag mår dåligt!"

"Det förstår jag. Har du tid i morgon kväll så tittar jag förbi en stund."

"All tid i världen, antagligen." Majonnäsen lufsade in och satte sig i bilen. Krister svängde ut på grusplanen och snart syntes de inte mer.

"Nu kommer nog Astrid." Gudrun Wern höll undan spetsgardinen och lutade sig över paraplyaralian i fönstret. Maria kastade också en blick genom fönstret och fick se en röd Renault svänga upp mot huset. Hon avbröt sitt arbete med morgondagens matlåda, torkade av sina våta händer på byxbaken och mötte kvinnan i hallen. Kort grått hår och en röd bomullsjacka hade hon, precis som den dam Rosmarie beskrivit. Maria kände hur blodet rusade till ansiktet. Ivrigt erbjöd hon en klädgalge och visade sedan in kvinnan i vardagsrummet.

"Har du möjligen tagit upp en rödhårig kvinna i din bil vid fiskeläget, söndagskvällen i midsommarhelgen?"

"Ja, ja det har jag", sa Astrid förvånat.

"Vet du att vi har sökt dej från polisen?"

"Nej", sa kvinnan förskräckt. "Har det hänt henne något?"

De slog sig ner i vardagsrumssoffan. Gudrun Werns ögon strålade av upphetsning. Hon var idel öra. Den övergivna älgen låg hopknölad i sykorgen. Så här trevligt hade det inte varit hos svärdottern på länge. Maria noterade signalerna och kände att hon fick muskelförsvar i axlar och nacke. Spänningshuvudvärken var ett faktum.

"Berätta för mej så detaljerat du kan om händelsen. Vad klockan var, och så vidare."

"Klockan kan ha varit halv elva när jag tog upp den rödhåriga i bilen. Jag släppte av henne vid örtagården. Resan kan ha tagit en halvtimme, knappt. Hon såg så ensam och olycklig ut, stackarn. Jag brukar aldrig ta upp liftare. Det brukar jag inte, men man har ju inte ett hjärta av sten. Jag försökte prata lite med henne. Men hon svarade mej knappt. Ska jag säga vad jag tycker så var det lite otacksamt av henne. Det hör till god ton att man svarar när man blir tillfrågad om saker. Hon sa inte ens tack!"

"Vart var du själv på väg när du passerade fiskeläget?"

"Jag skulle hämta min syster. Hon var på kalas hos familjen Turesson i Björkavi."

"For du samma väg tillbaka, förbi örtagården, senare på kvällen?" sa Maria och kände hur spänningen kröp under huden.

"Ja, vid tolvtiden ungefär. Jag körde sakta förbi örtagården, så syster min skulle se var jag släppt av henne, den rödhåriga. Det lyste i ett fönster på nedre botten."

"Såg du till någon annan människa?"

"En man steg ur en bil alldeles uppe vid huset. Han gick in. Jag tyckte att det var skönt att veta att hon inte var ensam. Hon behövde verkligen någon att tala med, stackars liten. Som tur var körde jag sakta, det var nära att jag kört över en ung man som vinglade över vägen med sin cykel ner mot stranden. Han hade en plastkasse i handen. Säkert öl. Det stod ett tält uppställt där nere, ett sånt där militärtält. Jag kände igen grabben. Det är Veras sonson. Han hålls där nere med ett gäng och dricker öl, det har Vera berättat, Vera som bor branne, du vet. Hon är inte glad åt det, det säger hon då bestämt. Kan inte polisen hindra ungdomarna från att vara där nere och rumla?"

"Kan vi få tag i hans telefonnummer med detsamma. Det är mycket viktigt."

"Säg nu inte till Vera att jag berättat det här." Astrid stirrade bestört på Gudrun och fick medhåll. Det var ju inte meningen att Veras förtroenden skulle komma till allmän kännedom, än mindre bli underlag för en polisrapport.

"Jag behöver inte tala med Vera alls. Jag vill bara ha hjälp av hennes sonson. Han är inte misstänkt för något, men han kan vara till stor hjälp. Precis som du har varit genom att berätta det här för mej. Till stor hjälp", poängterade Maria för att lugna kvinnan, som var ägare till den röda Renaulten.

Hartman skulle just slå igen ögonen för natten när telefonen ringde. Det var Maria Wern. Tydligt och kortfattat redogjorde hon för kvällens samtal med den unge tältande mannen och Astrid i den röda Renaulten. Veras sonson hade vildcampat på stranden nedanför örtagården hela midsommarhelgen, fram till måndagen. På söndagskvällen hade de suttit ute vid elden till klockan fyra och lyssnat på sportsändningarna. Han hade, liksom Astrid, lagt märke till den blå BMW:n som svängde upp till huset vid midnatt. Sedan hade det inte synts eller hörts något från den rosa villan på hela natten. Lampan i fönstret hade släckts efter det att mannen kommit hem. Vid sextiden hade grabben varit ute och slagit en båge. Då hade bilen fortfarande stått kvar.

"Egentligen kunde det här ha väntat tills i morgon. Jag blev lite ivrig", medgav Maria.

"Det var bra att du ringde", sa Hartman vänligt. "Rosmarie Haag har alltså alibi, utom för tiden 04–06. Vid femtiden på måndagsmorgonen var Hägg och kompani på stranden. Då låg Jacob redan över bordet i den ställning man senare fann honom. Att Rosmarie eller Clarence skulle ha hunnit uträtta två mord mellan klockan 4 och 5 och sedan hunnit hem finner jag uteslutet. Det gör mej lättad för att det stämmer med min uppfattning, och bekymrad för att vi är tillbaka vid utgångsläget igen. Tack för att du ringde. Jag kontaktar Ragnarsson."

Maria tog en dusch sittande på huk i det blåa fyrbenta badkaret och kröp sedan i säng. Någon gång i framtiden kanske de skulle kunna investera i en duschkabin. Fast egentligen var det inte nödvändigt. Mycket av det man tror att man inte kan klara sig utan går att avvara utan större problem när man tvingas praktisera det. Krister skulle säkert bli sen. Även om Majonnäsen inte hade något större bohag behövde han säkert moraliskt stöd till fram på småtimmarna. Humpekatten hoppade upp i sängen och vandrade av och an på Kristers täcke. Han smög som ett lejon och slog till en fluga som funnit en tillfällig fristad på kudden, innan han spinnande la sig till ro vid Marias fötter. I den stunden erinrade sig Maria att hon glömt att berätta för Hartman vad Majonnäsen sagt om Lejonriddaren. Men hon kunde rimligen inte ringa upp honom igen vid denna sena timme. Det fick vara tills morgondagen. Nu behövde hon sova. Maria slöt ögonen förhoppningsfullt, men tankarna ville inte sluta kretsa runt mordutredningen. Natten var varm. Maria puttade ner täcket på golvet och längtade efter svala decembernätter.

Månljuset dansade mellan äppelträdens grenar och andades silver i det daggvåta gräset, blänkte i bäckens svarta vatten i mångdubblerade dunkla speglar och brutna bilder. Hans steg var tunga av den börda han bar, tunga av dödslängtan. Vad hade hans liv varit värt? Vem hade velat byta? En vrakspillras färd i stormen under en sval och likgiltig stjärnhimmel. I ständig plåga och ovisshet. I förnedring, men inte bortom upp-

rättelse. Rättvisa var ett ord för stort att ta i sin mun, men i tanken på hämnd hade han överlevt. När allt var fullbordat skulle han ta det sista steget över gränsen, dit där vågorna domnar och frågorna för alltid mister sin mening.

En kort sekund hade han fått smaka på paradiset, ett ögonblick för att han alltid skulle förstå vilket liv han förlorat. Skulle han ha böjt sig inför sitt öde? Nöjt sig med mindre än att hämnas sina bödlar? Tanken var honom lika motbjudande som det kadaver han bar i andelsslakteriets vita plastlåda. Styckat med yxa i lagom delar för att kunna malas i köttkvarnen. Det grämde honom att hans fiende inte kunde närvara och se sin egen upplösning.

Minkarnas onda ögon glimmade i mörkret. I månljus kunde han se pälsarnas skiftningar när djuren oroligt rörde sig i sina burar. Väsande som onda andar. I fångenskap, så som han själv suttit fängslad. Men med den stora skillnaden att de skulle få äta sig mätta.

36

Alltför tidigt ringde väckarklockan. Maria somnade om och fick en omild puff i sidan av Krister. Mycket motvilligt släppte hon taget om drömmarna.

"Du ska väl upp", sa han irriterat.

"Lämnar du barnen i dag, så får de sova lite längre?"

"Okey", sa Krister och ställde om uret. "Jag har inga sovmorgonsbiljetter kvar va?"

"Nej, det har du inte." Maria kunde inte låta bli att le åt Kristers slokande uppenbarelse. Han var en utpräglad nattmänniska och Maria var ofta morgonpigg men kvällstrött. Att de träffats överhuvudtaget var ödets nyck.

Köksdörren stod vidöppen. Maria gick ut på trappan och blickade ut över trädgården. Där i jordgubbslandet stod en mycket liten Linda i Emils stora gummistövlar och rosa nattlinne. Hon vinkade med hela näven full med jordgubbar.

"Jättegodmorgon", sa hon.

"Jättegodmorgon själv", sa Maria och klev i träskorna och släntrade ner till vägen för att hämta morgontidningen. En snabb blick på förstasidan och Maria visste att Storm skulle få en svår dag. Att behöva släppa Rosmarie Haag efter att tvärsäkert ha gått ut till pressen med att yxmordet i princip var löst och den skyldige gripen, skulle få Storm att skruvas upp till orkan. Det skulle bli en påfrestande dag för dem alla. Den tältande unge mannen skulle infinna sig med sina friluftsvänner för att besvara ytterligare frågor liksom Astrid i den röda Renaulten. Utgången var given. Rosmarie skulle släppas.

Maria tog en titt på köksklockan. Hon skulle hinna med att cykla till stan som hon planerat. När utredningsarbetet krävde full koncentration blev det ingen tid över till fysisk träning. Att cykla till arbetet var ett sätt att återfinna sin förlorade kondition. Vid närmare eftertanke hade det inte blivit något sedan i slutet av maj när de spelat innebandy på jobbet. Maria hade varit målvakt och släppt in den ena bollen efter den andra. Storm var anfallsspelare på motståndarsidan. Varje gång han kom farande med något grymt i blicken blev det mål. Fast inte av den anledning han själv trodde. Storm hade vanligtvis sitt tunna hår kammat över skulten från vänster sida till den högra i öronhöjd. Hur han fixerade frisyren rådde det oenighet om, men när han dribblat sig förbi försvaret släppte all stadga. Håret föll axellångt ner på den vänstra sidan, medan skulten fick formen av ett polerat frukostägg. Med sin aggressiva hållning och unika frisyr såg han oemotståndligt komisk ut. Varje gång han attackerade blev Maria så full i skratt att hon glömde hantera sin klubba. Storm hade också blivit glad när han lyckats göra mål och så hade de glatt varandra, var och en i sin ofullkomlighet.

Kondition är en färskvara och nu behövde hon röra på sig eller sluta äta choklad. Den saken var säker. Eftersom choklad hör till livets absoluta nödvändigheter, valde hon motion. Hon skulle till och med hinna ta den längre vägen genom skogen i stället för kustvägen, för att därigenom skapa utrymme för ytterligare konsumtion. En annan fördel var att hon skulle slippa blåsten. Ivans fleecejacka låg slarvigt slängd över ryggen på vardagsrumssoffan. Hon kunde ta den med sig. Det var ju förargligt att Krister glömt att ta med den till brevduvetävlingen. Lika bra att få det gjort. Väcka upp Ivan denna tidiga timme kunde man inte göra, men om hon hängde den på dörrhandtaget skulle de förstå att hon varit där. Ivan kanske hade saknat den. Maria klämde fast jackan på pakethållaren, kramade om Linda och gav sig iväg.

Luften var frisk. Solen värmde i ryggen. Havsbrisen bar med sig en doft av tång. Måsarna cirklade lågt över land. Maria vek av mot skogen. Fartvindens svalka knottrade huden. Morgonsolen silade genom granskogens täta barrverk och gav mossan en lysande grön färg på de ställen där strålarna släpptes igenom. Det gick trögt att cykla i uppförsbackarna. Av och till fick Maria stå upp och trampa.

Konditionen var sämre än hon trott. Rent mentalt hade hon känt sig vältränad. Det var inte mycket trafik. Avstånden mellan stugorna blev allt längre. Maria lät tankarna flyga som de ville, oavlåtligen sökte de sig till Rosmarie Haag. I dag skulle hon släppas fri. Till vad då? Byta en fångenskap mot en annan. Det bästa vore om hon kontaktade kvinnohuset, om hon kunde bo där tills de funnit Clarence. Hon behövde så väl få stöd av andra som varit med om samma sak. Det är svårt att förstå att en kvinna finner sig i att bli slagen, om man aldrig varit med om det själv. Antagligen föregås det av en lång tids psykisk misshandel och hård kontroll där självförtroendet slutligen sviktar och alla konstruktiva kontakter bryts ner. Hur många misshandlade kvinnor tror inte att det är deras eget fel att de blir slagna. Att det beror på deras egen oförmåga att fungera i relationen, att tortyren skulle upphöra bara de kunde vara sin plågoande till lags. Från början älskar de säkert mannen och tolkar allting till hans fördel. Den känslomässiga bindningen gör dem sårbara och formbara.

Maria tänkte tillbaka på sitt eget liv. Det var nära att hon själv hamnat i en sådan situation, otäckt nära. Före Kristers tid hade hon varit förlovad med en man som kunde ha blivit hennes livs olycka om det fått fortgå ett tag till. Han hade vallat henne som en bordercollie. Det var bara tack vare Karin hon sluppit undan med blotta förskräckelsen. Tänk om hon blivit med barn. Hur skulle då livet ha gestaltat sig? Maria skakade av sig tanken. Hur många gånger hade hon inte suttit i förhör med misshandlade kvinnor, som trott att alla kvinnor åker på stryk av sina män? Att det hörde till livets gång. Maria såg en kvinna framför sig som hade skrattat henne misstroget rakt i ansiktet när hon berättade att Krister aldrig örfilat upp henne. Något sådant var bara skitsnack och högfärd i den kvinnans föreställningsvärld.

En djup skogstjärn blänkte mellan träden invid vägen. Trolskt svart vatten under täta granar. Blåbärsriset bredde ut sig över kullarna och flöt samman med vågor av klargrön mossa. Maria kunde se att bären redan tonade i blått. Landskapet öppnade sig i rapsfält och hagar. Långt bort kunde hon skymta de röda längorna med minkburar. Bäcken från tjärnen följde vägen en bit för att sedan göra en kraftig böj mot den Häggska villan. En flock duvor cirkulerade över Ivans hustak och gav sig sedan av i ett sträck åt söder. Det blåste snålt över slätten. Ivans tidning satt kvar i brevlådan. Den kunde hon ta med sig upp för vägen och fästa vid dörrhandtaget. Synd om honom att behöva ta sig ner till landsvägen om han hade ont i foten. Maria trampade hårt i uppförsbacken och svängde av mot Ivans hus. Hon lutade cykeln mot husväggen och lossade jackan från pakethållaren. Hon hängde den över axlarna och svängde om knuten mot huvudentrén. Där blev hon stående. Trappan var full av glasbitar. Flerfärgat krossat glas som ett trasigt kalejdoskop. Varenda ruta var urslagen. Dörren stod på glänt. Det fanns blodspår på tröskeln. Några ensamma skrämmande droppar på det mörka ekträet.

"Ivan är du där? Ivan!" Hade han blivit utsatt för en ny attack av djurrättsaktivister? Maria steg in i hallen och såg sig om. Inga ytterligare tecken på våld. En ensam kaffekopp stod i diskstället. Den rostfria bänken blänkte. Ett svagt ljud från sängkammaren fångade hennes uppmärksamhet. Maria gick tyst utmed väggen längs korridoren. Dörren stod halvöppen. Sängen med sitt bruna frottéöverkast var slarvigt bäddad. Ett skott följt av ett hest kvinnoskrik fick luften att vibrera. Maria tog betäckning bakom dörren. Med rusande pulsar och adrenalinet stickande i hårbotten tryckte hon sig mot väggen. Hon var obeväpnad och telefonlös. Hjärtat dunkade hårt mot huden. Munnen blev alldeles torr. Maria blev medveten om sin andning. Luften fick inte plats i lungorna. Skriket fortsatte och blandades på ett underligt sätt med andra röster, musik och motorljud. Först när en djup mansröst annonserade: "Radioteatern gav..." tordes Maria titta fram igen bakom dörrposten. Avannonseringen följdes av de lokala nyheterna. Programmet var förlängt och handlade till stor del om yxmordet i Kronviken samt de festligheter som skulle komma att gå av stapeln i helgen: Kronholmen runt. Spekulationerna var många, nyheterna få.

Maria lämnade boningshuset och gick ner mot minkburarna. Småskrattade för sig själv för att hon låtit sig skrämmas av radion. Dörrarna till uthusen var omsorgsfullt låsta. Något annat kunde man inte vänta sig efter det som den ofrivillige minkfarmaren utsatts för. I den bortersta längan uppfattade Maria en snabb rörelse bakom den vittonade fönsterrutan, följt av ett ylande metalliskt ljud.

"Ivan! Ivan!" Inget svar. Dörren var låst. Men låset var dåligt. Utan svårighet kunde Maria bända tillbaka kolven med en nagelfil hon förvarade i ryggsäcken. Det gick lättare än hon hade trott. Maria tryckte upp dörren och möttes av en frän stank av djurträck. Minkarna väste i sina burar och stirrade på inkräktaren med sina onda svarta ögon. De vassa tänderna blänkte i det svaga dagsljus som föll in från de fåtaliga fönsterrutorna på långsidan mot gården. Det tog tid att vänja ögonen vid dunklet. Maria höll sig mitt i gången och avancerade till en öppnare del av lokalen där Ivan stått när han malt ner köttstycken till minkmat. Hon kunde fortfarande för sitt inre öra höra hur bandsågen ylat sig genom benbitarna och se hur köttet ringlat ner i den rostfria hinken vid köttkvarnen. Stanken var olidlig. Maria försökte andas genom ärmen på Ivans grå fleecetröja. Kroppsvärmen efter cykelturen började avta. Hon frös i sina fuktiga kläder och stoppade ner händerna i jackans sidofickor. Handen stötte mot ett kallt metallföremål. Maria drog upp det i ljuset. Det var en stor nyckel, kanske en strandbodsnyckel. Var kunde Ivan hålla till? Det var blod på golvet. En röd hårtofs låg omotiverat bredvid en plastkasse i hörnet mot burarna. Maria öppnade kassen och såg att den var full av rött mänskligt hår. Med en stark känsla av overklighet stirrade hon ner i den rostfria hinken. Överst i den blodiga färsen låg en överkäke. Vit emalj mot det rödbruna. Maria kände att hon inte kunde andas. Skräcken smög sig på och förlamade henne med sin nervgas. En halv framtand var i guld. Clarence?! Maria försökte röra sig mot dörren men kroppen kändes trög och oändligt tung. Nyckeln! En stor rostig bodnyckel. Var det Jacobs strandbodsnyckel? Jacobs nyckel i Ivans ficka. Minkarna väsnades. Flykt! Hon måste fly ut härifrån. Bort från faran. Maria skulle just rusa ut i panik när hon kände en arm runt sin hals och det påtagliga trycket av kall metall mot sin tinning.

"Jävla snutluder, håll dej lugn nu. Lugn för faan!" väste en mörk röst. "Va i helvete skulle du här och göra?" Maria hade svårt att svara när armen pressades allt hårdare mot hennes strupe. Det ringde i öronen, en ton av overklighet. Hon fick svårt att fixera blicken.

"Jag var orolig för dej Ivan", kom det stötvis.

"Så helvetes onödigt", sa Ivan och släppte på greppet, men pressade pistolen hårdare mot tinningen. "Så helvetes jävla dumt!" Maria kunde se hans fötter, raggsockan med hål på. Den bara armen som hölls mot hennes hals var sönderriven i långa mörkröda revor. Katten, Rosmaries katt? Strypt och uppskuren! Clarences nermalda kropp, guldtanden som blänkte i det vita garnityret! Bilden av köttfärs som ringlade ur köttkvarnen. Maria kände sig yr och vacklade till.

"Jag ville bara lämna igen din tröja, Ivan. Släpp mej! Du känner väl igen mej, Maria?"

"Spela inte apa. Jag vet vad du har sett. Håll armarna bakom ryggen och gå framåt mot kylrummet. Gå för faan! Annars blåser jag ur skallen på dej, din jävla orm."

Efteråt kunde Maria inte riktigt förklara för sig själv vad som hände, bara att de grepp hon lärt sig på kursen i självförsvar utlöstes automatiskt när adrenalinet började strömma i fingrarna. Kanske skulle hon ha lyckats om hon haft turen på sin sida och Ivan inte varit så råstark. Maria föll som en fura över hans utsträckta ben och fick en spark i magen så att hon kröp ihop dubbelvikt och skyddade huvudet.

"Sluta Ivan!" Hans mörka ögon glimmade av hat. "Jag är Maria, jag har inte gjort dej något. Se mej i ansiktet!" Maria fick en smäll över käken och kände blodsmak i munnen. Händer och fötter surrades. När målartejpen tystat hennes mun försökte hon fånga honom med blicken, men förgäves. Hon såg hans ryggtavla med det toviga vita håret ett ögonblick och sedan stängdes dörren och det blev mörkt. Kallt och mörkt som i urköldens rike. Fingrarna domnade. Maria försökte känna med tungan om tänderna satt fast. Tejpen tvingade henne att svälja blodet som samlats i munnen. Utan Ivans jacka hade hon nog frusit sig fördärvad. Maria irriterade sig på det klapprande ljudet som fyllde rummet, innan hon förstod att det var hon själv som hackade tänder. Gnisslade tänder bortom all kontroll. En hastig glimt hade hon fått av sin omgivning innan mörkret blev totalt. Ett par ljusröda djurkroppar hängande på slaktkrokar. Hon hoppades att det var djurkroppar.

Skulle någon få veta vad som hänt henne eller skulle hon försvinna lika spårlöst som Clarence? Maria böjde sig fram över sina bundna fötter. Petade av sig skorna och lyckades på ett akrobatiskt sätt få in tårna under halsbandet och rycka till. Det gjorde ont i nacken. Magen värkte. Halsbandet hängde i säkerhetskedjan nu. Ett sista ryck och hon hade smycket vid sina fötter. Jämfotahoppande motade hon in det i ett hörn. Slog ansiktet mot kallt kött och tappade balansen. Kanske skulle någon finna halsbandet och förstå.

Hur lång tid som förflutit innan Ivan kom tillbaka visste hon inte. Bländad av ljuset försökte hon fixera den mörka gestalten i dörröppningen. Hennes muskler var krampaktigt spända i försvar mot kyla och rädsla. Tänderna skallrade bortom all kontroll. Ivan närmade sig och slet bort tejpen från hennes mun.

"Jag kommer att knyta upp repet om dina fötter. Försök inga tricks. Vi ska gå ut till bilen." En flod av tankar for genom Marias huvud. Vart skulle hon bli förd? Varför hade han låtit henne leva hittills? Skulle han skjuta henne på en ödslig plats? Förhöra henne om vad polisen visste, och sedan låta henne försvinna?

Natten stod mörk omkring dem. Månljuset orkade inte tränga igenom molnen. Det duggade lätt. Maria vände ansiktet upp mot regnet och vinglade på ostadiga ben mot den väntande bilen. Då såg hon en skymt av en ljus jacka, en människa. Nog var det Gustav? Långt nere vid landsvägen. Ivan gick tätt bakom henne. Med en kulstöterskas hela koncentration i utfallet tvärstannade hon och slog sina båda hopbundna händer rakt i skrevet på Ivan. Av ljudet att döma var det en fullträff. Maria sprang, sprang för livet, snubblade, reste sig igen och sprang på sina domnade ben. Långsamt som i djup lera, steg för steg mot räddningen. Skuldrorna spända i muskelförsvar mot skottet som när som helst kunde brinna av. Ivans tunga andhämtning som kom närmare och närmare, tills hon kände slaget i bakhuvudet och allt blev till mörker.

37

Sakta kom skymningen i sin gula svekfullhet. Luften var tung att andas i bunkern. "Inte en natt till i detta stinkande helvete!" tänkte Maria. Väggarna mörknade gradvis och smög närmare. Taket sjönk sakta ner över henne och den döde hon hållit i handen. Hon kände igen honom. Bilden klarnade fragmentariskt. Mannen bredvid henne var fastighetsmäklare Odd Molin, grådaskigt smutsgul i hyn med leendet stelnat som på en förevisningsprotes. Väggarna pressade ihop dem till en enhet, Maria och den döde. Rädslan högg i bröstet. Kallsvetten klibbade i armhålorna och under brösten. Halsen var sträv efter lönlösa timmars rop på hjälp ut över den öde stranden. Hur länge kan en människa klara sig utan vatten? Tungan kändes som en slipkloss i munnen. Lungorna trängde upp ur sina hålor som en stor klump i halsen. Maria satte sig ner på golvet. Försökte samla sina krafter. Tankarna flög som skräckslagna fåglar. Kanske var hon för rädd för att koncentrera sig eller också berodde oskärpan på slaget i bakhuvudet.

Maria sneglade på den döde igen och kände en ny våg av illamående bölja genom kroppen. Hon hade aldrig varit ensam med en död människa förut. På bårhuset, dit hon då och då tvingats i tjänsten, hade det funnits personal runt omkring. Nu var hon ensam med döden. "Se inte så rädd ut lilla fröken. Han ligger nog stilla där han ligger", hade obducenten sagt den första gången hon närmat sig en avliden, spänd och osäker på sina egna reaktioner. De hade en viss jargong där nere på patologen. Begravningsentreprenörerna var lite mer fina i kanten. Fast de hade väl säkert sitt fikonspråk lika väl som alla andra. Odd Molin låg stilla där han låg.

Maria hade aldrig känt sig avspänd i hans närvaro, att han var död förbättrade inte den saken. Var det så här det skulle sluta? Livet? Till döden går man ensam, i sin egen ensamhet där ingen annan går. Maria tänkte på barnen och tårarna steg i ögonen. Skulle hon aldrig få se dem växa upp? Aldrig mer känna ivriga armar runt sin hals eller få rufsa om i en stubbig pojkkalufs, trycka små varma fötter mot sin kind? Aldrig mer älska fylld av lust? Uppslukas helt i skälvande andetag? Bli älskad tveklöst och handlöst önskad och åtrådd. Hon lät tanken söka upp de dyrbara stunderna i det fukti-ga ängsgräset, på stranden i sinnligt månljus, i mossan under jub-lande granar, till och med i svärmors vedbod i förälskelsens otåli-gaste tid, när de inte kunde låta bli att ständigt röra vid varann. Mitt i gråten måste hon le. Minnena jagade bort nuet. Skulle hon leva om sitt liv så skulle det bli med Krister. Inte för att det var enkelt. Men det enklaste och mest konfliktfria är inte alltid det som gör livet mest levande. Krister kunde man inte ta för given. Varje dag bar sina egna överraskningar, sin egen lycka och sina egna konflikter. Maria höll armarna om kroppen och grät i sin en-samhet. Munnen var så torr att hon hade svårt att svälja. Girigt sträckte hon ut sin hand genom gluggen för att försöka fånga någ-ra regndroppar. Regnet hade upphört. Maria slickade av sina hän-der som vidrört den fuktiga betongen. Varför hade hon inte tänkt på det tidigare, att hon borde ha samlat in vatten medan det reg-nade – dyrbart vatten i handflatorna. Att få dricka sig otörstig, att duscha i det blå badkaret framstod som himmelska hägringar. Att få borsta tänderna. Maria andades i handflatan. Hon luktade illa. Tänderna kändes sträva mot tungan. Tankarna snurrade. Hon hade svårt att hitta någon koncentration. Att fly bort i minnesbil-der var så mycket enklare än att se verkligheten i dess fasansfulla klarhet.

Kepsmannen hade förutom sin huvudbonad även glasögon och handskar. En utrustning nästan lika heltäckande som en rånarlu-va. Ett signalement utan hårfärg, ögonfärg eller fingeravtryck. Maria såg på sina händer, sina nedbitna naglar. Bara Ivans naglar hade sett värre ut, nästan obefintliga som ett tortyroffers utdragna naglar. Handskar! Ivan såg ut som en gammal gubbe, med ungt ansikte. En nedbruten kropp, som fick Maria att tänka på gamla svartvita filmer där galärslavar rodde i takt efter trumslagen. Lejonriddaren? Hur ser man ut efter tjugo år i turkiskt fängelse? Överlever man det? Skyldig till narkotikabrott hade Majonnäsen sagt. Förhållandena i de turkiska fängelserna var inte alldeles okända. Förutom regelrätt misshandel förekom även sexuell tortyr med elchocker eller batonger, fallangaslag under fotsulorna, brännsår av cigaretter, svält om man inte fick mat av anhöriga eller kunde betala för sig. Maria hade läst om det när hon var aktiv medlem i Amnesty International under gymnasietiden. Om man överlevde tjugo år under sådana omständigheter måste man ha valt att leva. Att överleva trots allt, starkt motiverad av ett syfte med sitt liv. Att återse någon man älskar? Rosmarie Haag? Eller att fullborda ett uppdrag?

Maria såg Clarences kvarlevor framför sig och knöt händerna i motstånd. Det vita garnityret i den röda köttfärsen, guldtanden. Hade Ivan återvänt efter tjugo år för att finna fästmön hos sin vapenbroder Clarence? Kanske hade han smugit i trädgården för att få en skymt av henne. Tittat in genom sängkammarfönstret, sett deras intimaste förening och misstolkat den som en kärleksakt i ömsesidig lust. Men det gav ingen förklaring till maskeraden på Gyllene Druvan. Varför mötte han Clarence i fullt dagsljus på offentlig plats? Hade det med ridderlighet att göra? Har man råd med någon ridderlighet efter tjugo år i dödsriket? Varför tog han en sådan risk? Att mala ner Clarences kropp till minkmat och låta djuren eliminera bevisen var genomtänkt och kallblodigt. Kanske skulle Odd möta samma öde. Och hon själv! Maria kvävde ett skrik med handen. Kände magen dra ihop sig till kramp och överväldigades av yrsel. Hon måste ut härifrån! På något sätt måste hon klara det. Kanske Odd hade något i fickorna hon kunde använda sig av för att bända upp låset eller brädorna. Maria kröp på alla fyra bort mot den döde. Stanken fick ögonen att tåras. Händer och knän skakade. Illamåendet tilltog igen. Om någon för en vecka sedan sagt att hon skulle plundra ett lik, hade det förefallit lika overkligt som en stilla promenad på månen. Men nöden har ingen lag. Det finns alltid omständigheter som förklarar de mest absurda gärningar. Maria lät handen glida ner i Odds kavajfickor, först den ena sedan den andra. Hon tänkte på Krister och barnen, på den underbara solskensdagen de tillbringat på Sandåstrand. En bunker! Mamma, det sitter en bov där inne. Är det Dunderkarlsson eller Blom? Jag tror det är Blom. Han bara ligger och sover, han hör ingenting. Hur kunde hon varit så blind och döv? Av barn och dårar får man veta sanningen. Var det Odd han hade sett? HELVETE! Maria tog ett djupt andetag och kände igenom Odds byxfickor. Tyget var fuktigt. Maria försökte låta bli att tänka på vad det kunde vara.

"Vi människor är inte så olika när det kommer till basics." Maria vred huvudet mot den dova rösten och blev varse två svarta ögon i gluggen.

"Är det Ivan? Snälla du släpp ut mej. Jag har två små barn som behöver mej. Jag har inte gjort dej något. Släpp ut mej!!"

"Jag skulle också ha haft ett barn som behövde mej om inte horjäveln gjort abort och sedan kastat sig i armarna på Clarence."

"Hon fick missfall, Ivan."

"I helvete heller. Jag har läst hennes journal. En vit rock och en självklar attityd öppnar alla dörrar. När hon fick veta att jag inte skulle komma hem, att jag blivit tagen på turkcypriotiska sidan gjorde hon en abort. Det stod spontan abort."

"Spontan abort betyder missfall. Det heter så", sa Maria och kände det som ett led i argumentationen för sin frihet. Ögonen försvann ur gluggen. "Ivan är du kvar?" Ett besynnerligt ljud hördes från utsidan. Ett skratt som torra löv i vinden, raspade mot betongväggen. "Ivan! Gå inte Ivan! Du får inte lämna mej här. Berätta Ivan, berätta vad som hände på Cypern!"

38

"Jag var ung och brottsligt godtrogen. Världen väntade på min tappra insats. För att bli värdig den sköna Rosmarie gav sig Ivan Lejonriddaren ut i stridens hetta. Vi var inte stort mer än barn på den tiden. Livet lekte och vi lekte med. Vi köpte varsin pusselring i Kyrenia, första gången vi var över på turkcypriotiska sidan. Vi skämtade om att vi var kung Arturs riddare, riddarna kring runda bordet. En för alla, alla för en. Och så blev det. En för alla! Mitt liv i utbyte mot deras, min fångenskap mot deras frihet.

Vi hade varit på Cypern närmare tre månader när Clarence föreslog att vi skulle fara till Kyrenia igen. Vi hade permission över helgen och jag hade planerat att ta mej ner till Pafos. Jag var mycket intresserad av fåglar på den tiden. Cypernsångare och Cypernskvätta är endemiska fåglar. Jag hade glatt mej åt den utfärden. Om man hade tur skulle man kunna se eleonorafalk, dödahavssparv och svart frankolin. Jag hade inte tur. De enda fåglar jag såg den helgen var fyllekajan och galgfågeln. Clarence var den oemotsäglige ledaren. Vi for till Kyrenia, Clarence, Odd, Mårten och jag. På en bar nere i hamnen firade vi helg. Clarence bjöd. Det var hans födelsedag. Förresten hade han alltid gott om pengar. Jag tackade inte nej. Han satt mitt emot mej. Vi drack jämna sejdlar. Musiken ekade från en dålig ljudanläggning i den rökiga lokalen. Clarence blev inte påverkad. Han ökade takten. Jag försökte hålla jämna stop. Tävlingsstämningen låg i luften. De andra samlades runt omkring oss. Musiken tystnade. Jag minns att det var hett och kvalmigt. Clarences sneda leende. Flickan som hängde över hans axel med sina stora gungande bröst. Den blodröda munnen. Hon log mot mej. Clarence hade en svettdroppe hängande från ögonbrynet. Hans ögon var smala skärvor. Jag blev yr. Golvet kom emot mej. Det värkte i axeln. Ansiktet hamnade i en våt pöl. Clarence hade hällt sitt öl på golvet utan att jag lagt märke till det. Jävla slöseri! tänkte jag och försökte fixera en kapsyl med blicken. Sen mindes jag inte mer av den kvällen.

Morgonen därpå vaknade jag upp i en cell med kala väggar. Ett hål i golvet där man kunde pinka var den enda faciliteten. Ingen stol, ingen brits, inga lösa delar att slå sönder. Kackerlackor stora som tändsticksaskar kröp längs med väggarna. Jag hade ingen att tala med. Vakten var inte intresserad av att kommunicera alls. Jag tror det tog fjorton dygn innan jag flyttades och fick veta att jag var anklagad för narkotikabrott. Mina kamrater hade de inte sett till. Sannolikt hade de passerat gränsen i Nicosia redan samma kväll.

I fängelset har man tid att tänka och det tog inte många dagar för mej att få en bild av vad som hänt. Små fragment här och där, ett förfluget ord, en hastigt påkommen tystnad. Clarences ständiga överflöd av pengar. De handlade med narkotika. Vem kontrollerar FN-soldater, som passerar gränsen, med någon större noggrannhet? Det var i det närmaste ett riskfritt företag. Säkert skulle Clarence ha mött sin kontakt på den bar i hamnen där vi befann oss. Men något gick snett. Han måste ha fått en varning. Jag blev kvar och betalade notan. Aspackad och lättlurad."

"Var det den scenen du spelade upp igen på Gyllene Druvan?" viskade Maria och kände hur tungans torra stelhet förvanskade orden.

"Så du vet det. Jag hade funderat på det ett tag och det tilltalade mej. Det var också av praktiska skäl vi möttes medan det fortfarande var dagsljus. Clarence höll sig underrättad. Han betalade en slant för att få veta hur det gick för mej i fängelset. När jag fick mitt arv efter farfar hade jag råd att köpa mej en advokat. Jag fick veta att man hemma trott att jag var död. Att Clarence informerat dem och tröstat dem i sin outsägliga godhet. Clarence visste alltså att jag blivit frisläppt. Men han visste inte var jag befann mej. Jag insåg snart att han aldrig tog några risker, aldrig var ensam. Det smickrade mej att han tog min vrede på allvar. Säkert önskade han att jag skulle dyka upp och göra ett misstag. En gång straffad, alltid misstrodd. Enda sättet att möta honom var att spela på hans girighet. Erbjuda en lysande affär och ett möte i dagsljus. Jag bjöd honom på vin. Husets bästa. Han fick själv betala. Glas efter glas medan jag hällde motsvarande mängd i blomkrukan bredvid. Hans min var obetalbar när han kände igen mej. En déjàvu-upplevelse med ombytta roller. Den här gången var det hans tur att tömma den heliga Graal till botten."

"Hur fick du honom att stanna kvar?"

"Trevligt sällskap, man kliver inte i väg från ett skarpladdat vapen hur som helst."

"En Browning gömd i näsduken?"

"Rätt igen. Inte illa."

"Sköt du honom?" Maria frågade utan att kunna bestämma sig för om hon ville veta det eller inte. På ett olyckligt sätt var svaret kopplat till hennes egna möjligheter att få leva.

"Nej. Vad ger en långsam plågsam död? Har Rosmarie berättat det, vad jag grävt upp i örtagården?"

"Stormhatt?" Maria hade tänkt vädja om något att dricka men avstod. "Du tog risken att bli igenkänd."

"Vem skulle söka en ung död man i en gammal mans skepnad? Det tog sin tid. Jag satt här utanför och såg på honom, det kräket, när han kröp runt i sina egna spyor. Medveten i det sista kvävdes han till döds. Några timmars pina mot mina tjugo år i helvetet. Han var värd det. Varje minuts plåga hade han ärligen förtjänat. Om han sedan blev funnen innan jag hunnit stycka och eliminera kroppen skulle all misstanke fallit på Rosmarie. Förgiftning är en kvinnlig specialitet. Ett par mord på några nära bekanta och sedan ett självmord som slutkläm har jag tänkt mej för hennes del."

"Tog du livet av Mårten Norman?"

"Riddaren av den sorgliga skepnaden? Han fick odört, men det vet du väl också vid det här laget. Jag tänkte inte att han skulle dyka upp så snart. Ett par månader senare hade varit optimalt, då skulle sambanden ha suddats ut. I princip hade han redan tagit död på sej själv. Men risken fanns att han skulle börja tala om sådant som borde förtigas. Därför hjälpte jag honom att gå händelserna lite i förväg. Jag lät det se ut som en drunkningsolycka." Maria hade på tungan att nämna pusselringen, men avstod. Att sitta inne med information kan ge ett övertag även om man inte inser det från början.

"Odd Molin? Sprängde du hans båt?"

"Nej, det skulle ha varit mej fjärran. Han fick givetvis själv spränga sin vidunderligt vackra Viktoria. Ett nummer på mobilen och så var fyrverkeriet ett faktum."

"Var fick du sprängämnen ifrån?"

"Du frågar för mycket. Utan din jävla nyfikenhet hade du säkert levt ett långt och lyckligt liv", väste Ivan. "Men jag ska inte vara ogin. Varför inte stilla en dödsdömds kunskapstörst? Jag gjorde inbrott i ett vapenförråd, resten skaffade jag via Internets lilla terroristshop."

"Odd?"

"Jag väntade på honom i mörkret utanför hans tjusiga våning, den jävla knarkhandlarn. Vi tog en liten tur i min Audi, närmare bestämt hit. Han fick också tömma den heliga Graal, fast med odört i rättvisans namn. Straffsatsen ska stå i proportion till brottet. Han fick faktiskt välja mellan att bli minkmat med eller utan bedövning och han valde bedövning."

"Är din hämnd fullbordad nu?" viskade Maria hest.

"Nej."

"Manfred?"

"Manfred Majonnäsen Magnusson." Ivan skrattade sitt kraxande torra skratt. "Att vara född med en sådan hjärna är straff nog. De andra kunde inte ha honom med, det förstod jag. Bara vi kom utanför Campen pinkade han på sig, minsta spänning och han blev en levande latrin. Han skickades hem nästan genast. Det var bäst så för den allmänna moralen."

"Hur kunde du överleva tjugo år i turkiskt fängelse?"

"Det vill inte en fin flicka som du veta."

"Jag tål mer än du tror."

"Ser man på. Jag sålde min kropp för en brödbit, för att få antibiotika när jag frossade av feber, för att slippa annan tortyr. Efteråt har jag fått veta att man från FN:s sida gjorde stora ansträngningar att få mej flyttad till svenskt fängelse, men förgäves. Soldaterna på Campen byttes ut undan för undan och jag glömdes bort, dödförklarades."

Maria försökte göra rösten lugn och saklig. "Om du vet hur vidrigt det är att sitta inspärrad, att vara hungrig och törstig, varför gör du då så mot mej? Jag är lika oskyldig som du var. Vad har du kvar att uträtta, Ivan? Vad tänker du göra med mej? Släpp ut mej. Jag kan ordna pengar, allt du behöver för att fly."

Ögonen försvann ur gluggen. Tysta steg i gräset.

"Ivan! Ivan! Kom tillbaka Ivan! Ivaaaan!" Ensamheten slog en järnring omkring henne i mörkret. I tårlös gråt böjde hon sitt huvud mot knäna. Det prasslade svagt i gräset och ett litet trekantigt huvud blev synligt i gluggen. En liten skogsmus. Den sniffade in i deras stinkande bo och försvann sedan ut i natten. Kanske fanns det gränser även för de små djurens tolerans av odörer. Kunde möss hitta till bunkern, fanns det inget som skulle hindra riktiga råttor från att besöka den. Var gnagarna asätare eller föredrog de levande föda? Hon slog bort tanken med viljekraft.

Maria funderade över Ivans hopplösa belägenhet. Även om han skulle lyckas bevisa att han suttit oskyldigt dömd i turkiskt fängelse, skulle han aldrig slippa straff för de mord han begått i Sverige. Ivan skulle aldrig låta henne komma levande ut med den kunskap hon hade. Säkert skulle han hellre ta sitt eget liv än att hamna i fängelse igen. Han visste kanske inte hur han skulle gå till väga ännu. Att hon själv fortfarande var vid liv var en gåta. Han hade befriat henne från målartejpen och lossat på repen. Kanske var det så att han behövde någon att tala med, någon som visste vilka orättvisor han drabbats av. Det gav ett litet hopp, en liten chans till överlevnad.

Rosmarie Haag kurade ihop sig i sin korgstol i det gröna lusthuset och fyllde en blålaserad keramikmugg med plommonvin. Skymningen sänkte sig sakta över trädgården, la sig tillrätta i trädens lövverk och gled med omärkliga steg över dammens vatten. De vita näckrosorna lyste som stjärnor i dunklet. De förvånade vinbärsbuskarna, som överraskats av slagregnet och nu stod till rotknölarna i vatten, sträckte sina grenar som känselspröt mot kvällshimlen. Lyssnande till åskans muller.

Hon tände inget ljus. Mörkret var ingen fiende. Inte heller ensamheten. Regnet sköljde över de höga spetsiga fönsterrutorna och blänkte till i skenet från en kraftig blixt. Fotogenlampan som hängde i ärgade kedjor från taket gungade sakta. Rosmarie ändrade ställning i den knarrande korgstolen. Drog den gröna bomullspläden tätare kring axlarna. De hade frågat henne om Lejonriddaren. Om hon visste var han fanns. Om hon hört hans namn. Först tänkte hon berätta för dem att han var död. Att han varit död i snart tjugo år. Clarence hade stått på trappan i ett regn av gula höstlöv en frostbiten oktoberdag. Han hade talat till dem lugnt och alldeles tydligt. Övertydligt. Upprepat att Ivan var... Att han aldrig mer... aldrig. Så konstig en mun ser ut som rör sig utan meningsfulla ljud, som en avlägsen och dåligt dubbad film där orden förlorat sin skärpa och sitt sammanhang i tiden. Clarence hade håret kammat i sidbena. Han såg äldre ut i sidbena. Han såg skrattretande ut, som en namnlös komiker, en clown. Hade hon skrattat? Guldtanden guppade upp och ner som en symaskinsnål. Han slutade aldrig prata. Det var så irriterande. Allt var irriterande. En mask kröp över de froststela bladen. En levande mask. Tankarna stelnade i frosten. Någon hade lett henne in i värmen innan mörkret kom.

I dag hade de frågat henne om Lejonriddaren. Hennes huvud hade domnat av den oerhörda tanken. Sakta hade förlamningen släppt sedan hon kommit hem och tagit skydd i lusthuset, sedan hon krupit ihop i sin egen stol och låtit vinet göra verkan. Hon hade inte sagt något till dem. Bara låtit tanken vila i den jord där fröet snart skulle börja gro. Kunde han vara vid liv? Ivan Lejonriddaren. Ivan av de djärva händerna och den brinnande blicken. Ivan som väckt hennes lust och givit löften. Om han var vid liv, hade det då ett samband med Clarences försvinnande? Enligt myten dyrkade Ivan Lejonriddaren en annan riddares hustru. Han dödade riddaren i strid och förenade sig sedan med sin älskade, så sjöngs det i Eufemiavisorna. "Men visorna äro klena sibyllor."

En ny blixt skar genom himlen följt av en väldig knall. Vad spelade det för roll om han dödat dem alla bara han själv var vid liv. De kunde fly tillsammans. Varför hade han inte hämtat henne? Han hade lovat att komma och vara med när barnet föddes. Det var hans heliga löfte. Om han var fri, om han levde, så skulle han komma. Rosmarie kände med händerna över sitt tomma sköte.

Kände fostret röra sig. Grep om den lilla häl som putade vid naveln. Innan det var dags att föda skulle han komma till henne. Det hade han lovat.

Hon hade tänkt på Manfred Magnusson. Om han hört något? I regn och blåst cyklade hon dit och blev utslängd av hans surögda kvinna.

"Du luktar sprit! Jag släpper inte in dej, om du tror det." Rosmarie vädjade, skrek och hotade. Hon måste få veta var Manfred fanns. Hon måste veta!

"Här brinner det i kjolarna. Slit han med hälsan om du får tag på han. Jag ska säga dej att han är inte mycket att ha till älskare, lika fantasifull som en jävla säck potatis. Men om du vill ha någon att supa med, så är han inte den som spottar i dunken. Förresten har han flyttat."

Det var först långt senare Rosmarie förstod att hon måste ha menat Manfred, att hon hade något ihop med Manfred. Vilken befängd tanke.

39

Maria vaknade i ett kompakt mörker. Hur länge hon befunnit sig i bunkern hade hon inte en aning om. Ljudet av en annalkande bil blev allt starkare. Hon orkade inte bry sig. Orkade inte ropa på hjälp. Svagt kunde hon urskilja två mansröster. Den ena dov, den andra lite ljusare.

"Nu Gustav får du hålla ficklampan åt mej. Jag ska hjälpa en farbror ut härifrån förstår du. Han sover där inne. Det gör Maria också så du ska inte väcka henne. Var alldeles tyst."

Maria bländades av ljuset. Hon hörde ljudet av något som släpades över golvet. Det kunde vara Odds kropp. Hon brydde sig egentligen inte. Innan hon blivit störd av rösterna hade hon varit i mormor Vendelas stora varma kök. Omgiven av kärlek. Vaggad i trygghet. Vendela hade tagit henne i handen och sagt att hon skulle följa med ner till ängen, ner till bäcken och dricka av det rena vattnet. Dricka sig otörstig. Bada i glittervattnet. Vendelas ansikte hade varit så nära att Maria kunnat känna doften av kaffe och kanel. Ögonen så fulla av kärlek. I den välviljan hade Maria speglat sig som barn. Speglat sig och växt som människa. Maria hade kupat sina händer, böjt sig ner och fyllt sin skål med kristallklart vatten. När hon lyfte händerna för att dricka såg hon att de var tomma. Vendelas mjuka kurvor blev magra och kantiga. Doften av kanel förbyttes i en olidlig stank av exkrementer. I mardrömmens klaraste bild strök Ivan sitt gulvita hår ur ansiktet. Maria kände en hård spark i sidan.

"Vad gör du Ivan?" Gustavs ögon smalnade av bestörtning. "Låt bli Maria!"

"Har du sagt till din pappa att du såg när jag bar in Maria i bilen? Har du sagt det till någon?" sa Ivan lugnt och hotfullt.

"Nej, jag tänkte berätta det, men så glömde jag det. Pappa har köpt en ny cykel åt mej."

"Är det säkert att du inte sagt något? Om du ljuger för mej skär jag öronen av dej!"

"Jättesäkert." Gustav höll för öronen med båda sina händer och log. Ivan var en stor skämtare. "Jag är törstig Ivan. Man blir jättetörstig av popcorn. Får jag ta drickan du har i bilen? Tvi attan vad det luktar skit här. Har någon bajsat? Är det en toalett?"

"Nej, gå in du. Jag ger dej flaskan genom gluggen." Ivan försvann och kom tillbaka. Maria kände att Gustav satt intill henne. Han var varm och luktade rent.

"Varför sover du här?" undrade Gustav. Maria försökte få rösten att lyda, men tungan satt fastklistrad i gommen. Hon längtade tillbaka till Vendela och glittervattnet. Törsten var olidlig. Ögonlocken skavde i brist på tårvätska.

"Ivan! Vi vill sova hemma! Det är inte trevligt att vara här! Ivan!" Gustav tog sig upp och kände på dörren. Den var låst. "Släpp ut oss Ivan! Vi vill inte vara här! Ivaaan!!" Ett hasande ljud utanför bunkern. Allt mera otydligt och avlägset. Ljudet avbröts för en stund och Ivans ögon blev synliga i gluggen.

"Det är ditt eget fel. Jag ville dej inget illa. Men nu får du sitta här ett tag. Jag kan inte ta risken att du skvallrar."

"Ivan, släpp ut mej Ivan. Jag kommer att säga till pappa att du varit dum."

"Där ser du. Sover Maria?" Maria tänkte lyfta på huvudet och svara, men orkade inte. Lika bra det. Ivans steg dog bort i natten och en bilmotor startade långt borta.

"Vill du ha dricka, Maria? Vi kan låtsas att det här är vår egen koja, fast det luktar gödselstack. Är du sjuk? Jag ska ta hand om dej. Jag tog hand om en kattunge en gång som var sjuk. Fast den dog sen. Jag sa ju till dej förut att du skulle klä på dej varmt. Man kan bli förkyld och uschlig om man inte klär på sig varmt, säger pappa. Vi kan leka att drickan är medicin. Jag hjälper dej att dricka. Så där ja och så en klunk till. Oj, vad du var törstig. Har du inte fått något att dricka på jättelänge? Ska jag spela lite munspel för dej? Du kan ha huvudet i mitt knä och så brer jag över dej jackan som ett täcke. Blir det bra?"

"Tack", viskade Maria och föll tillbaka in i töcknet.

Vendela fanns där i gränslandet, som en stilla smekning, som en doft av kanel. Hennes leende var som solen. Regnet föll i stora ljumma droppar och smälte in i huden. De gick över ängen. Gräset böjde sig daggfriskt och mjukt under deras fötter. När de kom fram till utsiktsklippans yttersta spets lyfte de och gled över kanten. Det var så roligt att bäras av vindarna, så enkelt. Maria höll ut armarna och lät den ljumma brisen leka i ärmarna. Där nere i en bunker låg Marias kropp med huvudet i Gustavs knä. Hon kunde se sitt eget ansikte, se att hon sov. I Vendelas sällskap färdades hon fram över vackra landskap, över gröna kullar, över bäcken där hon druckit sig otörstig och badat sin kropp till bländande vithet. De hade lekt i Silveråns milda vattenfall bland sprittande foreller och borrat ner fötterna i den lena vita sanden. Lätt om hjärtat skrattade hon mot Vendela som kammade hennes hår i långa mjuka tag, precis som när hon var liten. Vendela skrattade sitt goda skratt. Ingenting var farligt mera. Allt var skönt och enkelt. Ser du hur det ljusnar där framme? undrade Vendela i den blå skymningen. Det är dit vi ska. Genom vitheten. Hör du musiken? Hör du hur det sprakar som av tomtebloss. Maria hörde och allt runt omkring smälte bort. Hon var mitt i musiken. Hon var en del av den. En skälvande ton genom bruset fick kroppen att vibrera som en anslagen sträng. I ett regn av toner flödade ackorden. En oemotståndlig puls drog mot ljuset, förenade sig med hjärtats slag och lyfte henne som ett blad i vinden. Närmare och närmare i en intensitet bortom all erfarenhet.

"Nej, Maria, se dej inte om!" Vendelas ansikte var vänligt men sorgset.

"Var är Emil och Linda?" Maria sökte sina barn i gränslandet, men fann dem inte. Hon sträckte sig mot medvetandet i sin längtan efter dem.

Vendela försvann i det sprakande vita ljus som en gång fört henne från jorden. Men Maria blev kvar i musiken, i den entoniga musiken från ett munspel i trubbiga händer.

Munspelets toner höll henne kvar vid medvetande i den mörbultade kroppen med sin svidande mage och sitt värkande huvud. När gryningens första strålar letade sig in i betongbunkern, genom den smala springan mot havet, slog Maria upp ögonen. Hon ville leva, ville överleva till varje pris. Hon måste få se sina barn igen. Hålla dem i sin famn. Gustav strök Maria över håret.

"Drick Maria, jag sparade det sista till dej. Jag är jättehungrig. Men vi har ingen mat. Bara hampfrö. Människor ska passa sig för hampfrö, säger pappa. Det är en sorts narkotika, men Arrak gillar dom. Eller hur Arrak?" Först trodde Maria att hon drömde, att ljudet följt med från resan med Vendela, men ur Gustavs tröja kom ett kuttrande läte.

"Har du duvan med dej hit?" lyckades Maria viska fram.

"Ja, vi såg på teve ihop, det är så harmoniskt. Sen ropade Ivan att jag skulle hjälpa han med en grej. Jag skulle hålla ficklampan åt han när han kollade i motorhuven på sin Audi. När jag stod där och lyste åt han, så frågade jag varför han hade lyft in dej i bilen, då förut. Jag frågade om du sov och det sa han att du gjorde. Han lät snäll på rösten men jag såg att han var arg i fingrarna. Sen sa Ivan att vi skulle göra en provtur med bilen. Jag ville in och fråga pappa om lov, men Ivan tyckte att det var dumt att väcka honom. 'Han blir bara grinig', sa Ivan och det blir han, det vet jag. Har du duvringen kvar som du fick av mej?" Maria pekade på ett tunt läderband runt sin handled. Där satt den. Gustav log brett.

"Va snyggt det blev."

"Om du släpper duvan flyger den hem då?"

"Ja." Gustav tog fram Arrak ur tröjan. Duvan sträckte på halsen och tog några sömndruckna steg fram mot ljuset. "Han är också törstig. Vi måste släppa hem han."

"Vänta! Jag måste tänka. Kan man skicka brev med duvan?"

"Arrak är en brevduva! Klart att man kan skicka brev med han. Fast det måste vara ett litet."

"Colaflaskans etikett, går det att pilla loss en bit av den?"

"Japp! Ska jag skriva Trollets bro på lappen?"

"Kan du det?"

"Så klart. Pappa vet precis vad jag vill när jag skriver. Vad ska vi skriva med?"

"Vi har ingen penna, inte ens ett läppstift", sa Maria uppgivet.

"Blod kan man skriva med och en duvfjäder, fast jag kanske svimmar då. Jag brukar svimma när jag ser blod. Och ibland svimmar jag utan att se blod. Det är lite olika. Fast måste man så måste man." Gustav rev hål på en sårskorpa på benet och stirrade på blodet med skräckblandad förtjusning. Omsorgsfullt, med tungan i mungipan, ritade han en cirkel med två spetsiga öron. Pillade in den lilla lappen under duvans ring och släppte den alldeles framför gluggen. Just då hördes ljudet av en bil och några raska steg, som om någon sprang över ängen i tunga språng.

"Fort Gustav, göm duvan under tröjan igen, och framför allt, visa den inte för Ivan om det är han som kommer. Lova det säkert. Han kanske tar lappen, förstår du? Kan du spela på munspelet så det inte hörs om duvan kuttrar." Gustav nickade och klämde i av alla krafter.

De svarta ögonen blev synliga i gluggen. Maria svalde sin besvikelse. Ett ögonblick hade hon hoppats att räddningen var nära.

"Ge hit munspelet, Gustav."

"Men det har jag ju fått av dej, Ivan. Du är ju min kompis. Just nu är du ganska dum men jag tycker om dej i alla fall. Jag vet att du vill vara snäll fast du blir arg i fingrarna ibland. En gång när du sparkade på minkburarna så var du arg i benen, men det gör inget. Vi är kompisar, visst?"

"Håll käften och ge mej munspelet", väste Ivan med instabil röst.

"Okey då, du kan få låna det lite. Jag kan visa dej om du vill?"

"Hur är det med Maria?"

"Hon sover och sover." Gustav strök Maria över kinden.

"Vad tänker du göra Ivan?" viskade Maria knappt hörbart och lyfte försiktigt på huvudet.

"Så du lever i alla fall. Du är segare än jag trodde."

"Rosmarie har inte gjort dej något ont. Hon älskade dej, Ivan. Men du kom aldrig tillbaka. Hon trodde att du var död."

"Håll käften!"

"Hon har blivit misshandlad av Clarence. Han räddade örtagården från konkurs. Hon är beroende av honom, men hon älskar honom inte!"

"Jag såg det när jag tittade in i deras allra heligaste sovgemak", sa Ivan och hans röst dröp av bitterhet.

"Det var en våldtäkt, Ivan. Du har inte sett blåmärkena på hennes armar och hals. Be att hon visar dej dem!!"

"Du ljuger, ditt jävla luder", skrek Ivan och hans ansikte försvann ur gluggen.

"Ivan, släpp ut oss!" Marias röst sprack i gråt.

40

Tomas Hartman vaknade på golvet i sitt tjänsterum efter knappt tre timmars sömn, med en hoprullad mockajacka under huvudet. Heltäckningsmattan luktade damm och sura strumpor, socks in its own juice, som Arvidsson skulle ha uttryckt det. Hartman reste sig på armbågen i ett försök att se en anledning till sin nuvarande belägenhet. Huvudet sprängde av trötthet. Han kastade en blick på klockan och minnet klarnade snabbt. Vid det här laget hade Maria Wern varit försvunnen i närmare två dygn. Oron slog ner som en hök. Det högg till i mellangärdet. Den välbekanta svedan av för lite sömn, stress och för mycket kaffe gjorde sig påmind. Vid ett tillfälle hade hustrun berättat att de tabletter Hartman tog mot täppta bihålor ökar effekten av koffein med i runda tal fyra gånger. På förekommen anledning hade hon nämnt det när Hartman haft bihåleinflammation och druckit fyra koppar kaffe på raken för att komma i form. Som en förgiftad råtta hade han sedan sprungit omkring med ett koffeinintag motsvarande sexton koppar kaffe, utan att kunna koncentrera sig på någonting annat än att springa och pinka. Händerna hade skakat och han hade svettats som en maratonlöpare i motvind. Numera utnyttjade han den insikten med varsamhet och bara i nödfall som under de två senaste dygnen. På det sättet drog han ner på garvsyran som i det ständigt uppvärmda bryggkaffet kunde nå näst intill fosterfördrivande koncentrationer.

Hartman kände sig illamående och tom i huvudet. Två dygns sökande utan resultat. Maria Wern var som uppslukad av kvicksand. Inte ett spår. Inte ett vittne. Ingen hade lagt märke till en ljushårig kvinna i trettioårsåldern som cyklade kustvägen mot

stan. Men cykeln var lik förbaskat borta! Marias make var i upp-
lösningstillstånd. Hela länskrim var ett inferno.

Hartman kravlade sig upp i sittande ställning. Musklerna värk-
te av trötthet och det ovana liggunderlaget. Ögonen kändes som
efter en rugbymatch i sand. Han gick ut på toaletten och sköljde
ansiktet och huvudet i kallt vatten. Drog ett par pappershanddu-
kar över skulten i brist på annat och gick ut i personalrummet.

Gryningens första purpurstrålar letade sig in genom fönstret
och lyste upp Arvidssons röda kalufs där han satt vid fönsterbor-
det lutad över sin kaffekopp, skäggig och blek.

"Jag satte på kaffe åt dej också. Det är nybryggt." Under tyst-
nad delade de på ett par torra skorpor. Det var märkligt att se Ar-
vidsson sitta vid bordet utan en dagstidning.

Hartman tänkte på sin dotter. Han kunde känna en lättnad men
ingen glädje. När hon slutligen insåg allvaret i situationen hade
hon motvilligt öppnat sig och berättat om nyårsnatten och explo-
sionen på slakteriet. Hon hade bara följt med de andra utan att
förstå vad som skulle ske. De hade bett henne stanna på behörigt
avstånd. Hon kunde till och med erkänna att hon blivit rädd. Åkla-
gare Stefan Berg hade deklarerat att hon kunde räkna med att slip-
pa fängelsestraff, men böter eller samhällstjänst i någon form fick
hon vara beredd på. Marianne hade gråtit av lättnad, men Hart-
man hade svårt att ta ut glädjen i fulla mått när Maria Wern var
försvunnen. Mitt i allt detta hade Storm lagt sig sjuk. Ingen bekla-
gade sorgen. Han hade blivit förkyld. Ingen direkt feber, enligt
hustrun, men han kände sig krasslig och behövde vila, menade
hon. Andra ansåg att det var vissa direktsända sportevenemang
som lockade. Hartman höll sig för god för att kommentera den
saken. Han kavlade upp ärmarna och jobbade på. Ibland muttra-
de han irriterat över allt skrivarbete, som de bortrationaliserade
civilanställda tidigare gjort så mycket snabbare. Vad är det för rati-
onellt med att en polis gör sekreterararbete han inte är utbildad
för? Hartman ogillade skrivarbete även om han motvilligt insåg att
det var nödvändigt.

Arvidsson hade systematiskt gått igenom det utredningsarbete
Maria Wern gjort senaste veckan, kallat in de personer hon hört till
nya förhör och granskat rapporter. Tillsammans hade de spaltat upp

Marias sista dygn före försvinnandet. Hartman hade suttit åtskilliga timmar med Krister Wern som gång på gång hade försökt att erinra sig de sista dagarnas händelser. Arvidsson hade bett att få slippa ta sig an Maria Werns make, och kriminalinspektör Hartman hade förstått det han behövde förstå, utan att kommentera saken.

Krister Wern hade varit full av självförebråelser. Detaljerat redogjorde han för saker och ting som fick Hartman att höja på ögonbrynen mer än en gång, samtidigt som han kände sig tacksam för möjligheten att kunna filtrera en del uppgifter innan de hamnade i datorn. För Marias skull och särskilt med tanke på det agg Storm tycktes hysa mot kvinnor i allmänhet och Maria Wern i synnerhet. Krister Wern hade tydligen haft en liten affär, gjort ett litet snedsprång, som han själv uttryckte det. Inget allvarligt, en liten flirt bara. Det var illa. Förbannat onödigt. Det värsta var inte det som hänt, för det var egentligen inte så mycket. I icke helt redbart tillstånd hade han på en kursavslutning hamnat i en städskrubb med en dam vid namn Ninni Holm. Det hade blivit en del ta- och tafsövningar. Hon var fruktansvärt kittlig. En bidragande orsak till att inget mera otillbörligt inträffat. Det värsta var om Maria hade hört rykten. Om hon hört av någon att de varit i städskrubben tillsammans samtidigt och dragit sina egna slutsatser av det. Krister bedyrade att det aldrig hade hänt förut och inte skulle hända igen.

"I en städskrubb?"

"Varken där eller någon annanstans. Kan hon ha lämnat mej på grund av illvilliga rykten?"

"Vad tror du själv?"

"Vet inte."

I förtvivlan hade Krister ringt Karin och till Marias föräldrar. Deras oro hade givit ännu mera luft åt hans egen grämelse.

"Alla blir vi frestade, men man har ändå ansvar för vart det bär hän. Maria är en fin tjej. Var rädd om henne, du." Hartman hade givit ett par tips och känt sig oändligt gammal. Aldrig hade han som ung polis anat att sex- och samlevnadsundervisning skulle ingå i arbetsuppgifterna som polisman. Med tiden hade det visat sig att arbetet med att visa människor till rätta egentligen var gränslöst. Alltifrån att ge välling till och byta blöjor på övergivna barn tills socialjouren kom och tog över, sörja med gamla damer över påkörda mopsar till att rent fysiskt övermanna hetlevrade ogärningsmän, agera kurator åt drogpåverkade småflickor och hindra alkoholister från att kvävas i sina egna spyor. Varje dag bar sin egen börda och denna fredag var en av de tyngsta.

"Jag skulle vilja fara ner till Södertälje. Det kan vara lättare att få fram rätt material om man är på plats. SWEDINT har samlat en del minnesböcker och videofilmer åren operation UNICYP har pågått. Lite elakt har man kallat SWEDINT för vet int. Det finns väl en hel del papper att bläddra i förstås", menade Arvidsson.

"Vad vill du ha fram?" undrade Hartman.

"Hur många de var som for härifrån. Vilka Odd Molin och Clarence Haag umgicks med. Jag har kontrollerat de bilder vi hade lånat av Clarence men de gav inte mycket. Clarence kan mycket väl ha gallrat bort det han inte ville att andra skulle ta del av. Jag tror det tar för lång tid om SWEDINT ska leta och sedan skicka material. Hur var det förresten med personalen på Gyllene Druvan, kunde de känna igen Odd eller Mårten som kepsmannen?"

"Nej, det blev inget napp. Vi bör nog leta efter ytterligare en person. Far till Södertälje, du. Det kan vara klokt. Se till att hålla kontakten bara i fall det smäller till här uppe", sa Hartman.

Hartman tog ett par sockerbitar i brist på andra förnödenheter. Hjärnan behöver glukos för att kunna fungera. Kartan låg fortfarande utbredd över skrivbordet. Med fingret följde han vägen från Kronvikens fiskeläge, förbi Rosmaries örtagård till stan. Alla trådar i utredningen verkade på något sätt leda till eller förbi handelsträdgården. Ingen hade sett Maria fara dit. Inte heller därifrån.

Under gårdagen hade Hartman haft ett nytt förhör med Rosmarie Haag. Något i hennes attityd hade förändrats sedan sist. Hon var inte apatisk och uppgiven längre. Under den låtsade likgiltigheten brann en febrig låga. Hon visste något hon inte tänkte berätta. Hartman var övertygad om att något var i görningen. Visste hon vem Lejonriddaren var? Eller hade hon kanske bestämt sig för att inte leva längre, tänkt ut hur det skulle gå till? Trots knappa resurser hade Hartman beslutat om dygnetruntbevakning av Rosmarie Haag. Reglerna för telefonavlyssning var rigorösa, tills vidare fick de nöja sig med en polisman på plats.

Med oro tänkte Hartman på helgens regatta och den undermåliga bevakning de kunde ställa upp med, trots att ingen ännu kunnat gå på semester. Man kan ifrågasätta om inte stora evenemang själva borde bära sina kostnader för bevakning, tänkte Hartman. De övertidstimmar man nu tvingades arbeta skulle någon gång tas ut i tid eller pengar. Budgetramarna skulle komma att bågna innan sommaren var över, det var han övertygad om. Att göra nedskärningar strax innan man påbörjar ett omfattande förändringsarbete får givetvis konsekvenser. I Kronköping hade det lett till uppsägningar och sjukskrivningar i en omfattning man inte hade räknat med.

Hartman tänkte på Maria. Inte för ett ögonblick trodde han på Kristers förklaring om att hon givit sig iväg av privata skäl. Hon var liksom inte den typen som lämnar saker ouppklarade. Framför allt skulle hon inte lämna sina barn. Snarare köra maken på porten om hon förstod vad han hade haft för sig. Men Hartman hade ändå tyckt att det var bäst att Krister fick leva i den föreställningen. Dels gav det anledning till eftertanke, och dels höll det undan tankarna på att hon kanske inte var vid liv. Hartman lät fingret följa de andra vägarna som passerade Kronviken. Det fanns förstås en möjlighet att hon kunde ha cyklat landsvägen en bit och sedan sicksackat sig fram på småvägar genom skogen. Inte helt lätt att hitta om man inte bott ett tag i området. Hade hon cyklat genom skogen fanns det fem sex alternativa vägar hon kunde ha tagit, med en del sammanbindande punkter hon skulle tvingats att passera. Vad fanns det för anledning att fara skogsvägen? Kustvägen var bred och asfalterad, ett mycket snabbare alternativ. Blåsten? Blåste det inte kraftigt innan ovädret bröt ut? Hartman markerade de olika sträckorna och skulle just kontakta sambandscentralen när han fick in ett meddelande på snabben. Det var Ek.

"Hartman, jag vet att du har häcken full som det är men jag har något jag tror kan vara av intresse", sa han försiktigt.

"Ingen fara, kläm fram med det."

"Ett av vittnena från fiskeläget, en Egil Hägg vill anmäla ett försvinnande."

"Du menar ytterligare ett försvinnande", sa Hartman misstroget.

"Ja, kan jag skicka in honom till dej?"

41

D en kraftige mannen lutade huvudet i händerna. Hans axlar skakade av gråt.

"När upptäckte du att han var borta?" Egil tittade upp. Hans ögon var rödkantade och svullna. Han skruvade sig oavbrutet på stolen. "Nu i morse. Men han har inte legat i sin säng. Den var bäddad. Gustav har aldrig bäddat sin säng. Det gör jag jämt. Jag var så trött igår kväll så jag gick upp och la mej. Gustav hade sovit middag, han var inte trött alls. Han skulle se färdigt ett program på teven och sen skulle han släcka själv och gå upp och lägga sej när programmet var slut."

"Har han varit borta tidigare, försvunnit utan att säga vart han tänkte ta vägen?"

"Inte sedan han var liten. När min hustru dog var han tolv år. Då var han borta en hel dag. Jag hittade honom uppe i kyrkan. Han låg och sov innanför altarrundeln. Han undrade var de hade gjort av lådan som hans mamma låg och sov i. Han ville att hon skulle följa med hem. Jag kunde inte med att säga att hon kremerats. Prästen förklarade för honom att kroppen bara är ett skal som man inte behöver på andra sidan, att man gräver ner skalet för att lämna tillbaka den dräkt man lånat av jorden för att kunna leva här. Han förstod det."

"Vet du om han var upprörd över något just nu? Något han hört eller sett? Vad talade ni om på kvällen innan du gick till sängs?" Egil torkade sig valhänt i ögonen och gnodde av näsan med skjortärmen.

"Vi pratade om Jacob. Det har vi gjort varje kväll nu. Gustav och Jacob hade långa diskussioner om allt möjligt: livet, döden och hur det blir med snuset om EU-gubbarna får bestämma. Det är många som sörjer gamle Jacob, men för Gustav var han något alldeles speciellt. Den farfar han aldrig haft. Var kan han vara? Kan han ha gått vilse? Gustav har medicin han måste ta. Han har hjärtfel och epilepsi. Han kanske dör ifrån mej! Jag har ofta tänkt att jag vill leva längre än Gustav för att kunna ta hand om honom. Sista tiden har jag förstått att vi faktiskt tar hand om varann."

Egil började skaka igen och Hartman gick efter en kopp varmt kaffe.

"Var bor ni någonstans?" Hartman pekade på kartan han låtit ligga uppslagen på sitt bord. Med en bred och solkig näve följde Egil landsvägen in mot skogen.

"Där, där bor vi, precis vid bäcken." Hartman dolde en förarglig gäspning i handen och gnuggade sig i ögonen. Om Maria tagit vägen genom skogen borde hon ha cyklat förbi Häggs ställe. Det var enda möjligheten att ta sig över bäcken om hon skulle till stan. Från det vägkorset kunde hon ha farit på landsväg sista biten in till stan. Det var ett troligt alternativ.

Krister stirrade på ett prickigt påslakan han aldrig sett förut. Tapeten, som omgav honom på alla sidor, var ljusblå med små hysteriska vita moln och giraffer. Definitivt inte den han satt upp i sitt eget och Marias sovrum. Yrvaket reste han sig upp och lyssnade till det snörvlande ljudet, som var paketerat i en rulle av ett likadant prickigt påslakan som det han själv hade över knäna. Ett brunt lockigt hår stack upp vid kudden. Krister började svettas. Huvudet sprängde som en enda varböld. Illamående och ångerfull sjönk han ihop mot kuddarna igen.

Maria! Barnen var hos sin farmor. Verkligheten föll ner som ett finmaskigt nät och lät honom inte komma undan. Maria! Älskade Maria! Vad hade han gjort? Sökt tröst i all sin ynkedom. Han hade inte orkat med att vara ensam med barnen och deras frågor. Farmor hade kommit, som ett brev på posten. Godispåsar som vanligt. Billigt godis i giftgrönt, knallrött och illblått. Skumnallar! Sega läppar! Han hade sagt ifrån till sin mor, för första gången i sitt vuxna liv givit sig in i en häftig otrevlig ordväxling utan att slingra sig undan. All rädsla över vad som hänt Maria materialiserades i

247

smågodisets grälla substans. Varför hade hon köpt godis när hon visste att Maria inte ville det? Respektlöst! Gudrun Wern blev så överrumplad att hon måste gå och lägga sig en stund. Sedan ringde hon efter Artur, sin riddare. När han väl kom var luften så förtätad att Krister inte stod ut en sekund till. Han hade tagit bilen in till stan.

"Gör inget dumt nu." En faderlig klapp på axeln. Han hade farit hem till Majonnäsen.

"Du behöver en sup!" Behovet hade varit bottenlöst. Sedan hade de sökt sig ut på stan, för att ragga änkor och frånskilda, enligt Majonnäsens önskemål. Krister hade ett vagt minne av att han gråtit sig igenom en lövbit med pommes frites i Parkens restaurang.

"Du måste äta!" Maten fastnade i halsen. Mera öl. En kvinna med ett skärande skratt och påsar under ögonen hade låtit brösten vila på hans axlar, medan hon stod lutad över honom och frågade om han ville följa med henne hem. Hennes parfym satt fortfarande kvar som en kväljande doft i näsan. Han hade blivit skrämd, rest sig upp och vacklat ut på dansgolvet. Spytt i trängseln och lyckats skapa en viss distans till människorna omkring sig. Ninni Holm! Plötsligt fanns hon bara där, med sina goa runda armar. Han grät mot hennes axel, i hennes hår. Och hon vaggade honom till musiken: "Lady in red... never noticed this beauty by my side." Gud, så han längtade efter Maria!

"Är du vaken, Krister?"

"Förlåt mej. Det var inte min mening. Jag är så olycklig. Jag vet inte ens hur jag kom hit."

"Vi tog en taxi."

"Tack för att du tog hand om mej när jag var i helvetet."

"Ingen orsak. När du kan stå på benen får du gärna skura badrummet efter dej."

"Förlåt." Krister skämdes som ett djur.

"Jag hade väntat mej lite mer av natten än att leka morsa och hjälpa dej att spy. Jag hade en jävligt snygg tjej på gång", sa Majonnäsen härsket. "Men vad gör man inte för en kompis." Ett skäggigt ansikte blev synligt ovanför påslakanet, och det var ingen vacker syn.

"Nu får du för fan rycka upp dej, Krister", sa Majonnäsen när de vid lunchtid hade farit hem till den gula villan vid havet. Han gav sin dödspolare en puff med armbågen i sidan. "Du kan inte sitta här och stirra i väggen. Alla kvinnor sticker iväg någon gång. Det är så dom fungerar. När man slutar fjäska för dom, och tror att man har situationen under kontroll, så drar dom. Det händer mej jämt. Se på mej. Man överlever. Jag mår jävligt risigt, men jag kan i alla fall äta som folk. Ät upp din falukorv nu, som en stor stark karl. Hon kommer tillbaka. Om inte annat så för att hämta sina grejor."

"Var kan hon vara? Hon måste ju höra av sej. Jag har aldrig känt mej så ensam."

"Vi kan vara ensamma tillsammans. Vet du vad? Jag flyttar hit så klart. Slipper vi en hyra, vet du."

"Tack, det var inte riktigt det jag menade."

"Man ställer väl upp för en kompis. Men städningen och ungarna får du sköta själv. Möjligtvis kan jag läsa för dem någon gång. Jag brukade läsa Clas Ohlson-katalogen för Biffen, inga sagor och sånt trams. Biffen, han vet vad en klämringskoppling och en dragregulator är till skillnad från de där förklemade varelserna som går på dagis. Och jag kan laga mat", sa Majonnäsen hoppfullt.

"Visst, det tror jag säkert", sa Krister med en blick på de sorgligt brända korvbitarna. "Tänk om hon inte har stuckit. Hon kanske har blivit nedslagen av någon vettvilling. De jagar en yxmördare." Krister talade med låg röst trots att barnen inte var hemma. Det gick liksom av vana när saker nämndes som kunde få barnaöron att växa.

"Ja, fy fan", sa Majonnäsen och tog bort stekpannan från bordet. "Vill du inte ha din korv så käkar jag upp den." Krister tittade upp med en lätt förvirring i blicken och nickade.

"Tänk om hon är död. Vad ska jag ta mej till då? Vad ska jag göra? Jag står inte ut med det här längre. Jag måste få veta vad som har hänt."

"Är hon död så är det ju enkelt. Då får du begrava henne", sa Majonnäsen som var praktiskt lagd och proppade munnen full med hårdstekt falukorv.

"Håll käften!" sa Krister irriterat. "Sa hon inte något om en grav med en liten planta, någon sorts ört. Den hette ungefär som Rosmarie." Krister reste sig hastigt och gick fram till bokhyllan, plockade ut husets lexikon och läste högt: "Rosmarin, ros marinus (havets dagg) art i familjen kransblommiga växter. En ständigt grön buske med utbrett växtsätt och grågröna barrliknande korsvis motsatta blad och kamferliknande doft. Under grekiska antiken var örten helgad åt kärleksgudinnan Afrodite. Växten ansågs befrämja minnet och studierna."

"Kom Majonnäsen. Vi ska fara upp till kyrkogården."

"Redan? Vi vet ju inte om hon är död ännu. Lugna dej!"

Med ett par raska kliv var Krister ute vid bilen och Majonnäsen hängde på som en vante i ett snöre.

"Ska vi gå i kyrkan? Har du blivit rent religiös?" undrade Majonnäsen oroligt när de gick upp för grusgången till kyrkan. Väl medveten om att de märkligaste saker kan hända när folk börjar fundera över livets mening och döden. Jonna hade skaffat sig en massa kristaller och börjat gå på auradiagnostik när hennes mor gick bort och hans far hade som änkling gått med i Frälsningsarmén.

"Är det här bra, Krister? Är det inte att ta ut saker och ting i förskott?"

Krister hörde inte. Han gick med beslutsamma steg över den välansade gräsmattan. Vinden drev ner ett regn av kastanjeblommornas vita blad. De överblommade syrenerna doftade syrligt.

"Här är det." En gravsten som ser ut som ett avhugget träd.

"Är det inte lite tidigt att se ut gravsten redan nu", sa Majonnäsen och kände en stor olust. Det stod inte rätt till med Krister. När han sedan böjde sig över en liten planta, gnuggade ett par blad mellan fingrarna och sedan drog in doften i ett djupt andetag, visste Majonnäsen att vansinnet slagit till på allvar. Han tog sig för pannan och skakade på huvudet med samma snärt som när man skakar ner en kvicksilvertermometer.

"Du behöver en sup."

"Nej, jag behöver en kniv eller en skruvmejsel." Majonnäsen grävde i sina djupa byxfickor och fick fram en tretumsspik. Han hade hört farmor säga att man aldrig ska säga emot någon som inte är riktigt klok. Aldrig väcka någon som går i sömnen och aldrig tvinga någon ur sin dårskap när de flytt från verkligheten.

"Duger den här?", sa han ängsligt.

"Tror det." Krister skrapade bort den gula skorplavan från stenen utan att lägga märke till den gamla kvinnan i brunt huckle som intresserad iakttog honom. Majonnäsen körde armbågen i sidan på Krister. Han kände sig ertappad, som om de höll på med något olagligt. Krister hälsade med en nick och fortsatte sitt arbete. Kvinnan smög sig närmare utan att släppa mannen, som hukade vid graven, med blicken.

"Vet du vem som ligger begravd här?" undrade Krister. "Jag har försökt få fram inskriptionen, men det är inte så lätt."

"Herman Sirén. Han dog 1952. Det måste herrn väl ha hört talas om. Astrid Sirén ligger på norrsidan bland självspillingar och våldsverkare. De lämnade en liten son efter sig."

"Ivan Sirén?"

"Ja, så hette han."

"Hette?"

"Han tog värvning och blev kvar där utomlands. Han dog där borta."

"Är det inte han som har minkfarmen, menar du?"

"Farfar hans skaffade sig minkfarm på gamla dar. Men det är en utsocknes som har köpt den nu. Han är folkskygg, säger dom. Jag vet inte jag", sa kvinnan och dolde munnen med handen. Kanske hade hon dåliga tänder.

"Ivan Sirén, Ivan Lejonriddaren, så hette han! Visst, så var det ju", sa Majonnäsen. "Vet du att Maria frågade mej om det i tisdags och då kunde jag inte komma på det. Ivan hette han. Om det är han som har minkfarmen kunde vi åka dit och snacka lite med han, eller hur?"

Krister satte sig på gräset. Han måste fundera. Ivan Sirén och Egil Hägg, mellan Hägg och Syren. Jackan de hade hemma, Ivans fleecejacka, hängde inte längre i hallen. Det var han säker på. Sist han såg den hade den legat slängd över vardagsrumssoffan. Han hade tänkt ta med sig den på onsdagsmorgonen när han for till arbetet. Men då hade den varit borta. Tänk om Maria tagit den med sig. Cyklat över skogen för att överlämna den till Ivan. Om Ivan var den polisen sökte kunde vad som helst ha hänt. Krister kände sig yr och omtöcknad.

Lättad över att få lämna kyrkogården klev Majonnäsen in i bilen och styrde ut på landsvägen. Det var skönt att Krister släppt sin sjuka fixering vid gravar och velat följa med och hälsa på en kompis i stället. Så vitt Majonnäsen kunde minnas hade Ivan alltid varit en hygglig prick. Rejäl på något sätt. Att han sysslat med något sådant som narkotika hade förvånat dem. Men man vet aldrig med folk. I de lugnaste vatten går de fulaste fiskarna. Frestelsen kanske hade blivit för stor. Men nu var brottet sonat. Ivan behövde säkert sina kompisar igen. Inte konstigt att han blivit folkskygg efter att ha suttit inne. Synd att inte Clarence och Odd var hemma. Man kunde ju undra vart de hade tagit vägen, efterlysta på teve och allting. Det kunde vara trevligt att ta en öl och prata gamla minnen. En del minnen, inte alla. Idén kanske inte var så lysande när det kom till kritan. Majonnäsen vevade ner vindrutan och lät den svarta lurviga hårmanen fladdra i blåsten. Tänk om det var Ivan som kommit hem igen. Krister tog upp sin mobiltelefon. Hartman hade poängterat för honom flera gånger att han skulle höra av sig om han kom på något nytt. "Tänk inte att något är oväsentligt. Det vet man aldrig förrän efteråt", hade kriminalinspektör Hartman sagt. Krister letade upp lappen han hade i fickan, en skrynklig och tummad komihåglapp från dagis med utrustningslista för en utflyktsdag Emil varit i maj. På baksidan fanns Hartmans direktnummer.

"Kriminalinspektör Hartman är inte inne för tillfället. Vem kan jag hälsa ifrån?"

"Krister Wern."

"Ska jag be att han ringer upp?"

"Gör det. Han har mitt mobilnummer."

De for över dammiga grusvägar. Solen gassade på rutan och Krister svettades. Ideligen drog han sina fuktiga händer över byxlåren. Vad skulle han säga till Ivan när de råkades? Hej Ivan, var det du som slog Jacob med en yxa i huvudet?

Varför ringde Hartman aldrig upp! De passerade skogstjärnen, med sitt svarta vatten, till hälften dold bakom höga yviga granar. Alldeles i skogsbrynet stod en mager figur. En man med vitt hår och skägg.

"Stanna, Majonnäsen! Stanna!!" Majonnäsen ställde sig på bromsen och de fick en rejäl sladd på grusunderlaget, som så när hade förpassat dem till diket.

"Va fan är det?" skrek Majonnäsen i falsett.

"Ivan! Vi körde just förbi Ivan!!"

"Vi körde nästan rakt in i evigheten, ska jag säga dej."

Krister svarade inte. På ett ögonblick var han ur bilen och stod öga mot öga med mannen.

"Ivan!" Den magre stirrade på Krister med forskande blick.

"Har du fler bilar att sälja?" log han. "Det var bra att ni kunde komma. Ju fler vi är som letar efter Gustav, desto bättre. Har Egil ringt efter er precis nu? Om ni tar andra sidan tjärnen och går upp mot kraftledningen, så möts vi där." Krister drog sig undan. Han hade en enda tanke. Att få kontakt med larmcentralen. Om Ivan var mördaren, fick han inte komma undan.

"Tjäna Ivan Lejonriddaren! Det var inte igår, du! Vem fan letar vi efter? Yxmördaren?" Majonnäsen skrattade ett bullrande skratt från djupet av sin öltunna.

Ivans ögon blixtrade svarta som tjärnens vatten. Ansiktet genomgick en total förvandling. En snabb rörelse mot bältet och plötsligt blänkte en pistol i hans hand.

"Va fan är det där för en leksak, Ivan? Köpte du den på Cypern? Vilken jädra yxpuffra!"

"Släng hit bilnycklarna och mobiltelefonen och lägg er ner på marken med händerna över huvudet", väste han. Krister lydde omedelbart, för Majonnäsen tog det lite längre tid.

"Festligt Ivan, men nu ska du inte vara sån. Känner du inte igen mej, din kompis Majonnäsen?"

"Gör som jag säger, annars skjuter jag hjärnan ur dej din fete fan!!"

De såg Volvon fara iväg och försvinna bakom sågverkets vedstaplar. Krister kom först på fötter.

"Vi måste ha tag i en telefon. Kom igen nu! Upp med dej!"

Majonnäsen kravlade sig på fötter. Mödosamt och omständligt. Hela fronten på hans byxor hade antagit en mörkare nyans.

"Måste ha legat i en vattenpöl", urskuldade han sig.

Hartman drog händerna genom sitt vildlockiga hår gång på gång, ett omedvetet sätt att genom massage öka genomblödningen och därmed syresättningen, det var Arvidssons teori om fenomenet. Arvidsson själv befann sig halvvägs från Södertälje när Hartman hörde hans röst i telefonen.

"De har ett namn, låt oss säga preliminärt: Ivan Sirén. Jag återvänder nu så får de skicka resten av pappren. Ivan Sirén, dömd för narkotikabrott, har suttit inne på turkcypriotiska sidan tills för fyra månader sedan."

"Vi är redan på plats. I granngården. Jag talade med honom för en halvtimme sedan. Nu tar vi honom, Arvidsson. Det lovar jag."

I samma stund som Hartman avslutade samtalet såg han Krister komma springande över gärdet. Långt efter honom kom Manfred Magnusson lufsande i makligare takt. Det dröjde ett stund innan Krister lyckats pressa fram vad han hade på hjärtat. Konditionen var inte den bästa och andhämtningen var därefter.

"Hur långt försprång kan han ha?" frågade Hartman när han fått situationen något så när klar för sig.

"Jag såg aldrig på klockan." Krister stod framåtlutad och höll sig med båda händerna i köksbordet för att få luft. "Han är beväpnad. En pistol."

42

Hartman tog av sig glasögonen och stoppade dem i bröstfickan. Marianne hade varit förbi med en köttfärspaj. När Hartman broderligt delat med sig till de andra fanns bara en ynklig liten bit kvar som han tog i två tuggor. Magen skrek i protest. "Du dricker väl ordentligt, Tomas? Inte bara kaffe?" hade hon förmanat honom. Hartman kände sig svimfärdigt matt och skakig. I ett ögonblick av insikt hade han hällt i sig en liter vatten och kände sig långsamt bättre. Tomas Hartman tryckte fingertopparna mot varann för att hindra skakningen. Händerna var iskalla.

"De sa där ute att ni inte fått tag i Ivan ännu." Egil pekade mot receptionen.

"Nej, det tog tid innan vi fick upp några spärrar söderut. Han kan vara kvar i området, men det troligast är att han passerat nedåt landet. Vi har lyst bilen och låtit rikslarm gå ut."

"Gustav! Har han med sig Gustav som någon sorts gisslan? Tror du att han var så jävla fräck så han gick skallgång efter Gustav fast han visste var han fanns? Det vill jag inte tro om Ivan. Skadar han Gustav så kommer jag att häva ihjäl han. Gustav klarar sig inte utan sin medicin!"

"Jag är intresserad av att få veta allt du känner till om Ivan. Det kan vara till ovärderlig hjälp."

"Ivan växte upp hos sin farfar. Det var en bra karl. Men det onda arvet måste ha slagit igenom trots att han fick en trygg uppväxt. När man föder upp brevduvor gäller det att avla rätt om det ska bli bra avkomma, har man en nervös och tjurig hanne..."

"Ivan? Vad skulle du berätta om Ivan?" Hartman tryckte fingrarna mot tinningarna i ett vagt hopp om att kunna lindra sin huvudvärk.

"När Ivans mor låg på BB med sin lille nyfödde son fick hon höra elaka rykten om Ivans far och Toktilda."

"Toktilda?"

"Hon tog livet av sig. Kastade sig utför utsiktsklippan. När Ivans mor fick höra det sköt hon sig själv och maken. Det var nerverna. Det är en känslig tid just när de varit sta och fött."

"Var ryktena sanna?"

"Det vet en inte. Det var tal om både den ena och den andra. De flesta trodde att det var någon av beredskapsgubbarna de hade inkvarterade på gården. Toktilda var svagsint. Hon kunde liksom inte säga ifrån, ville alla så väl. Hon var för god för den här jorden. Det var därför hon kallades hem så snart. Vi andra fulingar vi får leva länge här i jämmerdalen. Jag var dräng vid Smedbys på den tiden, granngården, och aldrig såg jag då Sirén svassa i faggorna som många andra bockar."

"Fick Ivan veta vad som hänt föräldrarna?"

"Jag tror att han fick höra om det först när han börjat i skolan. Det behövdes inte så mycket för att bli retad och barnen hörde väl hur de vuxna tisslade och tasslade. Ja, han blev retad. Men inte så länge vill jag minnas. Farfar hans kom till skolan en eftermiddag och talade med klassen. Sen var det ingen mer som sa något. Ivans farfar gjorde man sig inte till ovän med i onödan."

En knackning på dörren fick Hartman att flyga ur stolen. Tusen tankar for genom hans hjärna. Maria!!

"Kan du komma till konferensrummet, Hartman?" Erika Lund var likblek och hålögd i det obarmhärtiga dagsljuset.

"Maria?"

"Jag berättar där inne." De gick korridoren fram under öronbedövande tystnad. Alla hade samlats, deras blickar vändes mot de nyanlända.

"Jag gick igenom Ivan Siréns boningshus och sedan längorna med minkburar för att få ytterligare en överblick innan jag fortsatte detaljgranskning. I ett kylrum med djurkroppar fann jag Marias halskedja. Den hon alltid bär. Jag tror han har malt ner dem till minkföda, kropparna! Prov för DNA är skickat, med högsta prioritet", sa Erika med ostadig röst.

"Vad är det du säger?!" Hartman tog ett stadigt tag om bordskanten. Blodet försvann från hans ansikte. "Vad sa du?!"

"Jag tror att han malt ner kropparna till minkmat! Nere i husets källare, i värmepannan, fann jag rester av brända kläder, knappar och bendelar som inte förstörts av elden. Olyckligtvis kom Krister Wern in i uthuset just när vi gjorde upptäckten av ett mänskligt garnityr i minkmaten. Han har chockad förts till sjukhus. Jag vet inte hur han kom innanför avspärrningen. Han tyckte utredningen gick för långsamt fram och ville vara på plats. Vi kanske bör se om våra rutiner på det området. Barnen skulle hämtas på dagis", sa Erika och tog ett djupt andetag. Tårarna steg i ögonen och hon satte handen för ansiktet.

"Vem hämtar dem nu?"

"En vän till familjen, Manfred Magnusson. Han var visst med Krister Wern till minkfarmen."

"Finns det något som tyder på att Maria skulle..."Hartman kände hur händerna började skaka igen. Han knäppte dem i knät i en tyst bön.

"Vi har skickat prover för DNA-analys. Det kan ta åtskilliga timmar att få svar. Jag har skickat ett hårstrå från hennes hårborste för jämförelse. Cykeln är också funnen. Marias cykel. I botten på en komposthög alldeles intill boningshuset." Erika nöp sig hårt i underarmen för att behärska gråten i halsen.

"Finns det några spår efter Gustav?"

"Ett munspel. Det låg ute vid en av burarna i minklängan. Egil Hägg sa att Gustav alltid har det med sej, till och med i sängen. Det är hans käraste ägodel. Han fick det av Ivan när han fyllde år. Jag trodde Egil skulle ramla ihop när jag visade honom det." Erika tog stöd av bordet och satte sig ner. "Jag klarar inte det här", grät hon. Hartman la sin hand på hennes axel. Det fanns inget att säga. Det var dödstyst i konferensrummet. Bara fläktens entoniga ljud gnagde sig in i ordtomheten. Den förste som tog sig ur försteningen var Arvidsson.

"Storm ringde. Han har beordrat mera folk till festplatsen. Det var visst bråk. Bevakningen av örtagården är indragen tills vidare."

"Vem tog emot det samtalet utan att meddela mej?"
"Himberg."

Rosmarie hade väntat på honom i lusthuset hela dagen. Den vita klänningen som legat uppe på vinden i alla år hängde löst på hennes magra kropp. Spetsen var trasig i urringningen och tyget gulnat. Hon hade tagit på sig den för att minnas. Lager på lager av puder täckte de blånade märkena på halsen och gav rynkorna en extra markering. Bordet var dukat med kristallglas. Ett var sprucket. Tiden går inte spårlöst förbi.

När det började skymma tände hon ljusen i kandelabern, uppfylld av hans minne. Hon strök med händerna över sina bröst och höfter, försökte känna hans händer genom sina egna. Om en kvinna ger en man en kvist av basilika och han tar emot den kommer han att älska henne för evigt. Så unga de hade varit och så högtidliga i sina löften till varandra. Så säkra på att själva styra sina öden. Rosmarie hällde upp mera vin i glasen ur lerkruset, spelade rollspel. Ömsom var hon Ivans hela försäkran om återkomst, ömsom sin egen ängslan inför ensamheten och det väntade barnet. I rusets bedövande famn gav hon sig hän åt rollerna. Hon brydde sig inte om att vinet spilldes och fläckade klänningen. Avskedet. Ivans sista ord och hennes. Tomheten.

Nu hörde hon hans steg på grusgången, inte längre ivriga och glada, inte ens beslutsamma. Hon såg en skymt av honom genom bladverket och skyndade ut på trappan med vidöppen famn. Håret lyste som en kopparfärgad gloria i skenet från stearinljusen. Klänningens krämvita färg fick huden att skimra. Kinderna blossade av plommonvin. Han stod alldeles stilla och såg obeslutsamt på henne. Såg henne som om tiden aldrig skilt dem åt och han tog henne i sin famn, mot alla föresatser. Drog in hennes doft som följt honom i drömmen och han grät. År av infrusna tårars gråt. Han lät händerna glida över det tunna klänningstyget och kände hennes varma hud. Kysste hennes panna och mun. Hon kröp längre in i hans famn. Varsamt knäppte hon upp hans skjorta med smekande rörelser och lät handen glida över byxtyget, upp från låren mot dragkedjan. Hennes kyssar lovade allt. Ivan förlorade sig ett ögonblick innan han grep om hennes handled med förtvivlans häftighet.

"Jag kan inte. Det finns inget liv. Allt är söndertrasat och bränt av elchocker. Jag kan inte ens pinka som folk." Med höger hand hissade han upp en urinpåse ur byxlinningen i en önskan att chockera och slå sönder den stämning som hotade att övermanna honom. "Glo du, glo för faan." Han försökte skjuta henne ifrån sig men hon klamrade sig fast. "Jag vill inte ha nåt jävla medlidande", sa han ursinnigt och ångrade att han kommit. Hatade sig själv för att han låtit henne få makt över honom igen.

"Inte jag heller. Jag älskar dej, Ivan. Jag har alltid älskat dej." Hennes ansikte var alldeles nära. "Stanna hos mej." Hon lyfte ett glas från bordet till sina läppar och förde det andra till hans mun. "För oss."

"För oss", sa han och såg henne i ögonen. Letade efter ett stänk av rädsla eller svek, men fann det inte. "Jag kunde ha dödat dej", sa han i ett sista tvehågset försök att skrämma henne till motstånd.

"Jag har inget att förlora", sa hon och mötte hans blick med ett allvarligt leende. Tog en klunk av vinet. "Har du?"

Konrad Hultgren gick av och an i sitt kök. Det hade lyst länge nere i lusthuset. Kanske satt Rosmarie kvar där ensam i mörkret. Han hade lagt märke till de sista dagarnas förändring, en ny stolthet, en ny beslutsamhet. Nog skulle de klara av Clarence om han kom tillbaka. Konrad stoppade ett par nitroglycerintabletter under tungan, tog ficklampan och gick ut i mörkret. Halvvägs förbi dammen kände han en hand på sin arm.

"Polisen här! Håll dej undan. Det kan bli farligt. Han är beväpnad." Polisinspektör Himberg föste den gamle mannen tillbaka mot huset. "Är de inne i lusthuset?"

"Jag vet inte. Vad tänker ni göra?"

"Om du ser till att hålla dej undan så sköter jag mitt", sa Himberg högdraget.

"Vem är beväpnad?" undrade Konrad med rösten full av krossat glas. "Clarence?"

"Ivan Sirén."

"Får jag tala med honom?"

"Är du inte riktigt klok. Håll dej undan, för helvete!"

Skuggan av en manskropp gled mot lusthuset. Dörren vräktes

upp. På golvet låg Rosmarie Haag och Ivan Sirén tätt hopkrupna intill varann.

"Polisen här. Lägg ifrån dej vapnet, Ivan Sirén!"

De nonchalerade honom helt. Kanske var det en fälla. Himberg kände en ilning i magtrakten. "Släpp kvinnan och res dej upp din jävel!" Den efterföljande tystnaden skar i öronen. Himberg sparkade till Ivan och kroppen föll ut över golvet i en slapp omfamning av intet. Rosmaries ögon var slutna. De vita läpparna var märkta av dödens kyss. Himbergs vredesvrål skar genom natten och nådde ända ner till parkeringen där Hartman just stannat sin bil.

43

Skymningen låg tät över skogen och sänkte sig över strand-
ängen som en stor grå yllefilt. Solens sista strålar lyste upp
molnens undersidor, som skiftade i rött under den kompak-
ta mörkgrå molnmassan. Havet låg stilla och lyssnande. Ibland tre-
vade sig en våg över de runda stenarna i strandkanten, som ett
dibarn efter sin mors bröst. En duva hade flugit över ängen bort
mot skogen. En smäcker brun duva med vita vingpennor och vitt
huvud. En ung man sjöng. Av hela sitt hjärta sjöng han sina vack-
raste visor, sjöng för livet. Tonerna färdades med den milda vin-
den. Svängde i blåklockorna och förenade sig med granarnas stilla
sus.

De stannade bilen i gläntan. Egil Hägg sprang över ängsgräset,
fortare än någon skulle sagt var möjligt, tätt följd av Arvidsson och
Ek.

I förtvivlan hade Egil farit hem från polisstationen på eftermidda-
gen. Hem till tomheten. Gustavs bäddade säng. Gustavs träskor
som stod vid glasdörren till duvhuset. Munspelet hade han lagt
upp på hyllan ovanför Gustavs säng, som om han bara plockat
undan lite, som om Gustav när som helst skulle lufsa in och undra
vart det tagit vägen. Alla de välbekanta Gustavljuden var borta:
ingen skramlade i köket, ingen spolade på toaletten, inte ens
Beethovens ihärdiga stråkar bröt tystnaden. Egil tittade på doset-
ten där Gustavs medicin fanns uppdelad dag för dag. Livsviktig
medicin! Egil vred sina händer i maktlöshet. Ett svagt kuttrande
läte från duvslaget fick honom att återfå balansen för en stund.
Livet måste trots allt ha sin gång. Duvorna måste ha majs och vat-

ten. Då såg han Arrak komma inflygande och sätta sig på pinnen utanför sitt redfack. Egil tänkte att han ville hålla om duvan. Söka tröst, om det fanns någon tröst. Det var då han fick syn på lappen som satt fastkilad under duvans ring och glädjen gjorde en kullerbytta i bröstet.

På långt håll hörde de Gustavs sång nere vid bunkern. Tonerna steg som röksignaler mot himlen: Här är vi! Egil snubblade fram, halvblind av tårar.

"Gustav, min Gustav!" Arvidsson ville ropa men kunde inte. Tordes inte om svaret skulle utebli. Dörren till bunkern var låst med ett hänglås. Arvidsson gick runt till sjösidan och ryckte loss brädorna från gluggen med sina bara händer. Han stirrade in i mörkret.

"Maria, lever du?!"

"Hon sover och sover", sa Gustav.

"Andas hon?"

"Jajamensan. Man måste andas hela tiden, annars dör man."

Arvidsson tog upp en stor rund sten och vräkte den mot låset som gick upp. Han öppnade dörren. Stanken slog emot honom.

"Är ambulansen på väg?"

"Ja", sa Ek och sjönk ner på huk vid gluggen. "Hur är det, Maria?"

EPILOG

Maria satt i Kronvikens kyrka. Orgelmusiken brusade i en mäktig fuga som lekte tafatt med sig själv under valven och rann längs med pelarna mot golvet. Längst ner i kyrkan hade man fyllt en träbåt med sand där minnesljusen brann. Med skakande händer hade hon tänt sina ljus till minne av Ivan Sirén och Rosmarie Haag. Under begravningstalet lät hon blicken vandra upp mot kyrkfönstret. Såg på glasrutorna i blått, rött och gult med sina blyinfattade kanter. Kanske såg Ivan på Rosmarie nu, så som han valt att se henne, med kärlek. Gustav satt längst fram bredvid Egil med en bukett blåklockor i handen. Håret flög i takt med musiken, axlarna gungade. En vacker bild, men Maria hade svårt att känna något alls. Orden rörde henne inte. Hon hade inte kunnat reagera, varken sörja eller glädjas, inte ens kunnat känna vrede. Såret i huvudet var nästan läkt. Men alla känslor var döda. Det var som om hon utifrån kunde iaktta Maria, se att det hon gjorde var korrekt, men utan liv. Det var som om inget egentligen angick henne mer. Hartman hade förstått och erbjudit henne professionell hjälp, men hon hade avböjt. Hon orkade inte. Ville bara sova. Krister var bekymrad.

En kortväxt man reste sig upp med sin fiol. Han såg inte mycket ut för världen men hans musik var mäktig. Riktigt vem han var eller var han hade kommit ifrån kunde ingen förklara efteråt. En musiker på genomresa? Tonerna steg och sjönk under kyrkans valv. Rörde vid henne med varsamhet. Stråken dansade som ett trollspö över strängarna. Fingrarnas känslighet gav tonerna liv. De vandrade i blodet och sjönk som stenar in i medvetandet. Vaggande gav musiken uttryck för det svåra och sedan slog den ut i ett fyrverkeri av toner, som stjärnor och eldar, norrsken och vattenfall. Sådan musik når dit orden aldrig kan färdas, för sådan musik finns inget försvar, den når rakt in i själen. Maria lät tårarna rinna utefter kinderna utan att skyla sitt ansikte och tog Kristers hand.